THOMAS OTWAY

vorgelegt von

EDGAR SCHUMACHER

BURT FRANKLIN
NEW YORK

Published by LENOX HILL Pub. & Dist. Co. (Burt Franklin)
235 East 44th St., New York, N.Y. 10017
Originally Published: 1924
Reprinted: 1970
Printed in the U.S.A.

S.B.N.: 8337-31769
Library of Congress Card Catalog No.: 74-131457
Burt Franklin: Research and Source Works Series 590
Theatre and Drama Series 13

DEM ANDENKEN MEINES LIEBEN LEHRERS

DES

HERRN PROFESSOR D<u>R.</u> E. MÜLLER-HESS

„Chè in la mente m'è fitta, ed or mi accora
La cara e buona imagine paterna
Di voi . . . ."

Vorbemerkung

Die nachstehende Biographie des Dramatikers Otway ist aus einer Abhandlung über seine „Orphan" hervorgegangen. Sie erhebt Anspruch darauf, der erste streng wissenschaftliche Versuch einer Lebensbeschreibung des Dichters zu sein. Wer auch nur aus oberflächlicher Durchsicht die zahlreichen Widersprüche und Unglaubhaftigkeiten selbst der neueren Otway-Biographie kennt, wird zum mindesten die Dringlichkeit der Aufgabe nicht in Abrede stellen. Mein erstes Bestreben war, dem Forscher das gesamte irgend erreichbare Material in reinlichster Sichtung und Durcharbeitung, dabei in lesbarer Form, vorzulegen; womit erst die Grundlage gegeben wäre für eine ersprießliche Würdigung der so höchst bedeutsamen Persönlichkeit Otways und seines Schaffens.

Wenn meine Arbeit nicht die allseitige Geschlossenheit zeigt, welche ich ihr geben möchte und könnte, so sind Aeußerlichkeiten daran schuld, vor allem die Rücksicht auf den Raum: ein Kapitel über das Nachleben des Dichters, sein Bild im Urteil des sogenannt Augustischen Alters, seine Aufnahme in Deutschland um die Mitte des achtzehnten Jahrhunderts und sein Eindruck auf Lessing, Herder und die Spätern, unterblieb aus diesem Grunde. Aehnlich verhält es sich mit dem ersten Kapitel, das auf sehr viel weitern Umfang angelegt war, und nun in Kürze einzig die nötigsten Voraussetzungen zusammenfaßt. Den genauen Kenner der Restoration bitte ich, es zu überschlagen, da es nur zur Einführung für den Fernerstehenden berechnet ist.

Auf eine Bibliographie zu verzichten, wurde mir um so leichter, als ich in den Anmerkungen die hauptsächlichsten Hinweise gegeben. Man wird viele mit meinem Gegenstand in Zusammenhang stehende Titel nicht finden: es sind dies ausschließlich Bücher, deren Durcharbeitung mir kein nennenswertes Ergebnis lieferte. Ich nenne als eines von vielen Beispielen das angenehm lesbare, aber ganz obenhin, novellenhaft gehaltene Werk von Robert N. Whiteford: „The Drama of the Restoration Period: Thomas Otway" (Crawfordsville, Indiana 1893).

Daß meine Auseinandersetzungen an einzelnen Stellen polemischen Charakter annehmen, war nicht zu vermeiden. Das Wesen meiner Aufgabe, ein treues und von Vorurteilen freies Bild des Dichters hinzustellen, rechtfertigt solches hinlänglich. Abgesehen davon, daß in unserem eunuchischen Zeitalter jede entschiedene Meinungsäußerung erquicklich sein dürfte.

Die Zitate gebe ich grundsätzlich buchstabentreu nach den ältesten Quellen, wobei ich nur den zumeist regellosen Wechsel von großen und kleinen Anfangsbuchstaben vernachlässige. Alle angeführten Drucke und Handschriften entstammen den Sammlungen des B r i t i s c h e n M u s e u m s.

Steten Dank wahre ich meinen verstorbenen Lehrern, den Herren D r. R u d o l f I s c h e r, dem Biographen Zimmermanns, und P r o f e s s o r D r. E. M ü l l e r - H e ß. Reiches Verdienst um meinen „Otway" erwarb sich Fräulein R ö s l i L e u e n b e r g e r in Huttwil.

———————•◆•———————

ERSTES KAPITEL

Die Umwelt

Als am 3. September 1658 der Lord Protektor Oliver Cromwell starb, ließ unter den vielen, die seinen Tod in poetischen Ergüssen betrauerten, auch ein noch unbekannter Dichter, John Dryden, sich hören; er feierte in pompösen Stanzen den großen Toten:

„His grandeur he derived from Heaven alone,
For he was great, ere Fortune made him so;
And wars, like mists that rise against the sun,
Made him but greater seem, not greater grow."

Anderthalb Jahre vergingen, und der Stuart Karl II. zog als Herrscher ein; am 29. Mai 1660 konnte Evelyn in sein Tagebuch schreiben: „This day his Majestie Charles II. came to London after a sad and long exile and calamitous suffering both of the King and Church, being 17 yeares. This was also his birth-day, and with a triumph of above 20000 horse and foote, brandishing their swords and shouting with inexpressible joy; the wayes strew' d with flowers, the bells ringing, the streetes hung with tapistry, fountaines running with wine; the Maior, Aldermen, and all the Companies in their liveries, chaines of gold, and banners; Lords and Nobles clad in cloth of silver, gold, and velvet; the windowes and balconies well set with ladies; trumpets, music, and myriads of people flocking, even so far as from Rochester, so as they were seven houres in passing the Citty, even from 2 in the afternoone till 9 at night. I stood in the Strand and beheld it, and bless' d God . . ."

Auch zu diesem Anlaß geschah natürlich ein großer Aufwand an dichterischen Huldigungen: und wieder steht John Dryden in vorderster Reihe; er veröffentlicht „Astraea Redux. A Poem on the happy Restoration and Return of His Sacred Majesty Charles the Second". Der Fall ist für die sittliche Haltung der Epoche kennzeichnend; denn es ist nicht etwa, daß Dryden ein Beispiel ungewöhnlicher Charakterschwäche böte: ein Dichter von längst anerkanntem Ruf, Edmund Waller, und der spätere Bischof von Rochester, Thomas Sprat, bewegen sich im gleichen Fahrwasser,

zahllose Geringere mit ihnen. [1]) Aber Dryden verkörpert viel um-
fassender als jeder andere alle Tendenzen des geistigen Lebens dieser Zeit in seiner Person. Darin, viel mehr als in einzelnen seiner
Schöpfungen, liegt Drydens bleibende Bedeutung: von einer eigenartig interessanten, wenn im großen auch unerquicklichen Epoche,
gibt seine einzige Gestalt uns ein beinahe allseitiges und ungemein
treues Bild. Nicht weil er das größte poetische Genie der Restoration
ist: Lee und Otway sind tragische Dichter von sehr viel echterer
Größe; Wycherley und Etherege lassen ihn weit hinter sich in der
Komödie; an Butlers geistsprühender Ironie kann er sich nicht
messen. Aber keiner entfaltet auch nur annähernd die umfassende
Weite seiner Produktion, und keiner auch hat so gründlich und
klug·sich theoretisch mit den aktuellen Fragen der Literatur befaßt;
kein Gedanke und keine Leidenschaft hat diese Zeit bewegt, welche
nicht in Dryden einen entschiedenen Nachhall fänden. Er bestimmt
Form und Regel für die Tragödie der Restoration und gibt ihr zugleich die Muster; von ihm nimmt das Lustspiel seinen Ausgang; im
satirischen Kampf führt er die wuchtigste Waffe; in der didaktischen
Poesie ist er unbestritten Meister, nicht minder als Uebersetzer in
Vers und Prosa; die Einsicht und Klarheit seiner Kritik erreicht
keiner der Zeitgenossen. Von Dryden sprechen, heißt die Literatur
der Restoration überhaupt betrachten.

Es ist ein ungeheurer Gegensatz, der diese Epoche von der
vorausgegangenen scheidet; er läßt am besten sich in Namen fassen:
dort der Protektor Cromwell und sein lateinischer Staatssekretär
Milton, hier Karl II. und der Poeta Laureatus Dryden. Der Wüstling Rochester gibt einmal in zwei Versen schmutzig und treffend
das Bild des Königs:

„Restless he rolls about from whore to whore,
A merry monarch, scandalous and poor."

Karl II. hatte gewiß seine guten Eigenschaften: er war nicht
unbegabt, verfügte über beträchtliche Kenntnisse und verstand z. B.,
wie Burnet gut bemerkt, „the architecture of a ship a little more
exactly than what became a prince". Sein leutseliges Wesen und sein
schlagfertiger Witz verschafften ihm eine gewisse Volkstümlichkeit.
Zum unterhaltsamen Höfling hätte er sich trefflich geeignet; zum
Herrscher fehlte ihm alles. Außer seinen persönlichen Vergnügungen
war höchstens das Hofzeremoniell, das er während des Exils in
Frankreich mit Muße hatte studieren können, ihm von Interesse.
Einen heiteren Einblick gewährt Evelyns Bericht vom 18. Oktober
1666, über die Einführung einer phantastischen Hoftracht nach

---

[1]) Ueber Dryden vgl. die Satire „The Town Life" (State Poems I. 190.):
„I cannot vere with ev' ry change of state;
Nor flatter villains, tho at Court they' re great:
Nor will I prostitute my pen for hire,
Praise Cromwell, damn him, write the Spanish Fryar:
A Papist now, if next the Turk should reign,
Then piously transverse the Alcoran."

persischem Muster: und das war die ernsthafteste Sorge des Königs sechs Wochen nach dem verheerenden Brand von London und zur Zeit, da noch immer die Schrecken der Pest sich nicht erschöpft hatten.

Bischof Burnet schildert in seiner „History of his own Times" die Stimmung der Nation seit der Wiederberufung des Königtums: „With the restoration of the King a spirit of extravagant joy overspread the nation, which was soon attended with all manner of profaneness and immorality. The hypocritical pretences of former times gave great advantages and matter enough to the mockers at religion; and some were so weak as to fall in with them, to avoid the more odious imputation of being hypocrites. Men' s hearts were elated after their return from want; and riot and excess, under the colour of drinking the King' s health, were made a compensation for what they had suffered under a state of much affliction."

Es war nicht der Boden, auf dem eine männliche und reine Kunst hätte erwachsen können; und das launische Interesse, das der witzige Monarch der Poesie bezeugte, war ihr nachteiliger als die Gleichgültigkeit eines Cromwell. Tieferen Anteil nahm Karl II. an solchen Dingen nicht. Geistreicher Spott durfte seines Beifalls sicher sein, auch wenn er seine eigene Person zum Ziel hatte. Pikante Unterhaltung verlangte er und verlangte der Hof, das heißt, das gesamte mitzählende Publikum, von der Poesie; sie hatte sich entsprechend zu entwickeln. Aber boshafte Versepisteln und frivole Liedchen erforderten noch keinen berufenen Dichter; unter den Edelleuten in der nächsten Umgebung des Königs fand sich manch einer, der seinen eleganten Vers zu schreiben verstand: da waren Sedley und Rochester, Savile und Dorset, und, bedeutender als diese „literary rakes", George Villiers, Herzog von Buckingham. Der berufsmäßige Dichter ist verachtet; er hat die gesellschaftliche Stellung eines Variété-Virtuosen und öffentlichen Lustigmachers. Er wird, wenn er Witz und Unterhaltungsgabe besitzt, von den Herren des Hofes zur Tafel gezogen; sie lassen ihn wieder laufen, wenn sie den Spaß überdrüssig sind. Man wirft ihm ein paar Pfund hin, wenn er einen Mißbeliebigen satirisch an den Pranger stellen soll. Von jenem Maecenatischen Verhältnis, das auf beidseitige Achtung gründete, wie die Zeit vor der Republik es kannte, sind nur dürftige Spuren geblieben. Es ist eine fashionable Erheiterung, einige Poeten mit seinem Protektorat zu beglücken; sie wissen sich der Eitelkeit des Patrons wohlgefällig zu machen; man kann sie gegenseitig sich zerreißen lassen, und das Schauspiel ist nicht minder amüsant als eine Hetze im Bear-Garden.[1]) Der große Haufe der Restorationspoeten war eine bessere Behandlung kaum wert, und er gedieh auch dabei ganz erträglich. Die wenigen großen Talente und selbstbewußten Charaktere verdarben und zermarterten sich

---
[1]) Es ist der bevorzugte Vergnügungsort der Zeit, und die Art der dortigen Belustigungen ist mit dem Charakter der Epoche im Einklang. Evelyns Tagebuch unterrichtet uns hinlänglich darüber. (16. Juni 1670.)

‹unter der Widernatur der Verhältnisse. Und zuweilen vernehmen wir einen zornigen Aufschrei gegen die erbärmliche Anmaßung seinwollender Gönner: „Some of our British Patrons (if we may abuse that Name so much) have a very odd Notion, that the greater Want a Man of Letters is in, the less Relief he ought to have."[1]) Aber die große und endgültige Abrechnung mit einem selbstsatten Gönnertum ließ noch lange Jahre auf sich warten, bis Samuel Johnson sie endlich zog in seinem Absageschreiben an Lord Chesterfield.

Das Zeitalter der Restoration lärmt von politischem und konfessionellem Hader; und die Dichtung gibt davon ein treues, ein allzu treues Spiegelbild. Satire, und zwar Satire gehässigst persönlicher Färbung, ist die Losung. Wenn wir die wertvolle Sammlung der „Poems on Affairs of State" durchgehen, die uns einen Querschnitt gibt durch die gesamte Masse der polemischen Produktion, da gewinnen wir in der Tat, wie die Vorrede es sagt, „a just and secret History of the former Times.

And looking backward with a wise affright,
See Seams of Wounds dishonest to the Sight".

Weniges hebt sich aus der großen Flut: Butlers unvergleichliches Heldengedicht hat einen Platz abseits; die bedeutenden Namen sind Dryden, Marvel, Oldham. Aber die satirische Tendenz wuchert über den Rahmen des bloßen Spottgedichtes hinaus; jede Gattung der Literatur wird von ihr ergriffen, selbst die Tragödie: in Charakteren, Situationen und direkten Anspielungen sucht der Dichter aktuelle Beziehungen einzuverweben. Es ist der Weg zum Erfolg. Eine dichterische Schöpfung hat gerade in dem Maße Aussicht, sich durchzusetzen, als sie auf künstlerische Werte Verzicht tut. Das Gefühl für die ernste Kunst ist im Ersterben; kaum daß ein schwacher Funke davon in den Dichtern selber noch glimmt. Die größten kennen es als unbestimmte, instinktive Ahnung, so Butler und Lee; am bewußtesten, wenn auch getrübt, lebt es in Otway.

Als freier Mann vom Ertrag seines literarischen Schaffens zu leben ist für den Autor der Restoration ein Ding der Unmöglichkeit. Am 27. April 1667 unterzeichnet John Milton einen Vertrag, darin er Samuel Symons „in considera[cion] of fiue pounds to him now paid", das unumschränkte Verlagsrecht für sein neues Werk „a Poem intituled Paradise lost", überträgt; für jede Auflage bis und mit der dritten hat er auf den gleichen Betrag Anspruch. Es war dies durchschnittlich die Summe, mit der das Verlagsrecht eines umfangreicheren Werkes erworben wurde; besonders bühnenwirk-

---

[1]) „Les Soupirs de la Grand Britaigne: or, the Groans of Great Britain" . . . (London . . . 1713. p. 41.) vgl. auch die Preface zu Drydens „All for Love": „But they who should be our patrons are for no such expensive ways to fame; they have much of the [sc. bad] poetry of Maecenas, but little of his liberality. They are for persecuting Horace and Virgil, in the persons of their successors; for such is every man who has any part of their soul and fire, though in a less degree."

same Stücke erzielten wohl auch gegen zwanzig Pfund. Ungefähr ebenso ergiebig, aber ungleich bequemer erreichbar, war das Gnadengeschenk, mit dem der vornehme Maecen eine kniefällige Dedication zu quittieren pflegte; Grund genug, diese bei keinem schriftstellerischen Produkt wegzulassen. Eine wirklich erträgliche und einigermaßen gesicherte Existenz aber bot dem Dichter einzig die Bühne. Sein Honorar bestand im Erlös des dritten Abends, der bei gutbesuchten Stücken sich auf annähernd fünfzig Pfund belief; ein Ertrag von hundert Pfund galt bereits als glänzende Ausnahme. Damit war das Einkommen des Dichters in der Hauptsache von der Quantität seines Schaffens abhängig; es konnte sich der elendeste Skribent, dem mit Leichtigkeit eine Posse nach der andern aus der Feder floß, seinen leidlichen Unterhalt gewinnen, indes der große Künstler im schweren und langsamen Ringen mit seinem Werk zugrunde ging. Die Glücklichen waren die, denen es gegeben war, so platt und ungescheut wie Shadwell die nötigen Konsequenzen zu ziehen: „Men of quality, that write for their pleasure, will not trouble themselves with exactness in their plays; and those, that write for profit, would find too little encouragement for so much pains, as a correct play would require."[1]) Dementsprechend schreibt er seine „Psyche" (1675) in fünf Wochen, und rühmt vom „Libertine" (1676), daß kein Akt darin ihn mehr als fünf Tage gekostet habe.[2]) Einige der bedeutenderen Dramatiker waren durch eine Art Kontrakt mit einem der zwei Theater sichergestellt. Doch waren das vereinzelte und in der Regel kurzdauernde Ausnahmefälle.[3]) Nur eine von hundert Stimmen ist es, wenn Lee bekennt: „If Poetry be a virtue, she is a ragged one; and never, in any age, went barer than now."[4]) Es war eine Zeit, da Leutholds höhnende Worte

> „Doch wenn du wirklich ein Dichter bist,
> Dann wirst du auch wirklich verhungern"

mehr denn einmal buchstäblich Wahrheit wurden.

Wenn wir von dem unglaublich vielseitigen Dryden absehen, dann ruht das ernste Drama der Restoration ausschließlich auf zwei Namen: Lee und Otway. Von den Mitstrebenden reicht keiner an Talent und Wirkung nur annähernd an sie. Das Leben beider

---

[1]) Vorrede zu „The Sullen Lovers: or, the Impertinents. A Comedy." (1668.)

[2]) „. . . there being no act in it, which cost me above five days writing; the last two . . . were both written in four days . . ."

[3]) (Charles Gildon): „The Laws of Poetry, as laid down by the Duke of Buckinghamshire . . . London . . . MDCCXXI." p. 38: „'T is true, that after the restoration, when the two houses struggled for the favour of the town, the taking poets were secur'd to either house by a sort of retaining fee, which seldom or never amounted to more than forty shillings a week; nor was that of any long continuance . . ."

[4]) Dedication der „Rival Queens" an John Earl of Mulgrave. (vgl. Motto zu Otways „Orphan".)

weist eigenartig verwandte Züge, und beiden hat es sich zur Tragödie gestaltet. Lees ungebändigt maßloses Genie erinnert an Marlowe. Die Wahl seiner Helden ist für ihn kennzeichnend: Hannibal, Alexander, Nero, Caesar Borgia. Im Irrenhaus soll er ein Stück in fünfundzwanzig Akten geplant haben. In einem von Thomas Browns „Totenbriefen" sagt Dryden zu Lee: „You're a madman, . . . you never understood a song in your life, nor any thing else, but jumbling the gods about as if they were so many tapsters in a lumber-house."[1])

Anderer Natur ist die Größe Otways. Von ihrer Eigenart soll die nachfolgende Darstellung sprechen; das letzte Ergebnis ist immer das nämliche: „Die glänzenden Blätter der Litterargeschichte sind, beinahe durchgängig, zugleich die tragischen. In allen Fächern bringen sie uns vor Augen, wie, in der Regel, das Verdienst hat warten müssen, bis die Narren ausgenarrt hatten, das Gelag zu Ende und Alles zu Bette gegangen war: dann erhob es sich, wie ein Gespenst aus tiefer Nacht, um seinen, ihm vorenthaltenen Ehrenplatz doch endlich noch als Schatten einzunehmen."[2])

---

[1]) „The Works of Mr. Thomas Brown" London 1707. Bd. II. 2. Teil; p. 78.
[2]) Schopenhauer: Ueber die Universitätsphilosophie.

ZWEITES KAPITEL

Frühjahre

Ueber die Familie des Dichters läßt sich wenig Zuverlässiges ermitteln. Der Name Otway (auch Ottway und Ottaway) begegnet im siebzehnten Jahrhundert öfter. Den Stammbaum einer Kentischen Familie Otway gibt MS. Add. 5520 des Brit. Mus.: vielleicht ist es die nämliche, der die in Armeelisten des achtzehnten Jahrhunderts zahlreich vertretenen Offiziere dieses Namens angehören. Wappenführende Geschlechter sind die Otway von Ingmire Hall und Middleton, Westmoreland, und die Otway-Cloghonan (später Castle Otway), Tipperary.[1]) Es wäre möglich, daß der Dichter Otway einer Seitenlinie des erstgenannten Hauses entstammt. Ziemlich sicher steht fest, daß er mit einem gleichzeitigen, berühmten Namensvetter, Thomas Otway, Bischof von Ossory, verwandt ist. Dessen Vater, George, Vicar von Alderbury in Wiltshire, könnte identisch sein mit dem zweiten Sohn eines Thomas Otway von Middleton, der als „George Otway, clerke" bezeichnet ist. Wir kämen dann auch jenem Vetter Otways, dessen Duke in nicht eben schmeichelhaften Ausdrücken gedenkt, auf die Spur.[2]) Es wäre ein Urenkel des eben erwähnten Thomas Otway von Middleton, Charles Otway, seit dem 22. Mai 1671 im St. John's College, Cambridge, immatrikuliert, B. A. 1674, M. A. 1678, L. L. D. 1688.[3])

Auch über die Person der Eltern des Dichters sind wir sehr mangelhaft unterrichtet. Sein Vater, Humphrey, war Geistlicher. Möglicherweise ist es derselbe Humphrey Otwaye, der zu Ostern

[1]) Nach Rietstap: „Planches de l' Armorial Général" (IV. Pl. CCCXXVII.) Wappen der in Sussex ansässigen Otway (Baronet 1831): silberner Grund, Sparren und gestürzte Spitze schwarz. Im wesentlichen dasselbe für alle Familien dieses Namens. Die Devise: „Si Deus Nobiscum, Quis Contra Nos?"

[2]) In der Antwort auf Otways „Epistle to Duke",

fast am Schluß:

„Else I shall grow, from him thou lov' dst before,
A greasie Blockhead Fellow in a Gown,
(Such as is, Sir, a Cousin of your own.)"

[3]) Genaueres über die Otway von Middleton im „Genealogist", New Series, vol. XVI. p. 61.

1627 ins Christ College, Cambridge, eintritt, und dort 1630—31 zum B. A., 1634 zum M. A. promoviert.[1]) Um 1650 finden wir ihn als Curate in dem kleinen Oertchen Trotton am Flusse Rother in Sussex, drei und eine halbe Meile von Midhurst.[2]) Hier wurde am 3. März 1652 sein Sohn Thomas geboren.[3]) Bald nachher wohl wurde der Vater als Rector in das nahegelegene Woolbeding versetzt. Hier hat Thomas Otway seine Knabenjahre verbracht. Er denkt später dieser Zeit mit wehmütiger Freude. Als einziges Kind ward er mit liebender Zärtlichkeit auferzogen.[4]) Die unwandelbare Treue und männliche Offenheit, die sein Leben durch ihn auszeichnen, sind ein Erbteil vom Vater. Die Mutter, Elisabeth, war nach seinen Worten „chaste and fair"; sie hat nicht nur ihren Gatten, sondern auch den genialen Sohn um lange Jahre überlebt: 1703 spendet die Witwe Humphrey Otways der Kirche zu Woolbeding ein silbernes Abendmahlsgefäß.

Der junge Thomas verriet früh gute Anlagen, und die Eltern wandten alles daran, ihm eine gediegene Erziehung zukommen zu lassen. Er durchlief mit schönem Erfolg die altberühmte Schule Wykeham's zu Winchester; und wie glücklich er in diesen Jahren sich fühlte, spricht er in seiner Ode von der „Klage des Dichters" in dankbarem Gedenken aus:

> „The sages that instructed me in arts
> And knowledge, oft would praise my parts,

---

[1]) Die Daten nach den Immatrikulationslisten; Sidney Lee, der 1635 und 1638 dafür ansetzt, verwechselt wahrscheinlich den Vater des Dichters mit dem nachmaligen Bischof, der um diese Zeit im selben College studierte, und zwar ebenfalls als sog. „sizar". (vgl. MS. Harl. 7036, p. 225.)

Ueber fernere Beziehungen Humphreys zu der Universität Cambridge erfahren wir durch Mayor: „Admissions to St. John's College", Bd. I. p. 43:

„Humfry Otway, M. A. Chr. coll., admitted pensioner, surety Mr. Wombwell, 3. Oct. (1638.)

I am well content that the bearer hereof Mr. Otway bee admitted of any other colledge besides Christs colledge.

Octob. 3, 1638.   Tho. Bainbrigg.

For his carriage whilst he resided in the colledge, I knew no exception against him, nor since his goeing away did I heare but that it was faire and approued, so as he was well liked and loued where soeuer he liued.

Tho Bainbrigg."

Doch haben wir, wie gesagt, keine Gewähr dafür, daß dieser Humphrey Otway und der Vater des Dichters ein- und dieselbe Person sind. Ein Humphry Otway unterzeichnet z. B. in einer Petition vom Jahr 1660 als Vertreter der Pfarrei Everingham in York. (Historical MSS. Commission, 7. Report.)

[2]) Die Ortschaft zählt im Jahr 1801: 329 Einwohner.

[3]) Wenn in den Biographien sich bald 1651, bald 1652 als Geburtsjahr findet, so liegt der Grund einzig darin, daß um diese Zeit das englische Jahr noch immer mit dem 25. März beginnt. Ich gebe die Daten durchgehends nach heutiger Rechnung.

[4]) Allerdings spricht Gildon („Dramatick Poets" 1699, p. 107) von einem Neffen des Dichters, der Hauptmann in der Armee sei. Doch ist ja leicht denkbar, daß er einen entfernten Verwandten hier schlechthin „nephew" nennt.

And chear my parents' longing hearts.
When I was call'd to a dispute,
My fellow-pupils oft stood mute:
Yet never envy did disjoin
Their hearts from me, nor pride distemper mine.
Thus my first years in happiness I past,
Nor any bitter cup did taste . . ." [1])

Seine Ferien brachte er im väterlichen Hause zu, und noch
sollen im Kirchenbuch zu Woolbeding sich lateinische Sentenzen
finden, die der Schüler in müßigen Stunden eingekritzelt und mit
seiner Unterschrift versehen. Es war von vornherein wohl ausge-
macht, daß Thomas die Laufbahn seines Vaters einschlagen sollte.
Eigener Entschluß hat ihn kaum dazu gedrängt, aber gewiß ebensowenig wurde ihm der geistliche Beruf wider seinen Willen aufge-
zwungen. Am 27. Mai 1669 finden wir ihn als „commoner" im
Christ Church College, Oxford, immatrikuliert; doch ist der tatsächliche Uebertritt zur Hochschule vielleicht erst im nächsten Früh-
jahr erfolgt.

Ein strenges Fachstudium hat Thomas Otway nicht getrieben;
aber daß er seine Bildung überhaupt vernachlässigt hätte, ist eine
grundlose Behauptung, welcher seine eigene Aussage, die zu bezweifeln wir nicht den geringsten Anlaß haben, ausdrücklich wider-
spricht. Ueber ein gelehrtes Wissen hat Otway allerdings nie verfügt: seinem Geiste war ein leichtes Erfassen eigen, ohne durch-
dringende Schärfe oder unbeirrbares Urteil. Er hat auch später
sich nie in Fragen wissenschaftlicher Natur eingelassen: kunst-
theoretische Erörterungen, in denen Dryden sich von der vortreff-
lichsten Seite zeigt, lagen ihm fern. In der Literatur alter und neuer
Zeit war er gut bewandert. Am wenigsten scheint er die Griechen
gekannt zu haben, wenn er auch den Namen des Sophokles mit
hoher Achtung nennt. Die Bemerkung Joseph Wartons: „. . . there
is not a single line in Otway or Rowe from the Greek tragedies", [2])
dürfte zutreffen, trotzdem Thornton (im Anschluß an Davies) in der
„Orphan" zweimal Anklänge an die „Phoenissae" des Euripides zu
spüren glaubt: sie sind zu allgemeiner Natur, um einen sicheren
Schluß zu erlauben. Wohl vertraut waren ihm die römischen Dichter:
Vergil und Horaz hat er vor allem geschätzt, dann aber auch
Ovid, Petron, Martial und die Komödiendichter. Weniger kennt er

---

[1]) Im Jahrgang 1895 (8. Series, vol. 7) der „Notes and Queries" gibt
C. W. Holgate einige Notizen über „Otway and Winchester": „. . . his name
appears on the Long Roll of the college for 1668 as a commoner — one of
five boarding in college —. . . . About 1739—40 a marble with his name
carved upon it, and the date 1670, was put up in Sixth Chamber, in college,
by two whose initials, W. C. and J. W., are also carved. These may, in all
probability, be identified with William Collins and Joseph Warton, who were
scholars and prefects at that time . . ."

[2]) „An Essay on the Writings and Genius of Pope", vol. II. p. 420, Anmerkung.

die drei großen Liebeslyriker, unter denen bei genauerer Bekanntschaft ihn Tibulls verwandte Züge gewiß hätten fesseln müssen. Die französische Sprache beherrscht er vollkommen; doch ist charakteristisch, daß er zumeist es vorzieht, die Werke in englischer Uebersetzung zu lesen. Racine und Molière ziehen ihn am meisten an; er liest die historischen Novellen Saint Réals und den „Roman Comique" des Scarron. Das Italienische versteht er nicht; aber er lernt den Ariost aus Sir John Harringtons Uebertragung kennen. Von den älteren Dichtern englischer Sprache ist er mit Shakespeare gründlich vertraut, und mit reiferen Jahren geht ihm mehr und mehr der Sinn für dessen Größe auf. Das ist nichts Gewöhnliches zu einer Zeit, wo etwa Rymer sein Urteil über den „Othello" dahin zusammenfassen konnte: „There is in this play some burlesk, some humour, and ramble of comical wit, some shew, and some mimickry to divert the spectators: but the tragical part is plainly none other than a bloody farce, without salt or savour."[1]) Otway schätzt aber auch Spenser, Cowley, Waller und Butler, er scheint selbst in Milton, dessen politische Einstellung ihm ein Greuel sein mußte, den großen Dichter wenigstens geahnt zu haben. In der zeitgenössischen Literatur, vor allem natürlich in der dramatischen, bekundet er eine ausgedehnte Belesenheit.

Dies war der wesentliche Gewinn seiner Universitätsjahre. Ein anderer, von nicht ganz so unzweifelhaftem Werte, waren zahlreiche Freundschaften, die hier ihren Anfang nahmen. Otways liebenswürdiges, lauteres Wesen brachte ihm alle Herzen rasch entgegen, und ihm selber war Freundschaft recht eigentlich Lebensbedürfnis. Aber nicht jeder, in dem sein jugendlicher Enthusiasmus die gleichgestimmte Seele zu finden meinte, war seines Vertrauens wert. So kam er jetzt und später oft noch in Gesellschaft, in der er nur verlieren konnte. Es waren vornehme Persönlichkeiten in der Zahl dieser Freunde; als angenehmer Gesellschafter war Otway ihren Gelagen willkommen, darüber hinaus verlangten und boten sie nichts. Einige indessen blieben dem Dichter dauernd zugetan; an erster Stelle ist der junge Lord Falkland zu nennen. Anthony Cary, Viscount of Falkland, trat zwar erst am 21. Mai 1672 in das Christ Church College ein;[2]) das war nur kurze Zeit bevor Otway endgültig die Hochschule verließ: aber doch muß sich ein intimes und für beide Teile förderndes Verhältnis zwischen ihnen angeknüpft haben. Als Otway im Jahr 1679 dem Freund seinen „Caius Marius" zueignet, da gesteht er, daß das glänzende Beispiel, das jener ihm gab, erst eigentlich die Liebe zum Wissen und zu Büchern

---

[1]) „A short View of Tragedy; it's Original, Excellency, and Corruption. With some Reflections on Shakespear, and other Practitioners for the Stage. By Mr. Rymer . . . London, 1693."

[2]) Falkland ist am 15. Februar 1657 in Farley Castle, Somerset, geboren, war also erst fünfzehnjährig, als er nach Oxford kam. Otway spricht deshalb auch von „your tender years". Gestorben ist er im Mai 1694.

in ihm geweckt: „so that learning and improvement grew daily
more and more lovely in my eyes, as they shone in you."

Aber die Tage des jungen Frohsinns waren vorüber. Harte Erfahrungen warfen Schatten von Schwermut auf seine empfindliche
Seele, die tiefer wurden, je unfroher sein Lebensweg sich gestaltete.
Ein teurer Freund, Senander nennt er ihn, ist ihm gestorben; und
schwerer noch war der Verlust, den er durch den Tod des Vaters,
wahrscheinlich 1670, [1]) erlitt. Tieferlebtes spricht aus seinen Worten, wenn er von der Stimmung dieser Tage schreibt:

„From thence sad discontent, uneasie fears,
And anxious doubts of what I had to do,
.Grew with succeeding years.
The world was wide, but whither should I go,
I, whose blooming hopes all wither' d were,
Who' d little fortune, and a deal of care?"

An einen erfolgreichen Abschluß seiner Studien war nicht zu
denken. Der Verzicht auf die kirchliche Laufbahn wurde ihm leicht;
sein Sinnen war bereits der Kunst zugewendet. Der erste Versuch
freilich war ein Fehlgriff: die Freunde mochten den Irrtum genährt
haben, daß ihm schauspielerisches Talent eigne; Otway war entschlossen, es daraufhin zu wagen. Es heißt, er sei mit einer Komö-
diantentruppe von der Universität fortgezogen. [2]) Wie dem auch
sei, wir finden ihn auf jeden Fall im Jahr 1671 in London. Das
Theater des Duke of York bereitete eben ein neues Stück Aphra
Behns zur Aufführung vor: „The Forced Marriage, or the Jealous
Bridegroom." Mit kecker Zuversicht stellte der junge Otway sich
der Verfasserin vor und bat sie, ihm zur Probe eine Rolle in ihrer
Tragikomödie anzuvertrauen. Aphra Behn hatte für junge Talente
stets Verständnis und Aufmunterung. Thomas Brown verspottet
sie darob: „You were the young poets' Venus; to you they paid
their devotion as a Goddess, and their first adventure, when they
adjourn' d from the university to this town, was to solicite your
favours . . ." Das Anliegen Otways fand bei ihr freundliche Ge-
währung: sie wählte für ihn mit klugem Bedacht die Rolle des Königs, die mit dem Fortgang der Handlung wenig zu schaffen hat,
aber sich doch recht stattlich präsentiert. Otway hatte im ersten,
vierten und fünften Akt aufzutreten. Allein er kam nicht über die
erste Szene hinaus: beim Anblick der dichtgedrängten Zuschauer-
menge entfiel ihm sein Selbstvertrauen rettungslos, und im schreck-
lichsten Lampenfieber verschwand er fluchtartig von der Bühne.

---

[1]) In diesem Jahr wird für die Pfarrei zu Woolbeding ein Nachfolger
ernannt. (S. Lee im „Dictionary of National Biography".)

[2]) So erzählt es im 15. Band des „Gentleman' s Magazine" (Februar
1745) ein gewisser W. G. aus eigenen Erinnerungen (er steht im 87. Alters-
jahr). Wenn er 1674 als Datum dafür ansetzt, so ist das sicher irrig; damals
hatte Otway schon längst die Universität verlassen. (vgl. auch die Bemerkung von Oldys in seinem Exemplar der „Dramatick Poets".)

Es ist ein interessantes Zusammentreffen, daß ziemlich gleichzeitig ein ähnliches Schicksal Nathaniel Lee widerfuhr, als er den
Duncan im „Macbeth" spielte. „From that time their genius set
them upon poetry," bemerkt John Downes, der diese Episode erzählt.[1]) Lee scheint zwar noch zu weiteren Versuchen den Mut gefunden zu haben;[2]) Otway jedoch hatte an der einen vernichtenden
Enttäuschung genug: als Schauspieler hat er die Bretter nie mehr
betreten. Und doch war dieses verunglückte Abenteuer von weit-
reichender Bedeutung für ihn: er war in die literarische Welt
Londons eingeführt, er hatte die Bühne kennen gelernt, die der
große Betterton mit seinem Talent und Geist beherrschte; es war
der Schaffenskreis, dem er bis zum jähen Ende seiner Laufbahn
angehören sollte, nicht als Darsteller, aber als Dichter und Schöpfer
der berühmtesten tragischen Charaktere der ganzen Epoche. Mit
Aphra Behn blieb er dauernd in freundschaftlichen Beziehungen.
Von einem kleinen Mißverständnis zwischen ihnen vernehmen wir
aus einem Brief über ihren „Abdelazer", den sie an Mrs. Price
schreibt: „My Dear, In your last you inform' d me, that the world
treated me as a plagiery, and, I must confess, not with injustice:
But that Mr. Otway shou' d say, my sex wou' d not prevent my
being pull' d to pieces by the criticks, is something odd, since
whatever Mr. Otway now declares, he may very well remember
when last I saw him, I receiv' d more than ordinary encomiums
on my Abdelazer. But every one knows Mr. Otway' s good nature,
which will not permit him to shock any one of our sex to their
faces."[3])

Otway blieb vorderhand zwar nicht in London; er begab sich
für kurze Zeit nach Oxford zurück. Aber bald, wahrscheinlich im
Herbst 1672, hat er die Universität endgültig verlassen. An ein ab-
schließendes Examen konnte er schon wegen der Kürze seiner
Studienzeit nicht denken. Es war ihm auch wenig daran gelegen:
seine Sehnsucht stand nach dem angeregten, glänzenden Leben der
großen Stadt. In London hoffte er Glück und Erfolg zu finden.
Einige der älteren Biographen sprechen die Vermutung aus, er
habe nach dem Weggang von Oxford auch in Cambridge einige
Zeit studiert.[4]) Die Behauptung gründet sich einzig auf eine Stelle
in Dukes Epistel. Zweifellos hat Otway einmal zu Besuch in Cam-

---

[1]) „Roscius Anglicanus, or an Historical Review of the Stage . . .The
Names of the Principal Actors . . . London, . . . 1708."

[2]) Er wird in der Rolle des „Captain of the Watch" in „The Fatal Jealousy" genannt (Dorset Garden 1672); vgl. Genests „Account of the English
Stage", I. 144.

[3]) „Familiar Letters of Love, Gallantry, and several Occasions, By the
Wits of the last and present Age . . . London, . . . 1718"; herausgegeben
von Samuel Briscoe. Bd. I. p. 31.

[4]) Z. B. Jacobs „Poetical Register" (1719): „I have heard at Cambridge
that Otway went to St. John's College in that university, which seems very
probable . . ."

bridge geweilt, aber nicht als Studierender und schwerlich vor 1680. Duke selber ist erst seit 1675 im Trinity College immatrikuliert. Ebenso geht es wohl einfach auf eine irrtümliche Verschiebung in der chronologischen Reihenfolge der Ereignisse zurück, wenn uns berichtet wird, daß ihm nach seinem Abschied von der Universität eine Stelle als Cornet in einem Reiterregiment angetragen worden sei, die er im ersten Jahr schon wieder verkauft habe.[1] Der Dichter selber sagt ausdrücklich, daß er mehr als zwei Jahre in der Gesellschaft seiner Londoner Freunde und Gönner verloren habe, ehe er seiner poetischen Gabe inne geworden. Mit bitterer Reue gedenkt er später dieser Zeit, und er entwirft schonungslos offen das Bild des unerquicklichen, zügellosen Lebens, in das er sich mitreißen ließ:

„To Britain's great metropolis I stray'd,
Where Fortune's general game is play'd;
Where honesty and wit are often prais'd,
But fools and knaves are fortunate and rais'd.
My forward spirit prompted me to find
A converse equal to my mind:
But by raw judgment easily mis-led,
(As giddy callow boys
Are very fond of toys)
I miss'd the brave and wise, and in their stead
On every sort of vanity I fed.
Gay coxcombs, cowards, knaves, and prating fools,
Bullies of o'ergrown bulks, and little souls,
Gamesters, half-wits, and spend-thrifts, (such as think
Mischievous midnight frolicks bred by drink
Are gallantry and wit,
Because to their lewd understandings fit)
Were those wherewith two years at least I spent,
To all their fulsome follies most incorrigibly bent."[2]

Es war zu Otways Verhängnis, daß neben seinen edleren Vorzügen ihm alle Eigenschaften des beliebten Zechgenossen eigneten. Hier schon beginnt jener eigenartige, ergreifende Kampf mit sich selber, der sein Leben und Dichten erfüllt und es zum frühen Ende drängt; ein tiefes und sehnliches Hinausverlangen über die Schwäche des eigenen Willens, und immer wieder das Zurückversinken in die Unzulänglichkeit seiner Natur. Klar und scharf sieht Otway die Mängel seines Wesens; er zürnt seiner Schwachheit, er verachtet sie, und doch kann er nie sich dauernd ihr entraffen. Der Mensch ist in diesem zerrüttenden Ringen zugrunde gegangen; für den Dichter erstanden daraus Werte, die seinem Schaffen eine

---

[1] Allerdings nimmt Gosse: „Seventeenth Century Studies" (1897; 3. Aufl.) diesen Bericht als glaubwürdig in seine Darstellung auf; eine nur annähernd überzeugende Beglaubigung kann ich indes nirgends finden.

[2] „The Poet's Complaint of his Muse", IV.

19

Unvergänglichkeit sichern, in die vielleicht keiner der Mitlebenden sich mit ihm teilt. Und eines kann nie zu sehr betont werden: wie viel Irrung und Schwäche, vielleicht auch Schuld, uns begegnet im Leben Otways, nicht der leiseste unedle oder gar gemeine Zug tritt uns entgegen. Es ist für den Biographen etwas vom Erfreulichsten, wie mit jeder genaueren Einsicht das Bild des Dichters reiner und sympathischer sich darstellt. Schon eine der frühesten Lebensbeschreibungen hebt dies hervor: „We know indeed no guilty part in Mr. Otway's life, any other than those fashionable faults, which usually recommend to the conversation of men in courts; but which serve for excuses for their patrons, when they have not a mind to do for them." [1]) Das Unglück seines Daseins war ein überheftiges, krankhaft einseitiges Gefühlsleben. Aber mit dieser reizbaren Empfindsamkeit sind seltsam auch wieder die männlichsten Eigenschaften verbunden: eine unwandelbare Ueberzeugungstreue, ein fester Mut und eine tiefe Ehrfurcht vor allem Großen, vor der Hoheit der Kunst, selbst dann, wenn er am eigenen Werk verzweifelt. [2])

Otways äußere Erscheinung stand mit dem Wert seiner Persönlichkeit im Einklang: „Charming his face and charming was his verse." [3]) Der schon genannte Korrespondent des „Gentleman's Magazine" gibt uns genaue Einzelheiten: Otway war von Mittelgröße, ungefähr fünf Fuß, sieben Zoll, und neigte etwas zur Korpulenz, eine Eigenschaft, die er mit seinem Freunde Shadwell teilte. [4]) Seine Augen blickten eigenartig versonnen, aber mit wunderbar beredtem Ausdruck. [5])

---

[1]) So in der Biographie vor den frühesten Ausgaben der Werke: 1712, 1722, etc.

[2]) Luick („Beiträge zur neueren Philologie, Jakob Schipper dargebracht", 1902) glaubt Otways Hauptbedeutung darin zu finden, daß er die empfindsame Richtung in der Literatur des achtzehnten Jahrhunderts schon gewissermaßen ankünde. Das heißt doch, sein Wesen arg verkennen. Otways Tragödien sind nicht bürgerliche Rührstücke; und um sentimental zu sein, ist sein Leben und Dichten allzu blutig ernst. Im persönlichen Gehalt, in dem leidenschaftlichen Bekenntnis, das aus ihnen spricht, liegt die Größe dieser Werke. Von Otway führt der Weg in ganz gerader Richtung einzig zu Byron; und wenn wir das „Gerettete Venedig" dem „Marino Faliero" an die Seite stellen, so fühlen wir, ganz abgesehen von der äußerlichen Beeinflussung, eine innige Verwandtschaft, deren Eindruck bei genauerem Vergleich sich nur noch vertieft.

[3]) Handschriftliche Anmerkung von Oldys: Zitat aus einem Gedicht auf den Tod Drydens.

[4]) In Browns „Collection of Miscellany Poems, Letters &c." von 1699 steht z. B. ein satirisches Epitaph „In Obitum Tho. Shadwell, pinguis memoriae. 1693." (p. 28). vgl. besonders auch „Absalom and Achitophel" II. 459 ff.

[5]) Von einem Otway-Porträt schreibt Oldys: „There is an excellent and beautiful original picture of Mr. Otway, who was a fine and portly graceful man, now among the poetical collection of the Ld. Chesterfield. I think it was painted by John Ryley, in a full bottom wig and nothing like that quakerish figure wch Knapton has imposed on the world." Eine Wiedergabe dieses Bildes findet sich in Roden Noels Auswahl der Werke. Das Original befindet

Unter den vornehmen Bekannten, die den geistreichen und witzigen jungen Literaten zu ihren Gastereien willkommen hießen, war einer wenigstens, der mehr als nur selbstischen Anteil an Otway nahm: es war Charles Fitzcharles, der Earl of Plymouth, ein natürlicher Sohn Karls II. und der Catherine Pegge; „Don Carlos" wird er im Kreis der Freunde genannt. Er ist dem Dichter mehr als einmal helfend zur Seite gestanden, und sein früher Tod war für Otway ein harter Verlust. Vorläufig zeigte allerdings sich alles im hellen Lichte; Gedanken an den künftigen Lebensberuf scheinen ihn im Genuß der heitern Gegenwart wenig gestört zu haben. Ob er damals schon die Poesie als Inhalt seines Daseins erkannte, wissen wir nicht. Zu bedeutenden Schöpfungen jedenfalls boten diese Jahre weder die Ruhe noch den innern Antrieb; und zu seiner eigensten Bestimmung wies erst ein großes, leidvolles Erleben ihm den Weg. Wir brauchen es nicht zu bedauern, daß von den kleinen Gelegenheitsversen, die er zu geselligen Anlässen etwa liefern mochte, sich nichts erhalten hat. Möglich wäre, daß zwei erst nach seinem Tod erschienene, äußerst matte und konventionelle Gedichtchen: „The Enchantment" und „The Enjoyment" noch dieser Zeit entstammen.

Aber auch das erste umfangreichere Werk aus seiner Feder entbehrt so ziemlich jeden Ruhmes. Es ist die Tragödie „Alcibiades", ein Werk, das kaum in irgend einem Stück sich über die breite Masse der sogenannten heroischen Dramen erhebt. Nach der scherzenden Vorrede des „Don Carlos" ist es nicht in London, sondern während eines Aufenthaltes in ländlicher Umgebung entstanden. Vielleicht hat Otway noch einmal eine Zeitlang im väterlichen Heim verweilt und dort sein erstes Trauerspiel niedergeschrieben. Es ist eine typische Anfängerarbeit. Das Schema schaut Otway dem heroischen Drama Drydens, Aphra Behns und anderer Zeitgenossen ab. Er braucht einen Helden von übermenschlicher und widernatürlicher Tugendlichkeit, der diese in den graulichsten Situationen unerschütterlich zu wahren hat; er braucht ein weibliches Gegenstück dazu, und als Widerspiel eine ganz abgefeimt schwarze Intrigantenseele und eine schauderhaft skrupel-

sich in Bretby Castle, Derbyshire. (vgl. Dict. of Nat. Biogr.) Eine zweite Reproduktion steht in den „Effigies Poeticae: or, the Portraits of the British Poets", I. 137 (Tho. Bragg sculps.). Der Herausgeber, B. W. Procter (Barry Cornwall), urteilt sehr anders über dieses Bildnis als Oldys es tut: „We .do not recognize the author either of Pierre or Monimia in this head. It wants tenderness and fire, and in truth, by its somewhat heavy look, disappoints us . . .". Jenes andere Porträt, über das Oldys so energisch abspricht, ist dasjenige von Mrs. Beale. Der Dichter stützt die rechte Wange auf die Hand. Dieses Bild ist vielfach den Werken beigegeben: so 1757 und 1768 (J. Miller sculps.). Ein sehr schöner Stich darnach, von J. Houbraken, ist im ersten Band von Thomas Birchs „Heads of Illustrious Persons of Great Britain" London 1743, p. 129: „M. Beal pinx. J. Houbraken sculps. Amst. 1741. In the Possession of Gilbert West, Esqr. Impensis J. & P. Knapton Londini 1742." Mit sehr vollem Gesicht zeigt den Dichter das unschöne Porträt, das in Johnsons „English Poets", vol. XI. (1779), beigegeben ist. (Hall sculps.)

lose Verführerin; dann ein paar Vertraute, Freunde und Verwandte, und die tragische Verwicklung mag losgehen. Als Einlagen natürlich Gesang, Ballett und Pantomime; dann konnte das Stück mit einiger Sicherheit auf wohlwollende Aufnahme rechnen. Das Komische ist nur, daß Otway auf den unglücklichen Gedanken kam, den Alcibiades des Plutarch in diese Schablone hineinzuzwängen. Er konnte dabei das Stoffliche recht wohl verwenden, aber den interessant doppeldeutigen Charakter des Helden, wie der Biograph ihn darstellt, mußte er umkrempeln zu einer farblosen Abstraktion von unglaublicher Fadheit. Später ergeht er sich selbst mit launigem Spott über diese Verunstaltung: „. . . I might, without offence to any person in the play, as well have call' d it Nebuchadnezzar; for my hero, to do him right, was none of that squeamisch gentleman I make him, but would as little have boggled at the obliging the passion of a young and beautiful lady, as I should my self, had I the same opportunities, which I have given him." (Vorrede zum „Don Carlos"). Samuel Johnson hat geglaubt, eine französische Vorlage für den „Alcibiades" suchen zu müssen, und hat ein bißchen aufs geratewohl auf Palaprat geraten. Dieser hat kein Alcibiades-Drama geschrieben; vielleicht schwebt Johnson eine unklare Erinnerung an das Stück Campistrons vor, das aber jünger und wenn möglich noch schwächer ist als Otways Erstlingswerk. Uebrigens haben die beiden auch inhaltlich nichts gemeinsam. Wir dürfen die Zusätze und Abweichungen von der Darstellung im Plutarch ruhig dem Verfasser als Eigentum zugestehen; er hat herzlich wenig Verdienst davon. Die Motive sind nicht minder als die Charaktere nach den Forderungen des heroischen Dramas gemodelt:

Alcibiades, aus Athen verbannt, ist bei König Agis von Sparta zu hohen Ehren gekommen. Seine Geliebte, Timandra, die er in Athen zurückgelassen, reist ihm, mit seiner Schwester Draxilla, in Verkleidung ins spartanische Lager nach. Sie stellt seine Treue auf eine sehr überflüssige Probe, indem sie ihm Kunde von ihrem angeblichen Tod überbringen läßt. Und als er nun nach heroischer Vorschrift sich mit pathetischen Tiraden ins Schwert stürzen will, tritt sie aus dem Hintergrund hervor, und gibt zu einer höchst gefühlvollen Wiedersehensszene Anlaß. König Agis hat sein väterliches Wohlgefallen an dem Paar und arrangiert eine splendide Vermählungsfeier. Otway hat dabei offensichtlich die Tragikomödie Aphra Behns in Erinnerung, in welcher er mit so unglücklichem Erfolg sich in der Rolle des Heldenvaters versuchte: ganz ähnlich haben wir dort im zweiten Akt eine Hochzeitsfestlichkeit als Pantomime eingelegt; nur daß die unfreiwillige Komik der Situation in dem pseudo-historischen Stück Otways viel drastischer ist, wenn z. B. sechs Priester Hymens ein Ballett tanzen, und Hymen unter Chorgesang persönlich die Hände des Paars mit Rosenguirlanden verbindet. Die Meldung vom Anrücken des athenischen Heeres macht der festlichen Unterhaltung ein Ende. Und schon ist nachtschwarze Intrige gegen Alcibiades im Werke. Der General Tissaphernes (Otway nimmt den Namen vom persischen Satrapen bei Plutarch) sieht von dem jungen Feldherrn sich in den Schatten gestellt und brütet gräßliche Rache. Die Königin dagegen ist in Alcibiades verliebt und macht ihm durch ihre Kammerjungfer alle denkbaren Avancen. Tissaphernes' erster Anschlag ist fehlgegangen, und Alcibiades kehrt siegreich vom Kampf gegen die Athener zurück; er bringt den feindlichen Führer, Theramnes, einen verschmähten Liebhaber Timandras, als Gefangenen mit sich. Diesen nutzt Tissaphernes nun zum Werkzeug seiner Rache; er befreit ihn, und sie überfallen Timandra. Alcibiades, welcher der Königin gegenüber mit viel Pathos und Salbung die Rolle des keuschen Joseph durchgeführt,[1] kommt rechtzeitig zur Stelle, und mit Hilfe seines Freundes Patroclus, der Tissaphernes' eigener Sohn ist, behauptet er das Feld: der Intrigant entflieht, Theramnes fällt. Nun holt Tissaphernes zum verwegensten Streich aus: er erklärt dem König, der mit kindlicher Naivität den unglaublichsten Unsinn verdaut, daß Alcibiades Verrat plant, und erhärtet seine Anklagen durch erkaufte Zeugen. Prompt wird jener gefangen gesetzt; der König verliebt sich nun ebenfalls in Timandra, und seine Gattin faßt den summarischen Entschluß, sie beide ums Leben zu bringen und damit ihren Alcibiades sich zu sichern. Dem Tissaphernes erscheint Theramnes' Geist mit schauderhafter Mahnung; doch ist die Liebesmüh' an den alten Sünder verschwendet. Der König (es befremdet einigermaßen von einem Sparter) hat zu tief ins Glas geschaut und läßt sich auf seinem Thronsessel in Schlaf singen. Tissaphernes zögert, ihn zu erdolchen; die Königin ist resoluter und ermordet ihn. Die Schuld weiß sie auf Tissaphernes zu wälzen, und dieser wird zur Hinrichtung geführt. Timandra hat inzwischen sehr unterhaltende Visionen: Merlin und Salla singen ein Duett, Elysium öffnet sich dem Blick, und der Tempel, in welchem treue Liebende belohnt werden, senkt sich zu ihr nieder. Die Königin fordert von ihr, daß sie auf Alcibiades verzichtet; sie weigert sich und zieht es vor, den Giftbecher zu leeren. Der Geliebte findet sie sterbend; er tötet sich ebenfalls. Die Königin, die all ihre Pläne gescheitert sieht, hält es für das Ratsamste, auch ihrerseits sich zu erdolchen. Da Patroclus der einzige Ueberlebende ist, erbt er natürlich die Krone; doch zeigt er sich nicht eben begeistert davon:

> „Now Fortune has her utmost malice shown,
> She'd court me with the flatt'ry of a crown:
> A thing so far beneath those joys I miss,
> 'T is but the shadow of a happiness.
> For how uneasily on thrones they sit,
> That must, like me, be wretched to be great."

---

[1] In einer äußerst mageren Besprechung von Otways Dramen im „Archiv für das Studium der neueren Sprachen" (Bd. 20, p. 384—394) kommt Moritz Rapp zu der unfaßbaren Behauptung: „Alcibiades, von Athen verbannt, verführt in Sparta die Königin . . ."!!

Im Urteil über den „Alcibiades" ist die Kritik einmütig; das Stück würde eine besondere Erwähnung kaum verdienen, wenn es nicht Otway zum Verfasser hätte. Wenige Dichter, die an seine Bedeutung heranreichen, haben so wenigverheißend begonnen. Man mag vielleicht der „Hours of Idleness" gedenken. Nur als Kuriosität ist ein Lob dieser Tragödie zu nennen, das in den „Memoirs of the Life of Robert Wilks" (London 1732; Third Ed.) steht: „His Alcibiades abounds with wonderful images, and easy diction." Bloß in Einzelheiten vermögen wir schwache Spuren des spätern großen Tragikers zu erkennen: die beste Szene ist die Ermordung des Königs Agis; hier fühlen wir in der Tat schon etwas von der schroffen, wuchtigen Dramatik der reifen Werke Otways. Ganz vereinzelt überrascht etwa eine glückliche, eigenartige Wendung; aber dann auf lange Strecken wieder ist der Dialog entsetzlich platt und farblos. Um den Hörer über die Gemütsverfassung seiner Personen auf dem laufenden zu halten, braucht der Dichter massenhaft Monologe und „asides". Es ist interessant, wie fast gleichzeitig Nathaniel Lee mit einem ähnlich verfehlten Nero-Drama seine theatralische Laufbahn antritt. Die beiden Stücke halten sich so ziemlich die Wage; nur ist bei Lee die künstlerische Dürftigkeit unter dem dröhnenden Bombast etwas besser versteckt als unter Otways gefühlsseligem Pathos. Und dann gibt der „Nero" allerdings schon von einer gewissen Richtung seines Verfassers Zeugnis, während der „Alcibiades" gänzlich ohne Charakter ist. In der Form zeigt sich Otway noch sehr unsicher; natürlich mußte das Stück in heroischen Reimpaaren geschrieben sein, jenem Substitut für den gereimten Alexandriner der französischen Tragödie. Aber es sind erschreckend schlechte Verse, die Otway hier verbricht: know auf you, fate auf that, years auf wear, been auf again, way auf joy zu reimen macht ihm nicht die geringsten Bedenken.[1])

Aber bei all dem wundert es uns nicht, daß der „Alcibiades" ermunternde Aufnahme fand: das Stück war dem Geschmak der Menge vollkommen angemessen; und die ein bißchen dummdreiste Entschuldigung des Prologs hat ihre Berechtigung:

„Thus tho' this trifler never wrote before,
Yet faith he ventur' d on the common score:
Since nonsense is so generally allow' d,
He hopes that his may pass amongst the croud."

Das Stück fand manchen vornehmen Gönner; es machte vor allem den Earl of Rochester auf den jungen Dichter aufmerksam, und Otway ist für die nächste Zeit sein erklärter Schützling. Es waren Interessen unsauberer Art, die ihn zu dieser anscheinenden

---

[1]) Thornton weist mit vollem Recht auf diese Fehler hin, nur unglücklicherweise gerade an einer Stelle, wo der falsche Reim einzig durch die schlechte Lesart, die er in den Text aufnimmt, verursacht wird. (In der Mitte des ersten Aktes, Szene zwischen Polyndus und Theramnes, reimt nach Thorntons Lesung out- runs auf undone; die beiden Quartos haben aber ganz richtig: out- run.)

Großmut bewogen. Rochester hatte den Ehrgeiz, im literarischen Leben seiner Zeit das letzte Wort sprechen zu wollen; mehr noch, er meinte Maecen und Horaz in seiner eigenen werten Person zu vereinen. Sein Hauptbestreben war sichtlich das, die gesamte Dichtung auf einem möglichst gleichförmigen Niveau zu halten, damit ja kein stärkeres Talent seiner Willkür und der Abhängigkeit von seiner Gönnerschaft entwachse. Die Taktik, welche er dabei verfolgte, war seiner würdig: er verpflichtete sich junge Dichter von einiger Hoffnung, indem er mit dem vollen Einfluß seiner Person und seines Standes ihrem Werke zu ungeahnt glänzendem Erfolg verhalf. So lange der also Beglückte sich damit begnügte, die ergebene Kreatur seiner Lordschaft zu spielen, und so lange er nicht durch wirklich bedeutende Leistungen den Neid Rochesters weckte, blieb ihm diese Gunst; sonst aber sah er unversehens sich über Nacht zum elendesten Schreiber gestempelt; dann ergoß der edle Lord in giftigen Satiren Hohn und Schimpf ohne Maß über den gewesenen Günstling. Sein beliebtestes Mittel jedoch war, einen Dichter gegen den andern auszuspielen, und hierin brachte er es zu einer wirklichen Virtuosität. Das Theater war der gegebene Ort, diese Machenschaften ins Werk zu setzen: war einer der dramatischen Dichter in Ungnade gefallen, so nahm Rochester ohne lange Wahl ein noch unbekanntes Talent von der Gasse und ließ, dank der riesigen Reklame, die ihm zu Gebote stand, dessen Gedicht zu einer genialen Leistung anschwellen, über der ganz unfehlbar der Mißbeliebige samt seinem Drama in Vergessen sank. Rochester, hatte seinerzeit Dryden mit seiner Huld beehrt; es war zum Teil wohl seinem Einfluß zu danken, daß nach Davenants Tode die Würde des Poet laureate auf Dryden überging. Bis 1673 waren sie beide ein Herz und eine Seele. Noch in diesem Jahr eignete der Dichter seinem Gönner die Komödie „Marriage à- la- Mode" zu, in Ausdrücken tiefster Untertänigkeit. Aber gegen Schluß der Dedication stoßen wir auf eine interessante Stelle, die uns zeigt, daß Dryden einen Wechsel schon vorausahnte: „Your Lordship has but another step to make, and from the patron of wit, you may become its tyrant: and oppress our little reputations with more ease then you now protect them." Rochester hat diesen Schritt getan. Der Umschlag kam, als Dryden zu dem Earl of Mulgrave in ein näheres Verhältnis trat. Rochester hatte sich in einer Affäre mit diesem als Feigling erwiesen und war seitdem ihm todfeind. Nun ging sein Haß auch auf Dryden über; mit jedem erbärmlichsten Mittel suchte er von da an den Dichter zu schädigen. Er nahm den nicht eben bedeutenden Poeten John Crowne unter sein Protektorat und brachte es dahin, daß mit Uebergehung des Hofdichters Dryden die Maske „Calisto, or, the Chaste Nymph" zu einer Liebhaberaufführung in höchst exklusiver Gesellschaft bei Hofe gewählt wurde. [1]) Sogar ein Epilog, den Dryden zu dem Stück beisteuerte, wurde, sehr wahr-

---

[1]) vgl. Evelyns Tagebuch: 15. Dezember 1674.

scheinlich auf Rochesters Betreiben, nicht angenommen.[1]) Bald ließ der Lord indessen auch Crowne fallen und einen Augenblick scheint er Lee für seine Absichten nutzen zu wollen: dessen „Nero" ist ihm in großer Demut zugeeignet. Aber Lees Freundschaft für Dryden konnte ihn dem Lord nicht auf die Dauer empfehlen. Und nun ersah er sich in Otway, der zum Poeta Laureatus in keiner Beziehung stand, ein geeignetes Werkzeug. Und in der Tat entsprach Otway anfangs recht wohl den Erwartungen, die Rochester auf ihn setzte: das Vorwort zum „Don Carlos" gibt Zeugnis davon.[2]) Es waren allerdings nicht unansehnliche äußere Förderungen, die der Dichter dem neugewonnenen Gönner verdankte. Dieser führte ihn in vornehmste Kreise ein, und der König sowohl wie sein Bruder äußerten sich sehr wohlwollend über den „Alcibiades" und ermutigten ihn huldvoll zu fernerem Schaffen.

Die Buchausgabe seines ersten Dramas, die im gleichen Jahr erschien, hat Otway einem andern bekannten Lebemann und Maecenaten zugeeignet, der sich selber auch als Dichter versucht hat, dem Charles Sackville, Lord Buckhurst, seit 1674 Earl of Middlesex und späteren Earl of Dorset. Er ist der einzige, dem Otway zwei seiner Werke gewidmet hat: später dedizierte er ihm die Komödie „Friendship in Fashion".

---

[1]) Eine ähnliche Zurücksetzung hatte Dryden schon früher erfahren, als Settles „Empress of Morocco" von der Hofgesellschaft gegeben wurde. Doch ist zu betonen, daß Rochester daran keinen Anteil hatte, da er um die Zeit noch durchaus gut zu Dryden stand. Settles Tragödie ist 1673 erschienen, aber schon zwei bis drei Jahre zuvor gespielt worden. Am zuverlässigsten unterrichtet darüber F. C. Brown in seinem Buch „Elkanah Settle. His Life and Works", Chicago, Illinois (1910).

[2]) vgl. das Kapitel über den „Don Carlos". Rochesters spätere Gemeinheit gegen Dryden ist bekannt. Seine Bosheit erreichte den Gipfel, als Mulgraves „Essay on Satyr" unter Drydens Namen herumgegeben wurde. Er schreibt an seinen Freund Henry Savile: „You write me word, that I'm out of favour with a certain poet, whom I have ever admir'd for the disproportion of him and his attributes: He is a rarity, which I cannot but be fond of, as one would be of a hog that could fiddle, or a singing owl. If he falls upon me at the blunt, which is very good weapon in wit, I will forgive him, if you please, and leave the repartee to Black Will, with a cudgel." Diese Drohung setzte er in Tat um, und am 18. Dezember 1679 wurde Dryden bei der Heimkehr vom Theater von einer Anzahl Strolche überfallen und mißhandelt. Das Bubenstück blieb unbestraft, obschon, oder vielleicht eher weil, es ein offenes Geheimnis war, daß Rochester dahinter steckte. In der Zeitung „Domestick Intelligence" vom 26. Dezember 1679 steht folgende Aufforderung: „Whereas on Thursday the 18th. instant in the Evening, Mr. John Dryden was assaulted and wounded in Rose-street in Covent-garden, by divers men unknown: if any Person shall make discovery of the said offenders, to the said Mr. Dryden, or to any Justice of Peace for the Liberty of Westminster, he shall not only receive fifty pounds, which is deposited in the hands of Mr. Blanchard Goldsmith, next door to Temple-Bar, for the said purpose; but if the discoverer be himself one of the Actors, he shall have the fifty pounds, without letting his name be known, or receiving the least trouble by any prosecution."

DRITTES KAPITEL

Dramatis Personæ

Mit dem Erfolg des „Alcibiades" war die Richtung für Otways ferneres Schaffen gegeben; er gehört von da weg endgültig der Bühne an, und zwar dem Theater des Duke of York. Allerdings hat ihn nicht, wie andere Dichter, ein fester Kontrakt mit der Gesellschaft verbunden; seine Beziehungen waren persönlich-freundschaftlicher Natur, und damit nur um so dauernder. Was sein Leben an spärlichem Glück und reichem Unglück ihm brachte, nahm hier den Ursprung; hier wurzelt die Eigenart des Menschen und Künstlers Otway. Wir haben darum das Augenmerk einen Moment der Bühne der Restoration und ihren hervorragendsten Vertretern zuzuwenden.

Die Revolution hatte den zu Karls I. Zeiten bestehenden sechs Theatern ein schroffes Ende gesetzt. Die puritanische Strenge verpönte szenische Aufführungen. Und als mit der Rückkehr der Stuart in ihr Erbland auch die Bühne neu zum Dasein erwachte, da waren die alten, nationalen Traditionen verloren, und eine Hofbühne nach dem Muster der französischen kam in Blüte. Aber sie war ein wenig versprechendes Produkt: wie der Hof Karls II. eine äffische Parodie desjenigen Ludwigs XIV. war, so nicht minder seine Bühne. Wenn dennoch dieses Theater sich auf achtenswerte Höhe hob, war es nicht dem Einfluß des Hofes zu danken, sondern dem glücklichen Umstand, daß eine Anzahl trefflicher schauspielerischer Kräfte sich mit Ernst und Liebe ihrer Aufgabe unterzogen und die schwere Pflicht auf sich nahmen, die Forderungen der Kunst zu wahren in einer Zeit, wo sie mehr Hemmnis als Mittel zum Erfolg bedeuteten. Um Haupteslänge überragt sie alle Thomas Betterton, als Künstler und als Charakter. Bei allen Konzessionen, die er dem faulen Geschmack des Hofes machen mußte, war er stets doch treu besorgt um das Interesse der Kunst. Wenn er mit Davenant zum erstenmal eine richtige Maschinerie auf die englische Bühne brachte, [1] leistete er allerdings dem bald einreißenden Prunk- und Ausstattungsstück indirekt Vorschub; und

---

[1] Die verfeinerte Szenerie und der ganze kostspielige Apparat bewogen Davenant, die bisher allgemein üblichen Eintrittspreise erheblich zu erhöhen:
Pit: von 1 s. 6 d. auf 2 s. 6 d.
Boxes: von 2 s. 6 d. auf 4 s.
First Gallery: von 1 s. auf 1 s. 6 d.
Upper Gallery: von 6 d. auf 1 s.

doch tat er es in der Absicht, durch eine reichere Szene der Leistung des Darstellers, die für ihn immer das einzig Wesentliche blieb, einen würdigen Rahmen zu geben.

Seine Bühnentätigkeit trat Betterton im Jahre 1659 an. Er und Kynaston waren damals beide als Lehrlinge bei dem Buchhändler Rhodes in Charing-Cross tätig. Dieser erhielt die offizielle Bewilligung, eine Schauspieltruppe für das Drury-Lane-Theater zusammenzustellen. Er nahm seine zwei jungen Angestellten unter die Mitglieder auf, und in kurzem war Betterton die führende Kraft der Truppe. Als Karl II. 1660 zwei Theaterpatente erteilte, wurde die Gesellschaft Rhodes' von William Davenant unter dem Namen der „Duke's Company" übernommen. Sie spielte seit 1663 in Lincoln's-Inn-Fields, während die zweite Truppe, von Henry Killigrew geleitet, als „the King's Servants" das neue Theater in Drury-Lane bezog. Für zwanzig Jahre spielten die beiden Gesellschaften nebeneinander, mit getrenntem Spielplan, so daß keine ein Drama aus dem Repertoire der andern zur Aufführung brachte: war z. B. Hart vom Theatre Royal als Othello berühmt, so galt Betterton als der berufene Hamlet-Darsteller. Doch gewann die Truppe des Königs bald sichtlich den Vorsprung gegenüber der des Duke of York. Davenant wußte aber den verlorenen Boden zurückzugewinnen, durch die Einführung der Dramatic Operas, die von da an, nicht eben zum Gewinn der dramatischen Kunst, einen breiten Platz beanspruchten. Selbst in die Tragödie hinein erstreckte sich ihr übler Einfluß, indem die Dichter sich zu ballettartigen und gesanglichen Einlagen herbeilassen mußten; auch die bedeutendsten konnten solchen Konzessionen sich nicht entziehen: Beispiele bieten sowohl Otways wie namentlich Lees Trauerspiele.[1]

Seit Davenants Tod (1668) war Betterton der eigentliche Leiter der Duke's Company, die im Jahr 1671 ihren Sitz ins neue Theater in Dorset-Garden verlegte. Während dem Bau dieses Schauspielhauses begab Betterton sich im Auftrag des Königs nach Frankreich, eigens um die dortigen Bühnenverhältnisse zu studieren. 1682 kam dann eine Vereinigung der beiden Truppen zustande, die von da an gemeinsam im Theatre Royal in Drury-Lane spielten. Doch geschah die Verschmelzung offenkundig zum Vorteil der Duke's Company, und es scheint dabei nicht alles ganz eben verlaufen zu sein: wenigstens ging ein Vertrag mehr privater Natur voraus, zwischen Charles Davenant, Betterton und Smith einerseits, Charles Hart und Edward Kynaston anderseits, worin die letzteren gegen Zahlung einer Pension sich verpflichten, nicht mehr am

---

[1] Otway spottet darüber im ersten Akt von „Friendship in Fashion", wo von der Tragödie eines jungen Dichters die Rede ist:

„Saunter: I did not like it neither for my part; there was never a song in it, ha!

Caper: No, nor so much as a dance.

Malagene: Oh, it's impossible it should take, if there were neither song nor dance in it."

Theater des Königs mitzuwirken.[1] Hart trat denn auch bald nachher endgültig von der Bühne zurück.

Betterton stand auf der Höhe seines Wirkens. Die Zeitgenossen preisen ihn einstimmig als den größten Darsteller der Epoche. Er war ohne Zweifel vor Garrick Englands bedeutendster Schauspieler. Colley Cibber ist begeistert in seinem Lob: „Betterton was an actor, as Shakespear was an author, both without competitors." Pathetische Rollen, wild ausbrechende Leidenschaft, gab er unübertroffen wieder; zwar war er berühmt auch in den Heldenrollen Otways, doch lag das Gewaltige ihm besser als das Zarte.[2] Für die Gewissenhaftigkeit und den Ernst, womit er sich seiner Aufgabe widmete, spricht der Umstand, daß er keine noch so unbedeutende Rolle übernahm, ohne zuvor mit dem Dichter selbst sich besprochen zu haben. Er sagt: „it has always been mine and Mrs. Barry's practice to consult even the most indifferent poet in any part we have thought fit to accept of." Obschon er nicht ohne poetisches Talent war und ein paar eigene Stücke, Bearbeitungen aus dem Französischen, auf die Bühne brachte, war er doch streng genug gegen sich selber, um diese Versuche einer Veröffentlichung nicht würdig zu erachten. Dabei aber stand er uneigennützig jedem mit trefflichem Rat bei, und mehr als ein Dramatiker anerkennt dankbar seine Hilfe.[3] Aber Bettertons Unterstützung beschränkte sich nicht auf guten Rat allein. Vereinzelte Hinweise und Anspielungen von Zeitgenossen lassen uns schließen, daß er öfters sich bedrängter Dichter tätig angenommen hat. Für Otway können wir es mit Sicherheit voraussetzen. Interessante Auskunft gibt uns ein Gedicht, betitelt: "A Satyr upon the Poets" in den „Poems on Affairs of State" (Bd. II. p. 138 ff. Es findet sich schon in dem 1694 von Gildon herausgegebenen „Chorus Poetarum" unter dem Titel: „A Satyr against Poetry"). Wir lesen darin:

„There was a time, when Otway charm'd the stage,
Otway, the hope, the sorrow of our age;
When the full pit with pleas'd attention hung,
Wrapt with each accent from Castalio's tongue.
With what a laughter was his Souldier read!
How mourn'd they when his Jaffier struck, and bled!
Yet this best poet, tho with so much ease,
He never drew his pen but sure to please;

[1] Der Vertrag ist vom 14. Oktober 1681 datiert.

[2] Colley Cibber: „Betterton had a voice of that kind, which gave more spirit to terror, than to the softer passions; of more strength than melody. The Rage and Jealousy of Othello, became him better than the Sighs and Tenderness of Castalio: For tho' in Castalio he only excell'd others, in Othello he excell'd himself."

[3] So z. B. John Dennis in der Vorrede zu seinem Trauerspiel „Liberty Asserted" (1704): „I must own the obligation too which I have to Mr. Betterton for the hints I received from him, as well as for his excellent action."

Tho' lightning were less lively than his wit,
And thunder- claps less loud than those o' th' pit,
He had of's many wants much earlier dy'd,
Had not kind banker Betterton supply'd,
And took for pawn the embryo of a play,
Till he could pay himself the next third day."

Auch Wilkes nennt Betterton Otways „constant friend"; und ohne Zweifel war er von allen, die dem Dichter nähertraten, die männlichste, gehaltvollste Persönlichkeit. Aber wir würden wohl fehlgehen, eine vertraute Freundschaft zwischen ihnen zu erwarten; es ist wie ein Verhängnis über Otways Leben, daß er sein ganzes Herz, die zärtliche Innigkeit seiner Seele preisgibt, wo Selbstsucht und Gemeinheit ihm lohnen, aber sich verschließt und versteckt vor den strengen Forderungen des Freundes. Ein großes und für jene Zeit fast einzigartiges Zeugnis von Bettertons selbstlosem Anteil ist es, daß er auch des toten Dichters sich annahm und keine Mühe sparte, seinen Nachlaß der Welt zu retten. Er überlebte Otway um fünfundzwanzig Jahre; doch sah er selber sich in seinen letzten Tagen auf die Freigebigkeit von Gönnern angewiesen. Am 7. April 1709 wurde „Love for Love" zu seinen Gunsten gegeben: Mrs. Barry sprach einen von Rowe für den Anlaß geschriebenen Epilog. Im Jahr darauf starb Englands Roscius, wie ihn die Mitwelt rühmlich genannt hatte, und erhielt im Westminster seine Ruhestätte.

Die führenden Rollen in sämtlichen Dramen Otways, den Tragödien sowohl wie den Komödien, wurden von Betterton zum erstenmal verkörpert. Daneben kehren einige andere Namen öfters wieder: mit Betterton teilte Smith sich in die Helden- und Liebhaberrollen; er spielte den Don Carlos, den jungen Chamont, Pierre. Die Bösewichte und Intriganten gab Sandford mit Auszeichnung wieder: wir finden ihn als Tissaphernes im „Alcibiades". In der Komödie waren Nokes und Leigh die zwei beliebtesten Namen; von ihrem Spiel in „The Soldier's Fortune" erzählt Cibber: „In Sir Jolly he [Leigh] was all life, and laughing humour; and when Nokes acted with him in the same Play, they return'd the ball so dexterously upon one another, that every scene between them, seem'd but one continued rest of excellence . . . But alas! when those actors were gone, that comedy, and many others, for the same reason, were rarely known to stand upon their own legs; by seeing no more of Leigh or Nokes in them, the characters were quite sunk, and alter'd."

Die wichtigste Neuerung, die das Theater der Restoration brachte, war das Auftreten weiblicher Schauspieler. Alle Frauenrollen der älteren Bühne waren von Männern dargestellt worden. Als etwas ganz Ausnahmsweises vernehmen wir, daß 1629 eine französische Truppe, unter der sich eine Anzahl Schauspielerinnen befanden, in mehreren Theatern Londons gespielt habe; aber sie begegneten allgemeinem Widerstand und verschwanden bald wieder. Auch jetzt war der Uebergang kein ganz schroffer: noch weit in die Regierung Karls II. hinein traten Schauspieler in Frauenrollen auf; besonderer Berühmtheit darin erfreute sich Kynaston.[1]) Doch schwand allmählich jeder Rest des früheren Gebrauchs, und die Verteilung der Rollen war, wie wir sie jetzt als selbstverständlich anzunehmen geneigt sind. Die Tragweite dieser Neuerung für die dramatische Kunst zeigt sich auf den ersten Blick. Aber sie hatte ihre Schattenseite: ihr war es zu einem großen Teil zu danken, daß das Theater der Zeit eine wahre Brutstätte des Lasters wurde, daß das Schauspielhaus zum Hurenhaus eleganteren Stils entartete, das Gefühl für Feinheit und Sitte vollkommen schwand, und die größten Talente und besten Naturen in den seltsamsten Irrwegen mißverstandener Sittlichkeit sich verlieren. Ist nicht Otways „Orphan" das beste Beispiel? Und doch, wie wäre es anders denkbar in den Tagen, da der „armselige Priapus-König" (so nennt ihn Marvel) regierte! Denn es sind nicht die Schönheiten, die der Dichter schenkt, und nur in zweiter Linie die Kunst des Schauspielers, welche den Hof und die ihm nahestehenden Kreise ins Theater locken. Das Vergnügen an pikantem Klatsch, an giftelnder Kritik und Satire, fand reiche Weide hier, und was mehr als alles zog, die auftretenden Damen waren für Geld und gute Worte zu jedem zu haben. Der Unterschied zwischen ihnen und den Dirnen gewöhnlichen Schlages fand sich lediglich in der Preislage; denn sie waren ein begehrter Artikel, und als der König mit edlem Beispiel voranging, da galt es als adeliger und kostspieliger Sport, sich eine Mätresse vom Theater zu halten. Schon 1666 schreibt Evelyn in sein Tagebuch, daß er nur selten Aufführungen beiwohne, „for many reasons, now as they were abused to an atheistical liberty, fowle and undecent women now (and never till now) permitted to appeare and act, who inflaming severall young noblemen and gallants, became their misses, and to some their wives; witness the Earle of Oxford, Sir R. Howard, P. Rupert, the Earle of Dorset, and another greater person than any of them, who fell into their snares, to the reproach of their noble families, and ruine of both body and soule".

Wir erkennen leicht, wer diese vornehmere Persönlichkeit ist, und kennen auch das leichtlebige Ding, das den König auf immer zu fesseln wußte. Es ist Eleanor Gwyn, Nell oder Nelly, wie sie kurzweg genannt wird. Von ihren ersten Jahren wissen wir wenig Zuverlässiges. Sicher ist, daß sie aus dürftigsten Verhältnissen stammte und ohne Erziehung aufwuchs; sie ist kaum imstande ihren Namen zu schreiben. In London trieb sie sich in bedenklichster

---

[1]) Von ihm geht die bekannte Anekdote, daß, als der König einmal ungeduldig auf die Eröffnung des Stückes wartete, er die Entschuldigung zu hören bekam, die Königin sei noch nicht rasiert.
vgl. auch MS. Harl. 7315, Blatt 49 b:
„Kinaston, acting both Venus and Mars . . ."

Gesellschaft herum. Hart brachte sie schließlich aufs Theater, wo sie ihrer anmutigen Erscheinung wegen gern gesehen ward. In der Tragödie war ihr Spiel unbedeutend, besser in den komischen Rollen. Eine gewisse Berühmtheit aber erlangte sie als Sprecherin von Prologen und Epilogen, wo ihre muntere und schlagfertige Art zur rechten Geltung kam. Dryden hat mehrere solcher Vor- und Nachreden eigens für sie gereimt; und bei einem solchen Anlaß war es, daß der König sie nach Beendigung des Spiels entführte (1669). Er wahrte ihr eine dauernde Zuneigung, und noch in seiner letzten Stunde bat er den Bruder, „arm Nelly nicht hungern zu lassen". Auch sie, die vorher in der Wahl ihrer Liebhaber sich wenig Beschränkung auferlegt hatte, ist dem König treu geblieben: „She was almost the only mistress of the king who was guilty of no infidelity towards him; nor did she relapse after his decease" („Gentlemans Magazine", 1752). Und zweifellos ist sie bei weitem die sympathischste von all den zahlreichen Mätressen Karls II. Sie verfügt über einen kecken Freimut und scheut sich nicht, dem König unbequeme Wahrheiten zu sagen. Bei aller Derbheit, die nicht selten einen Stich ins Grobe zeigt, hat sie ein braves Herz und einen unverdorbenen Sinn für das Rechte. Wie alle Geliebten Karls II. wird auch sie in den zahllosen unflätigen Satiren der Zeit mit Schmähungen überschüttet; aber sie allein erhält zuweilen ein Lob: ihre Geradheit und Gutherzigkeit wird anerkannt und durch manche vergnügliche Anekdote beleuchtet. In die königliche Gunst mußte sie sich nur mit der Herzogin von Portsmouth dauernd teilen; während aber Nell einer gewissen Volkstümlichkeit sich erfreute, war die Französin Gegenstand unbegrenzter Verachtung: ein Pamphlet auf sie trägt den lieblichen Titel: „The Downfal of the French Bitch, England's Metropolitan Strumpet, the three Nation's Grievance, the pickled pocky Whore, Rowley's Dalilah, all in a word, the damn'd dirty Dutchess." In einer andern Satire wird sie im Wortstreit mit Nell dargestellt, die auch hier wieder nicht ganz ohne Sympathie gezeichnet ist: „I pay my debts, distribute to the poor." Die ganze Bitterkeit richtet sich gegen ihre Rivalin, „the grievance of the nation".[1]

Die Literaturgeschichte darf Nell Gwyn wohl einen bescheidenen Ehrenplatz gönnen. Sie hat Dryden bleibende Dankbarkeit gewahrt und ist mutig für ihn eingestanden; sie hat Lee und Butler geschätzt und sie zu fördern gesucht. Auch Otway erfuhr ihre Guttat; ja, es ist als hätte sie ihm ihre ganz besondere Teilnahme und Freundschaft zugewendet. Aber das wenige, was wir

---

[1] Zwischen den Jahren 1670 und 1682 finden wir neuerdings eine Mrs. Gwyn in verschiedenen Rollen genannt; sie spielt z. B. die Lady Squeamish in Otways „Friendship in Fashion". Es ist mir unwahrscheinlich, daß Nell als anerkannte Geliebte des Königs und Mutter des Earl of Burford, spätern Duke of St. Alban's, ihre Bühnentätigkeit fortgesetzt habe. Ich nehme, mit Doran, im Gegensatz zu J. Knight an, daß es sich um eine andere Schauspielerin handelt.

von diesen Beziehungen erfahren, steht in einem recht seltsamen Dämmerlicht, und Fragen treten uns entgegen, die kaum ihre Lösung finden werden. Sollten wir wirklich annehmen, daß Otway die Stelle eines Mentors bei ihrem ältern Sohn, dem Earl of Burford, versehen hat? Es wird uns schwer, den Dichter ungezügelter Leidenschaften im Amt des Pädagogen zu denken. Doran gibt ohne Nennung einer Quelle (er folgt wohl einfach Cunningham) die Angabe: „Nelly's younger son, James, died at Paris, 1680. The edler [Charles Beauclerk, später Duke of St. Alban's, geboren im Mai 1670] had Otway for a tutor." Vorsichtiger drückt Cunningham sich aus in seiner „Story of Nell Gwyn": „There is reason to believe that Sir Fleetwood Sheppard, the friend of the witty Earl of Dorset, was his [Charles Beauclerk's] tutor, and that the poet Otway was in some way connected with his education." Ich kenne nur eine einzige zeitgenössische Bemerkung, auf welche diese Behauptungen sich stützen; sie findet sich in einer sehr unflätigen Satire, die in mehreren Handschriften steht (MS. Harl. 6913, 6914 und 7319), aber im Druck mir nicht bekannt ist. Sie trägt den Titel: „An Essay of Scandal." Der König wird ermahnt, Nell Gwyn die Tür zu weisen; dann fährt der ungenannte Verfasser fort:

> „Then for that Cubb her Son and Heire
> Lett him remaine in Otway's care
> To make him (if that's possible to be)
> A viler Poet, and more dull then he . . ."

Wir haben nur ein einziges unanfechtbares Zeugnis für Otways Beziehungen zu Nell; es ist 1868 von William Henry Hart publiziert worden unter dem Titel: „A Memorial of Nell Gwynne, the Actress, and Thomas Otway, the Dramatist." Das Dokument bezieht sich auf die Pension von jährlich 5000 Pfund, die Nell und ihrem Sohn Charles durch königlichen Erlaß vom 11. Juni 1679 zuerkannt worden war. Es ist eine Vollmacht für James Fraizer, ihren Anwalt, zum Empfang und zur Verwaltung dieser Gelder. Als Zeugen zeichnen Tho. Otway und Jhon Poietevin. Das Schriftstück trägt das Datum vom 1. Juni 1680. Hatte Otway wirklich etwas mit der Erziehung des Sohnes, dessen Interessen ja hier wesentlich beteiligt sind, zu tun, dann erklärt sich seine Unterschrift recht wohl. Wie der Dichter aber mit Nell Gwyn bekannt wurde, ob durch Vermittlung eines seiner noblen Gönner, wann diese Beziehungen sich knüpften, wie eng sie waren, für all das finden wir nicht die leiseste Andeutung. Otway selber spricht nirgends auch nur mit einem Wort von ihr; das fällt um so mehr auf, als er ihrer Rivalin, der Herzogin von Portsmouth, sein vollendetstes Werk zueignet. Am traurigen Ende des Dichters trifft Nell kein Vorwurf; sie fand sich selbst damals in der drückendsten Lage, die ihr erst durch König Jakobs Hilfe dann erleichtert wurde. Cunningham äußert sich recht ansprechend: „. . . it went more to her heart to hear that during her own outlawry for debt her old friend Otway, the tutor of her son — the poet, whose writings she must have loved — had died of starvation, without a sympathising Nelly near at hand to relieve the wants in which she herself was now participating."

Eine glänzende Laufbahn, wie sie Nell Gwyn beschieden war, stand nicht jeder Schauspielerin bevor. Die Großzahl mußte sich mit bescheideneren Ansprüchen begnügen. Worin sie fast alle einig gingen, war die schamloseste Unsittlichkeit. Doch wäre es ungerecht, diese ganz nur ihnen persönlich zur Last zu legen; sie wurde bei ihrem Beruf als selbstverständlich vorausgesetzt. Der berüchtigte Vielschreiber und Satiriker Brown meint einmal: „I am sensible 'tis as hard a matter for a pretty woman to keep her self honest in a theatre, as 'tis for an apothecary to keep his treacle from the flies in hot weather . . .". Einige wenige rühmliche Ausnahmen finden sich auch hier: eines unbefleckten Rufes erfreute sich Mrs.[1] Saunderson, die in tragischen Rollen mit hoher Achtung genannt wird; im „Alcibiades" spielt sie die Rolle der Timandra. Sie wurde Bettertons Frau und treue Helferin.[2] Aber als Wunder an Zucht und Sittsamkeit gilt Anne Bracegirdle, „the Diana of the Stage", „the Virgin Actress"; und wir schenken ihrem Ruf um so eher Glauben, wenn wir vernehmen, daß sie in Bettertons Haus aufwuchs. Daß es an Verunglimpfungen und hämischen Anzüglichkeiten auf sie nicht fehlt, ist klar. Gildon behauptet geradezu: „and Mrs. Bracegirdle . . . is a haughty conceited woman, that has got more money by dissembling her lewdness, than others by professing it." Aber solche Gehässigkeiten kommen gegen das einstimmige Lob der Besten ihrer Zeit nicht auf. Mrs. Bracegirdle ist jünger als die bisher genannten dramatischen Künstler: wenn es richtig ist, daß sie als Kind von kaum sechs Jahren den Pagen in Otways „Orphan" spielte, kann sie nicht vor 1674 geboren sein. (Doch setzen andere Quellen das Datum ihrer Geburt um etwa ein Jahrzehnt früher an.) Auf jeden Fall gelangte sie zur Höhe ihres Ruhmes erst nach Otways Tod. Sie selber starb 1748.[3]

Als Schöpferin tragischer Rollen, als ebenbürtige Partnerin Bettertons, wird weit über allen andern Elizabeth Barry gefeiert. Sie ist die Heldin auch in der Lebenstragödie Otways. Nach ihrem Bilde, wie es sich malte in der entzückten Seele des Dichters, sind jene liebenden, wunderbaren Frauengestalten geschaffen, die Otways Werk hoch über die wüste Wirrnis seiner Zeit emportragen. Und wieder sie war es, die den Glauben an die große Liebe ihm vergiftete und verdarb, bis er, zum Tode matt, sich vor den Freunden verbarg, um einsam zu sterben.

---

[1] Mrs. wird unterschiedslos für die verheiratete sowohl wie für die ledige Schauspielerin gebraucht, wie umgekehrt auf dem gleichzeitigen französischen Theater Mlle.

[2] Gosse setzt die Heirat irrig ins Jahr 1670; sie erfolgte bedeutend früher.

[3] vgl. auch die Epitre Dédicatoire zu Voltaires „Zaïre".

Die Nachrichten vom Leben der Mrs. Barry sind spärlich und unzuverlässig: den ausführlichsten Bericht gibt uns Curll, der behauptet, alle Einzelheiten von einer Dame vernommen zu haben, die ihre intime Freundin war. Sie stammte, nach seiner Darstellung, aus guter, alter Familie. Ihr Vater, der Barrister at Law Robert Barry, hatte im Bürgerkrieg aus eigenen Mitteln ein Regiment im Dienste Karls I. unterhalten; er ist seitdem als Colonel Barry bekannt. Doch kostete die Treue für den König ihn sein Vermögen. Die Tochter (sie mag etwa 1658 geboren sein) erhielt durch Lady Davenant eine sorgfältige Erziehung. Sie sollte die dramatische Laufbahn antreten; aber mehrere Versuche auf der Bühne endeten mit kläglichem Mißerfolg. Das war wohl einige Zeit nachdem Otway die gleiche Enttäuschung erlebt hatte (vielleicht 1673). Cibber erzählt, sie sei nach Verlauf eines Probejahres als unfähig aus der Truppe des Duke entlassen worden: sie war unbeholfen in ihren Bewegungen, hatte weder für Gesang noch für Tanz Begabung. Ist Astons Behauptung richtig, daß sie im Dienst seiner Patin, Lady Shelton von Norfolk, gestanden sei, so liegt die Vermutung am nächsten, es sei eben damals gewesen, wo ihr schauspielerischer Ehrgeiz diese empfindliche Demütigung erfahren hatte. Sie blieb indes der Bühne nicht lange fern: der Earl of Rochester hatte ihre Bekanntschaft gemacht und Gefallen an ihr gefunden. Er erbot sich (wie es heißt, auf Grund einer Wette) sie persönlich für ihren Beruf auszubilden. So wurde sie seine Schülerin, und mehr; denn ein selbstloses Interesse bei einem Wüstling von Wilmots Schlag hat wohl niemand vorausgesetzt. Wir lernen die spätere Niedrigkeit ihres Charakters in etwas milderem Lichte schauen, wenn wir erwägen, daß sie diese Schule durchlief. [1] Aber Rochester entledigte sich seiner Aufgabe mit Geschick und Erfolg. Nach sechs Monaten brachte er Mrs. Barry wieder auf die Bühne in Dorset-Garden; das Unternehmen wurde begünstigt durch den Umstand, daß die Truppe ihm für eine Gefälligkeit bei Hofe zu Dank verpflichtet war. Roger Boyles Tragödie „Mustapha, the Son of Solyman the Magnificent" wurde gegeben (das Stück ist schon 1668 erschienen). Rochester brachte alle die Zeugen seiner Wette ins Theater: den König, den Herzog und die Herzogin von York, mit vielen vom Hofe. Mrs. Barry spielte die Rolle der Königin Isabella und fand großen Anklang. Die Herzogin, von ihrem Spiel entzückt, soll ihr die eigene Hochzeitsrobe zum Geschenk gegeben haben. So durchschlagend und unerhört, wie er vielfach dargestellt wird, war der Erfolg aber zweifellos nicht; der beste Beweis liegt schon darin, daß Mrs. Barry noch für eine Reihe von Jahren fast nur in Nebenrollen auftritt. Noch immer beherrschen Mrs. Betterton und Mrs.

---

[1] Uebrigens scheint Rochester das Abrichten von Schauspielerinnen als eine Art Sport betrieben zu haben: wir hören von einer gewissen Sarah, die sich ebenfalls seiner Belehrung erfreute. vgl. die „Mémoires du Comte de Grammont", chap. XII. Gewiß mit Unrecht wird die betreffende Stelle zumeist auf Mrs. Barry bezogen.

Lee die Tragödie unbestritten. Doch war die Stellung der jungen Schauspielerin ein- für allemal gesichert. Und sie verfolgte ihren Weg mit wachsendem Ruhme, bis ihre Kunst sich 1680 in reifer Größe entfaltete, als sie Otways Monimia spielte: von da an heißt sie „Famous Mrs. Barry". Der Protektion Rochesters hätte sie längst nicht mehr bedurft; aber ihre intimen Beziehungen hielten an bis zu seinem Tode. Er scheint ihr sogar eine gewisse Treue gewahrt zu haben. In verschiedenen Ausgaben seiner Werke finden sich Liebesbriefe an eine ungenannte Frau: sie sollen an Mrs. Barry gerichtet sein. Wir erfahren aus ihnen, daß er von ihr eine Tochter hatte, die ihren Namen trug (sie wird Betty genannt); daß er sie der Mutter nicht zur Erziehung belassen wollte, macht seiner Einsicht einige Ehre. Er hinterließ diesem Mädchen ein Jahrgeld von vierzig Pfund; doch ist sie dreizehnjährig schon gestorben. [1]) Das Luderleben, welches Rochester führte, mußte ihn bald einmal aufreiben. Er ist am 26. Juli 1680, nach einer albernen Buß- und Bet-Komödie, im Alter von zweiunddreißig Jahren abgegangen. Sein Tod wurde in zahlreichen Elegien, von Oldham und andern, bewinselt. [2]) Mrs. Barry war auf jeden Fall nicht untröstlich über den Verlust; sie fand einträglichen Ersatz in der Liebe Sir John Ethereges, der dem Earl als flotter Lebemann wenig nachstand, aber ihn ganz erheblich überragte an dichterischer Begabung: seine Lustspiele sind vielleicht die besten ihrer Zeit. Nach Oldys' Angabe hatte auch er eine Tochter von ihr, der er sechs- oder siebentausend Pfund vermachte: sie ist ebenfalls jung gestorben. Mrs. Barry zog sich, wie der Prolog zu Bettertons Benefice zeigt, in spätern Jahren von der Bühne zurück: nur in gelegentlichen Gastspielen trat sie noch auf. Als ihre letzte Rolle nennt Burney in einer handschriftlichen Anmerkung zu Curll die der Lady Easy in „The Careless Husband" (13. Juni 1710 im Opera House). Sie starb am 7. November 1713, an einem Fieber, wie Cibber sagt, nach anderer Ueberlieferung an den Folgen eines Bisses ihres Schoßhündchens. In der Kirche zu Acton wurde ihr eine Denktafel gesetzt. [3])

Wir haben in Thomas Betterton eine Persönlichkeit kennen gelernt, in der menschliche und künstlerische Größe sich zu imponierender Einheit verbinden und ergänzen. Es ist anders mit

---

[1]) Thornton spricht, wohl aus Versehen, von einem Sohn.

[2]) Man bekommt ein hinlängliches Bild von der ganzen Fäule der Epoche, wenn man liest, in welchen Tönen eine Frau (Mrs. Wharton) diesen notorischen Lump beklagt, der in seinen letzten Tagen einmal bekannte, er sei fünf Jahre ohne Unterbruch besoffen gewesen:

„He civiliz'd the rude, and taught the young,
Made fools grow wise; such artful magic hung
Upon his useful, kind, instructing tongue . . .
He was, but I want words, and ne'er can tell,
Yet this I know, he did mankind excel."

[3]) Es sei im Vorbeigehen bemerkt, daß sich das berühmte Chandos-Shakespeareporträt (jetzt in der National Portrait Gallery) in ihrem Besitz befand; sie hatte es aus Bettertons Nachlaß erworben.

Elizabeth Barry: wenn wir der großen Schauspielerin gerecht sein wollen, müssen wir die Mätresse Rochesters einen Augenblick vergessen können. Daß sie als Darstellerin hochbedeutend war, steht außer Zweifel; Betterton trat nie lieber auf als mit ihr zusammen, und das gemeinsame Spiel dieser beiden muß von hinreißender Wirkung gewesen sein. Colley Cibber gibt uns auch von Elizabeth Barrys Kunst ein lebendiges Bild: „Mrs. Barry, in characters of greatness, had a presence of elevated dignity, her mien and motion superb, and gracefully majestick; her voice full, clear, and strong, so that no violence of passion could be too much for her: and when distress, or tenderness, possess' d her, she subsided into the most affecting melody, and softness. In the art of exciting pity, she had a power beyond all the actresses I have yet seen, or what your imagination can conceive . . .". Sie schuf die Rolle der Heldin in fast allen Dramen Drydens, Otways und Lees. Dryden spendet ihr reiches Lob in der Vorrede seines „Cleomenes" (1692): „Mrs. Barry, always excellent, has, in this tragedy, excell' d herself, and gain' d a reputation beyond any woman whom I have ever seen on the theatre." Aber als ihre drei vollkommensten Schöpfungen werden übereinstimmend genannt: Otways Monimia und Belvidera und die Isabella in Southernes „Fatal Marriage". Auch in spätern Jahren war ihre Kraft ungemindert; Dennis schreibt 1704 von ihr: „That incomparable actress, changing like Nature which she represents, from passion to passion, from extream to extream, with piercing force, and with easie grace, changes the hearts of all who see her with irresistible pleasure." Es spricht von ihrer Berühmtheit, daß sie als erste, schon zu Jakobs Zeiten, das Vorrecht eines alljährlichen Benefice-Spieles genoß, während es erst unter Wilhelm auch auf andere ausgedehnt wurde.

Ihr Aeußeres wird verschieden geschildert. Nach Knellers Porträt waren ihre Züge interessant und geistreich, ohne auffallend schön zu sein; prachtvoll sind jedoch die Augen. Aston, dessen Urteil mit Vorsicht aufzunehmen ist, weil er bewußt darauf ausgeht, Cibbers enthusiastische Darstellung zu schwärzen, schreibt: „. . . and yet, this fine creature was not handsome, her mouth op'ning most on the right side, which she strove to draw t' other way, and, at times, composing her face, as if sitting to have her picture drawn. [1]) — Mrs. Barry was middle- siz' d, and had darkish hair, light eyes, dark eye- brows, and was indifferently plump . . .".

---

[1]) Ganz aus der Luft gegriffen sind diese Einzelheiten nicht; in einer äußerst schmutzigen Satire: „On three late Marriages" (sie ist, meines Wissens, nicht gedruckt) lesen wir:

„But slattern Betty Barry next appears,

. . . .
With mouth and . . ., tho' both awry before,
Her cursed affectation makes ' em more . . ."

Und wenn wir uns nun nach dem persönlichen Wert der viel-
bewunderten Künstlerin erkundigen bei ihren Zeitgenossen, da
werden all die rühmenden Stimmen merkwürdig stumm. Es würde
wenig gegen sie beweisen, wenn sie in Dutzenden von Pamphleten
heruntergerissen würde; das konnte dem edelsten Charakter wider-
fahren. Daß aber von so vielen begeisterten Lobrednern kein einziger, mit einem Wort nur, ihrer Charaktereigenschaften gedenkt,
das muß uns bedenklich stimmen. Wenn wir vergleichen, wie von
Nell Gwyn etwa oder Mrs. Bracegirdle manche hübsche Anekdote
überliefert ist, mancher liebenswürdige Zug, so fällt uns doppelt
auf, wie gar nichts wir in dieser Beziehung von Mrs. Barry erfahren.
Gosse sagt mit vollem Recht: „no generous act, even of frailty, is
recorded of her." Einzig Curll, der ihr nichts weniger als gehässig
gesinnt ist, erzählt eine kleine Episode: In Lees „Alexander the
Great" spielte sie die Rolle der Roxana, während Statira von Mrs.
Boutel dargestellt ward. Vor Beginn des Stückes hatten die zwei
Schauspielerinnen Zank wegen eines Schleiers. [1]) Und als nun im
letzten Akt Roxana ihre Rivalin zu erstechen hatte: „Die, sorceress,
die, and all my wrongs die with thee!", da spielte Mrs. Barry in
ihrem Zorn die Rolle so natürlich, daß sie die andere mit dem
stumpfen Theaterdolch empfindlich verletzte. Diese wilde Heftigkeit
ist der einzige nicht unbedingt verächtliche Zug ihres Wesens. Wo
sonst von ihrem Charakter die Rede ist, da herrscht ekler Schmutz
und Unflat. Und wenn wir das Aergste auch gern böswilliger
Satire zur Last rechnen wollen, als Tatsache müssen wir letzten
Endes anerkennen, daß Mrs. Barry ein herzloses, gemein berech-
nendes Weib war, dessen Götzen Ehrgeiz und Habsucht hießen.
Dank ihrer guten Erziehung wußte sie den äußeren Schein besser
zu beobachten, als ihre minder anständigen und aufrichtigeren
Kolleginnen, und einen öffentlichen Skandal zu meiden. Sie hütete
sich wohl, ihre Gunst allzu gemein zu machen, und spielte die Un-
nahbare, wo kein klingender Gewinn zu erhoffen war. Die schon
angeführte Satire „On three late Marriages" nennt sie:

> „At thyrty-eight a very hopefull whore,
> The onely one o' th' trade that's not profuse,
> (A pollicy was taught her by the Jews);
> Tho' still the highest bidder shee will choose . . ."

Damit stimmt vollkommen überein, was Brown von ihr sagt:
„Should you lye with her all night, she would not know you next
morning, unless you had another five pounds at her service . ." [2])
Endlich ist auch in dem Dialog über die beiden Theater von ihr
die Rede als „the renowned Cleopatra":

---

[1]) Ob nicht, trotz der gegenteiligen Versicherung Curlls, Eifersucht mit
im Spiele war, sei dahingestellt; denn Mrs. Boutel war vordem ebenfalls
Rochesters Geliebte. (vgl. Gentleman's Mag. 1752, p. 199 f.)

[2]) Es ist beachtenswert, daß Brown an derselben Stelle auch über
Betterton zu spotten sucht: „. . . go to desire a piece of courtesy of him,

„Ramble: I do think that person the finest woman in the world upon the stage, and the ugliest woman off on' t.

Sullen: Age and intemperance are the fatal enemies of beauty; she' s guilty of both, she has been a riotter in her time, but the edge of her appetite is long ago taken off . . .".[1])

So war das Weib beschaffen, an das Thomas Otway die Schönheit seiner sehnsuchttrunkenen Liebe verschwendete. Es war wohl im Jahr 1675, als er das erste Mal mit ihr zusammenkam. Das Theater in Dorset- Garden hatte seinen „Alcibiades" zur Aufführung angenommen. Die Nebenrolle der Draxilla wurde der jungen, vielversprechenden Künstlerin anvertraut. Sie, die nach Erfolg und Glanz dürstete, gab sich mit leidenschaftlichem Eifer ihrer Aufgabe hin. Von Betterton hatte sie gelernt, daß nur der Dichter selbst dem Darsteller bestimmenden Aufschluß geben kann über das Wesentliche des dramatischen Charakters. Sie erbat sich Otways Rat: er sah sie und fühlte „den Frieden von seinem Herzen weichen". Sie waren beide jung; kaum siebzehn das Mädchen, der Dichter dreiundzwanzig. Er sah Unschuld und Schönheit in ihr verkörpert und berauschte sich am Wohllaut der eigenen Verse, die von ihren Lippen flossen. Wie eine Krankheit war es über ihn gekommen und ließ ihn nicht mehr, sein Leben lang.

Einem gütigen Zufall danken wir es, daß wir die Tragödie dieser Leidenschaft wenigstens ahnend verfolgen können: sechs Liebesbriefe Otways sind uns erhalten. Brown hat sie 1697 veröffentlicht in einer Sammlung „Familiar Letters: Written by the Right Honourable John late Earl of Rochester, and several other Persons of Honour and Quality"; sie stehen darin p. 75- 92 und sind überschrieben: „Love- Letters, written. by the late most ingenious Mr. Thomas Otway. Printed from the original copy." Vielleicht wird man im ersten Augenblick nach ihrer Echtheit fragen, da wir kein anderes Zeugnis dafür besitzen als die Aussage Browns. Haben wir jedoch nur einen von ihnen gelesen, so wird jeder Zweifel still: das ist Otway, und ist sein Tiefstes. Die Briefe sind denn auch in alle gesammelten Ausgaben seiner Werke über-

you must attend longer than at a Secretary' s of State." — Das klingt ganz wie geärgertes Selbstgefühl; und wir können uns leicht vorstellen, wie Betterton den frechen Spaßmacher mit frostiger Förmlichkeit empfangen hat. [„Works", 5 th ed. 1720, vol. II. p. 39.]

[1]) Zu nennen wäre noch das Spottgedicht: „A Satyr on the Players" in MS. HARL. 7317 (Bl. 51 ff.) und (mit geringfügigen Abweichungen) in MS. HARL. 7319 (Bl. 144 b ff). Die Stelle über Mrs. Barry entzieht sich in ihrem ekelhaften Schmutz einer vollständigen Wiedergabe. Sie bestätigt alles Gesagte nachdrücklichst. Der Anfang lautet:

> „There' s one, Heaven bless us, by her curs' d pride
> Thinks from the world her brutish lust to hide.
> But will that pass in one whose only sense
> Does lye in whoring, cheats & impudence?
> One that is pox' d all o' er, Barry' s her name;
> That mercenary prostituting dame . . ."

gegangen, von der ersten, 1712, bis zu R. Noels [1]) Auswahl. Sie tragen keine Aufschrift, und kein Name, außer dem Otways, ist in ihnen genannt. Aber schon früh wird wiederholt und mit Bestimmtheit Mrs. Barry als Empfängerin erklärt. Ueberzeugender noch als die Angabe von Oldys und andern ist mir eine Buchhändleranzeige in Lees Werken von 1712/13, worin jene „Familiar Letters" verzeichnet sind „with Love Letters, by the ingenious Mr. Thomas Otway, to that excellent actress Mrs. Barry . . .". Das war noch zu ihren Lebzeiten und beseitigt wohl jeden Zweifel.

Wir können die Bedeutung dieser Briefe nicht hoch genug anschlagen: sie sind ein Schlüssel zum Wesen des Dichters und zur Erkenntnis seines Schaffens. In ihrer Zeit stehen sie einzig da. Genug Liebesbriefe sind uns zwar erhalten, elegant abgezirkelt in höfischen Formen, heftiges Begehren in spielenden Wendungen verblümend, witzig und roh, wie die Zeit selber war. Und bei Otway nichts als der Aufschrei eines gramverstörten Herzens: „I love, I dote, I am mad, and know no measure." Aber herrlich zeigt sich in ihnen der Dichter, dem die Qual zu ergreifendem Wohllaut wird; es herrscht eine innige Schönheit in der Trauer dieser Briefe, ein Zauber, dem niemand sich entzieht. Hymnen in Prosa möchte man sie nennen. Und nicht selten bricht der innere Rhythmus siegend zutage; manche Stellen sind reine Iamben, wir können sie ohne Zwang als Blankverse lesen. So gegen Ende des zweiten Briefes:

„Yet even your scorn would not perform the cure:
It might indeed take off the edge of hope,
But damn' d despair will gnaw my heart for ever.
If then I am not odious to your eyes,
If you have charity enough to value
The well-being of a man that holds you dearer
Than you can the child your bowels are most fond of:
By that sweet pledge of your first softest love . . ." [2])

Die Briefe Otways lassen sich mit einiger Sicherheit datieren. Er spricht davon, wie beim ersten Schauen die Liebe ihn überkommen, und daß er sieben Jahre ihre Fesseln trug. Jene erste Begegnung kann nicht später als 1675 erfolgt sein und kaum viel früher: dann sind die Briefe etwa 1682 entstanden, und Gosse hat wohl recht, wenn er sie für die letzten hält, die Otway der Geliebten schrieb. Nach ihren Andeutungen können wir die Geschichte dieser Leidenschaft in flüchtigen Umrissen zeichnen.

---

[1]) Er läßt sie fälschlich erst 1727 in den Werken erscheinen; den Irrtum hat er von Thornton übernommen, wie auch einige andere.

[2]) Aphra Behn, von Otways Zeitgenossen die einzige, deren Liebesbriefe uns heute noch ansprechen, teilt diese Eigenart: „Oh! wou' d kind Heaven but aid my just request, I might be happy in the glooms of death! Death with his leaden arms wou' d clasp me close; in his embrace I shou' d forget my passion, and mourn no more my unrequited love . . ." („Familiar Letters of Love, Gallantry . . . 1718".).

Der süße Wahn von der Reinheit und Güte Mrs. Barrys dauerte nicht lange an. Otway erfuhr, daß sie einem andern gehöre; mehr noch, er sah das Kind, das sie jenem geschenkt. Freilich, daß sie Rochesters Geschöpf gewesen war schon an dem Tage ihres Begegnens, das hielt sie ihm weislich geheim. Otways ganzer Stolz empörte sich, länger unwürdige Knechtschaft zu dulden; und oft brachte er es über sich, tagelang ihr kalten Gleichmut zu zeigen. Aber seine Seele war hilflos wider die wütende Gewalt seiner Liebe. Er wehrte sich verzweifelt gegen die eigene Schwäche; er suchte Vergessen in lauten Vergnügungen, er trank und lachte mit den vornehmen Gecken, die an dem Geist und Witz seiner Unterhaltung Behagen fanden. Dann kamen stille Augenblicke, wo ihn das Gefühl seines Elends jählings übernahm; und der andere Tag fand ihn wieder zu Füßen der Geliebten. Sie hütete sich wohl, ihm einen förmlichen Abschied zu geben: war doch der Dichter ein willkommenes Werkzeug zu ihrem Ruhme; in der Wiedergabe seiner Gestalten konnte ihre höchste Kunst sich zeigen, denn sie waren ja alle im Gedanken an sie geschaffen. Sie durfte ihn nicht freigeben. Freilich, ihn erhören, das war etwas anderes: einen armen Poeten, der kaum für die eigene Notdurft genug hatte. Und dann: vielleicht hätte seine Dichtung den hinreißenden Zauber eingebüßt, wenn er nicht mehr den Jammer des eigenen Herzens in ihr ausweinte. Die wirksamsten Rollen wären ihr so entgangen. Sie wählte den klügsten Weg und ließ seiner Sehnsucht halbe Hoffnung, die für Jahre sein ganzes, leidvolles Glück war. Und immer noch glaubte er an Erhörung, glaubte um so inniger, als Rochester endlich tot war und Mrs. Barry den Beinamen der Berühmten empfangen hatte, dank den Werken, die seine Liebe schuf. Damals war es, daß er diese Briefe ihr schrieb. Er erzählt ihr, wie er um sie gedient seit dem ersten Tage, wie die Leidenschaft ihn mit wahnsinniger Gewalt umklammert, und daß sie Seligkeit ihm werden müsse oder Verdammnis. Schonungslos deckt er die Schwächen seines Wesens auf; er hat kein Verdienst als seine Liebe. Sie weicht auch jetzt einer ehrlichen Antwort aus; sie heuchelt, ihr Herz dürfe nichts mehr von Liebe wissen, ihrer Freundschaft aber sei er willkommen. Verletzt gibt er zurück: „Ich heische herrliches Glück: du bietest mir Freundschaft; heißest mich am Bettlertisch sitzen, da ich ein Anrecht habe auf den Platz dir zur Rechten beim Feste." Aber er kann ihr nicht zürnen; noch einmal fleht er: „Mitleid mit meinen unsteten Tagen und ruhlosen Nächten! Mitleid dem Wahnsinn, der mein Gehirn schon halb zerrüttet, daß ich so wild dir schreibe! Im Narrenhaus der Unglückliche ist friedlicher denn ich. Und soll ich nie den Himmel gewinnen, nach dem mich verlangt, dann ist mein nächster Wunsch (und sei es bald!) eine reinliche Zelle, ein gutherziger Wärter, und dein Erbarmen, wenn du dort mich findest." Und wieder hält sie ihn mit Redensarten hin; sie spricht davon, daß sie die Bühne verlassen wolle. Nun werden seine Briefe kürzer, ruhiger, trostloser: „Mein Herz schmerzt nach

dir· in dieser Stunde; und darf ich kein Anrecht haben auf das deine,
so mag es schmerzen, bis ich dir nicht länger klagen kann." Sie
ist der ganzen Angelegenheit, in der ihr Gefühl wenig interessiert
war, inzwischen überdrüssig geworden; auch hat sie für ihre Laufbahn den Dichter nicht weiter nötig. Sie legt sich keinen Zwang
mehr auf in ihrem Verhalten gegen ihn. Er sieht, daß er ein
Spielzeug ihrer Eitelkeit war: nur die Bestätigung will er noch
aus ihrem Munde hören, sein Todesurteil. Die Briefe brechen hier
ab; und die Tragödie ist zu ihrem Ende gekommen: was den
Dichter ans Leben band, was seinem Schaffen die Freude gab, ist
gebrochen; er schleppt sich noch hin, wenige Jahre, aber auch sein
Werk kann ihn nicht mehr versöhnen.

Daß der Dichter in die Darstellerin seiner Gestalten sich verliebt, ist nichts so ganz Ungewöhnliches; wir haben auch andere
Beispiele aus jener Zeit. Von Mrs. Bracegirdle schreibt Cibber:
„She inspired the best authors to write for her, and two of them,
when they gave her a lover, in a play, seem' d palpably to plead
their own passions, and make their private court to her, in fic-
titious characters." Gleichfalls auf Mrs. Bracegirdle und wahrscheinlich auf Congreve zielt Brown, wenn er spottet: „But that
poet there, that shews his assiduity by following yonder actress, is
the most entertaining sort of an animal imaginable. But ' tis the way
of the world,[1]) to have an esteem for the fair sex, and she looks to
a miracle when she is acting a part in one of his own plays . . .".
Aber was Otways Dichterliebe scharf scheidet von jedem Vergleich
mit diesen Verhältnissen, ist ihr tiefes tragisches Pathos, ist das
ungeheure Leid, das sie durchzittert. Für Otway war die Liebe kein
heiteres Spiel und kein zufälliges Erleben; sie war der Inhalt
und der Zweck seines Daseins. Was seine Augen in Mrs. Barry
schauten, war eine Vision, die nichts gemein hatte mit ihrem wirklichen Wesen. Diesem Traumbild schrieb er seine Briefe, deren
flammende Leidenschaft eine edle Frau vielleicht hätte verführen
können. Mrs. Barry wußte nichts aus ihnen zu machen. Sehr kiug
und zutreffend äußert sich Oldys in einer handschriftlichen Bemerkung zu Langbaine: „. . . that language of doting, madness,
and dispair, however it may succeed upon raw girls, is so seldom
successful with such practitioners in the passion of love as Mrs.
Barry was, that it only hardens their vanity against their consent,
as it was here. For she coud [sic] get bastards with other men,
and 'twas a wonderful condescention in her to let Otway kiss her
lips, tho he was as amiable in person and address as any of them.
The editor Tom Brown gives a great character of these letters, but
I say still, they are written above the language of such love letters
as are most prevailing with women of such experience. Their
sublimity discourages reply. They are so sad serious and grievous
as to give pain."

_____
[1]) Vielleicht Anspielung auf Congreves gleichnamiges Lustspiel?

VIERTES KAPITEL

Don Carlos

Es war die sonnigste, die einzig glückliche Zeit im dichterischen Schaffen Otways, die der Aufführung und Herausgabe seines „Alcibiades" folgte. Alles verhieß Freude und Gelingen: sein Werk hatte eine Aufnahme gefunden, die den dramatischen Anfänger gar wohl ermutigen durfte, die nörgelnden Stimmen einiger Gegner kamen nicht zur Geltung, hohe und höchste Gönner äußerten sich anerkennend, und vor allem, er lebte in seiner jungen Liebe, deren süße Täuschung noch keine Trübnis erfahren hatte. In diesen Monaten schrieb er sein zweites Werk: „Don Carlos." Eine heitere, fast übermütige Stimmung, die wir sonst nicht kennen bei Otway, spricht aus der Vorrede und dem Prolog. „A man of pleasure" nennt er sich; das Stück habe er in müßigen Stunden der Abwechslung halber geschrieben, und ohne sein Zutun fast sei es ein Schauspiel geworden. — Würde es nicht der Ton solcher Stellen hinlänglich verraten, das Werk selbst müßte uns sagen, wie wenig ernst diese Behauptungen zu nehmen sind. Ein Drama von solcher Größe hätte die kühnste Erwartung nach dem „Alcibiades" nicht erhofft; und es ist nicht einmal in erster Linie die entschiedene und allseitige künstlerische Entwicklung, die uns so prächtig überrascht: ein neuer Geist lebt in diesem Werk, derselbe, der vollkommener und geläutert in der „Waise" und im „Geretteten Venedig" atmet. Es führt keine Brücke vom „Alcibiades" zu diesen Schöpfungen: dort heroisch aufgeputzte Puppen, die nach dem Schema der französischen Tragödie sich gebärden; hier Leben, heißes, fieberhaft erregtes Leben. Otway hat sein Eigenstes gefunden; ein enges Gebiet zwar, gemessen an der Weltweite Shakespeares; aber in dieser Beschränkung eine Meisterschaft, die ihn den Größten nahebringt.

Aus persönlichem Erleben ist seine Kunst zu dieser Reife gewachsen; und sie steht fremd und einsam in ihrer Zeit, weil jenes Erleben in ihr zu unmittelbarem, ergreifendem Ausdruck gelangt. Die Zeitgenossen fühlen es und suchen dem Wesen seiner Tragödie nahezukommen, indem sie die Natur und Leidenschaft als ihr Kennzeichen nennen; doch bleibt der Kern ihnen verborgen. Nicht auf scharfsichtige Beobachtung und Weltkenntnis gründet ihre innere Wahrheit sich; sie gibt nicht ein Stück Weltgeschehen, mit dem Auge des Dichters geschaut: es ist das Trauerspiel seines eigenen Seelenlebens, leicht verhüllt in der Maske dramatischer Gestalten. Ein großes Erleben füllt Otways Dasein, die Liebe zu Mrs. Barry. Ein Thema geht durch sein ganzes künstlerisches Schaffen, Liebe, die in Tod und Wahnsinn endet. Mehr noch: nicht die eigene Leidenschaft bloß tönt wieder in den Versen seiner Helden; sein ganzes Ich, alle Schwächen und Vorzüge seines Wesens leben fort in diesen Gestalten; aber wo er zarte, schöne Frauen zeichnet, die um Liebe leiden und sterben, schauen wir Elizabeth Barrys Züge, — nicht sie selber, die nichts gemein hat mit solcher Reinheit, aber jenes Seelenbild, an das Otway glaubte mit heißer Inbrunst. Eine gewisse Eintönigkeit kann nicht ausbleiben bei solch unbedingter Subjektivität des dramatischen Schaffens: das Motiv mag noch so kunstvoll variiert sein, wir fühlen doch Wiederholung darin. Hier sind die Grenzen von Otways Können; aber wir finden herrlichen Ersatz, und wenn wir von den Flutwellen seiner Leidenschaft uns mittragen lassen, achten wir es wenig, daß es immer und immer nur eine und einzige Leidenschaft ist:

„Yet, love, mere love, is beautiful indeed . . .”

Daß ein solcher Dichter zum historischen Trauerspiel nicht geschaffen war, braucht keiner Erörterung; wir werden im „Don Carlos” etwas anderes suchen müssen. Wenn es öfters (von R. Noel z. B.) getadelt wird, daß die Tragödie geschichtlichen und politischen Sinn vermissen lasse, so geht dieser Einwand aus falschen Voraussetzungen hervor. Otway hat keinen Gedanken daran, ein historisches Trauerspiel zu schreiben. Er behandelt einen geschichtlichen Stoff genau wie jede andere Fabel: er nutzt ihn für den Umriß der Handlung, formt und ergänzt ihn nach freiem Ermessen, und das tragische Geschehen bringt er erst aus eigenem Leben und Dichten hinein. Von seinem „Alcibiades” hat er launig bemerkt, daß er ihn mit gleichem Recht auch hätte „Nebukadnezar” betiteln dürfen. Wenn er im „Don Carlos” der geschichtlichen Wahrheit immerhin näher kommt, so ist weder Absicht noch Verdienst darin: er konnte das Stoffliche der Quelle fast unverändert für seine Zwecke verwerten und alle Kunst auf die tragische Entwicklung wenden. Das Drama ist eine Liebestragödie, ein „Familiengemälde in einem fürstlichen Hause”, wie es Schiller anfangs in dem Stoffe sah (Brief an Dalberg vom 7. Juni 1784). Otway fühlte den Widerspruch, in den er durch diese Behandlung eines historischen Vorwurfs gerät, daß er geschichtliche Gestalten zu Trägern eigener Leidenschaft macht. Im Prolog spricht er sich darüber aus: er habe sich zu helfen gesucht, indem er die Charaktere „heroisch” schuf, das heißt doch wohl, ihres historischen Hintergrundes möglichst entäußerte. Es wäre eine überflüssige Abschweifung, wollten wir zum Verständnis der Tragödie Otways von einer Betrachtung des geschichtlichen Don Carlos ausgehen. Um ihn hat sich der Dichter so wenig gekümmert, wie er überhaupt je Quellenstudien zu einem Drama anstellte. Seine Seele war eigenen Erlebens zu ungeduldig voll, um einem objektiven Gestalten Raum und Zeit zu lassen. Wo der Zufall ihm einen geeigneten Stoff zur Hand gibt, da bildet er ihn als Gefäß dem Leid und Jubel seines Herzens. Es war nicht anders mit „Don Carlos". Kurz zuvor (1674) war in London ein Büchlein erschienen: „Don Carlos: or, an Historical Relation of the Unfortunate Life, and Tragical Death of that Prince of Spain, Son to Philip the IId. Written in French, Anno 1672. and newly Englished by H. J."[1]. Otway las es (vielleicht hat das „Tragical" im Titel ihn aufmerksam gemacht); die Erzählung war wie für ihn geschaffen, er hatte die Fabel für sein neues Trauerspiel gefunden. Das französische Original des Werkleins war des Abbé de St. Réal „Histoire de Dom Carlos", eine treffliche historische Novelle von selbständigem literarischen Wert. Otway, der mit der gleichzeitigen französischen Literatur ziemlich vertraut ist, hat wohl auch den Urtext gelesen; nötig war es nicht einmal, denn die Uebertragung ist sehr treu, zumeist wörtlich. Eine weitere Quelle hat er nicht benutzt; was für die Fabel des Dramas nötig war, fand er bei St. Réal.

Das Trauerspiel Otways ist heute hinlänglich vergessen, um eine Nacherzählung seiner Handlung zu rechtfertigen:

Es ist der Tag, da König Philipp die einstige Braut seines Sohnes als Gattin heimführt. Mühsam zwingt Carlos seinen Schmerz nieder. Der König betrachtet ihn mit erwachendem Argwohn; er heißt seinen Günstling, Rui-Gomez, den Prinzen beobachten. Gomez haßt und fürchtet Don Carlos, dessen Erziehung einst in seinen Händen lag; zum Sturz des Prinzen soll sein Weib, die Herzogin von Eboli, ihm behilflich sein. Sie aber verfolgt andere Pläne: den ritterlichen Don Juan d'Austria, Kaiser Karls natürlichen Sohn, will sie gewinnen. Je mehr der alte Gomez in seine tückischen Anschläge versenkt ist, desto ungestörter kann sie der eigenen Neigung folgen. Noch sind in Philipp Vertrauen und Eifersucht im Widerstreit. Posa erinnert ihn mit freien Worten an des Prinzen edlen Sinn; aber Gomez weiß mit vieldeutigen Reden den Argwohn zu schüren:

„Rui-Gomez: I fear that you'll interpret wrong;
             'Tis true, they gaz'd, but 'twas not very long.
Philipp: Lie still, my heart: Not long was't that you said?
Gomez: No longer than they in your presence stay'd.
Philipp: No longer? Why, a soul in less time flies
             To Heav'n; and they have chang'd theirs at their
                          eyes."

Die Königin fühlt sich bedrückt und unfrei im steifen Zeremoniell des spanischen Hofes:

[1] Eine Neuauflage erschien im gleichen Jahr mit Otways Drama.

> „This Spanish gravity is very odd:
> All things are by severity so aw'd,
> That little Love dares hardly peep abroad."

Sie denkt mit Wehmut ihrer früheren Neigung zu Don Carlos. Und wie er selber nun vor sie hintritt, da schlägt die Liebe in heller Flamme auf; aber kein sündiges Verlangen trübt ihre Reinheit:

> „Yet keep the flame so pure, such chaste desire,
> That without spot hereafter we above
> May meet, when we shall come all soul, all love . . ."

Ihr Begegnen wird durch Gomez dem König hinterbracht. Umsonst stehen Posa und Don Juan für die Unschuld der Beiden ein; Philipp will nichts mehr als die Bestätigung seines Verdachts. Posa erkennt den Urheber aller Schurkereien in Gomez; er ist unvorsichtig offen gegen ihn und zieht sich so dessen tötliche Feindschaft zu. Er warnt Carlos und die Königin. Da naht Philipp; Carlos zieht sich zurück. Der König glaubt in Posa den Vertrauten ihrer Sünde zu sehen. Er überhäuft die Gattin mit Vorwürfen und Schmähungen. Die Verachtung, mit der sie ihm begegnet, facht seine Wut: er ruft die Garden, sie gefangen zu nehmen. Carlos stürzt dazwischen; in leidenschaftlicher Erregung wirft er all seine Kränkungen und enttäuschte Hoffnung dem Vater entgegen. Philipp hat für ihn nichts als Haß und Abscheu; aber gegen die Schönheit und rührende Klage der Königin ist er nicht gewaffnet. Sie zwingt ihr Herz um Carlos' willen zur Demut; sie bringt es über sich, den König um Schonung zu bitten. Er widersteht nicht länger und faßt sie in seine Arme. Aber den Sohn bannt er vom Hof; in einem Kloster soll er sich vergraben. Carlos nimmt Abschied von der Geliebten; es ist eine Szene von unendlicher Weichheit und Trauer:

> „Part too for ever. —
> After one minute, never more to stand
> Fix'd on those eyes, or pressing this soft hand . . ."

Die Trennung geht über seine Kraft: wie die Seelen Ermordeter stets den Körper wieder suchen, so zieht es ihn in die Nähe der Geliebten. Doch er will stark sein; nach Flandern denkt er zu gehen und die Sache der Unterdrückten zu seiner eigenen zu machen. Die Eboli, aus Eifersucht gegen Don Juan und berechnendem Ehrgeiz, sucht Carlos in ihr Netz zu locken; er verschmäht sie, wie schon Philipp sie verschmäht hat. Nun ist Rache ihr einziger Gedanke; Gomez kann ihr dazu verhelfen. Ihm ist es ein leichtes, dem König neuen Argwohn einzuflüstern. Und Carlos hilft an seinem eigenen Untergange mit. Der König wollte ihn verhaften lassen; Don Juan hat es gewehrt. Aller Gram und Zorn ist im Prinzen erregt: nun will er die Königin noch einmal sehen, und wäre es einzig Philipp zum Trotz. Aber auch sie verlangt danach; durch die Eboli hat sie von seinem Plan, nach Flandern zu gehen, vernommen. Mit inniger Bitte dringt sie in ihn, von dem verhängnisvollen Unterfangen abzustehen, um seiner selbst und ihretwillen. Im Gemach der Königin besprechen sie die weitern Schritte; sie glaubt den bösen Schein nicht fürchten zu müssen:

„Your presence there he cannot disapprove,
When it shall speak your duty, and my love."

Für Gomez ist der Augenblick des Triumphes gekommen; er kann den König durch den Augenschein von der Untreue der Gattin und dem Verbrechen des Sohnes überzeugen. Vorerst ist eine andere Aufgabe noch zu erledigen: Posa muß beiseite geschafft werden. Auf des Königs Wink erdolcht ihn Gomez. Im Todeskampf entfallen ihm Carlos' Papiere für Flandern. Der König ergreift sie:

„See, Gomez, practices against my crown!
Treason and lust have join'd to pull me down.
Yet still I stand like a firm sturdy rock,
Whilst they but split themselves with their own shock."

Nun dringen sie in die innern Gemächer vor. Gomez zieht einen Vorhang zurück; er glaubt dem König das schuldige Paar zu zeigen, und entdeckt sein eigenes Weib mit Don Juan in liebender Umarmung. Sie sehen die Lauscher nicht; zärtlich umschlungen verlassen sie den Raum. Carlos und die Königin treten ein. Wie er es der Geliebten versprochen hat, kniet er vor dem Vater nieder und erbittet seine Gnade. Höhnend weist Philipp ihm die Leiche Posas. Noch beherrscht sich Carlos; der König soll an die Redlichkeit seines Tuns glauben. Philipp hat nur eine Antwort für ihn: „du stirbst." Die Königin sinkt unter der Ueberlast des Leides zusammen; da faßt Carlos sie in seine Arme:

„Carlos, the sole embrace
You ever took, you have before his face",

bekennt sie. Wütend ruft der König nach Wachen, die Liebenden zu trennen. Ein leidenschaftliches, verzweifeltes Lebewohl; dann läßt der Prinz sich wegführen. Die Königin wirft sich schluchzend zur Erde. Philipp aber flüstert der Eboli zu, ein langsam wirkendes Gift ihr zu bereiten. Sie folgt dem willkommenen Auftrag. Der König will seine Rache bis zur Neige ausgenießen: er läßt der Gattin Carlos' Besuch ankündigen, um selber dessen Gestalt vorzutäuschen. Doch sie erkennt auch im Halbfinster ihn beim ersten Wort. Gelassen vernimmt sie es, daß man ihr Gift gegeben. Schmerz ist ihr nur, daß die Gegenwart des Königs ihre letzten Stunden entweiht. Er aber schwelgt in gesättigter Rache. Da stürzt blutend die Eboli herein, Gomez ihr auf den Fersen. Er hat seine Schande an ihr gestraft; sie weiß, daß der Tod ihr nahe ist. Ihr Gewissen möchte sie vorher noch befreien; sie gesteht alle heimlichen Anschläge, die gegen die Königin und den Prinzen ins Werk gesetzt wurden. Starren Entsetzens hört Philipp die Wahrheit. Nun möchte er retten, die Krone hingeben für das Leben der Königin. Es ist zu spät; neues Grauen wartet seiner: Don Carlos hat im Bade sich die Adern geöffnet, einem verhaßten Leben zu entrinnen. Gomez, der seinen Untergang besiegelt weiß, fügt höhnend bei, daß er selber das Bad noch vergiftet. Man bringt den Prinzen sterbend herein. Der König führt ihn selber hin zu der Geliebten. Das Sterben miteinander ist ihnen Wollust. Sie können dem Mörder verzeihen und ihn segnen; sie schauen in Verzückung nahe Glückseligkeit:

„From all my injuries, and all my fears,
From jealousy, love's bane, the worst of cares,
Thus I remove to find that stranger rest.
Carlos, thy hand; receive me on thy breast —
Within this minute how shall we be blest!"

Ihr Tod ist ein friedvolles Vergehen. Erst jetzt kommt die Erkenntnis über den König, mit rasender Gewalt. Sein Geist erliegt dem Ansturm. Er tobt im Wahnsinn; er ersticht Gomez, und in irren Phantasien stürzt er davon. Don Juan hat alles in gehaltener Teilnahme mitangesehen. Ihn ekelt vor dem Hofe; auch die Liebe hat getrogen:

„Shaking off softness, to the camp I'll fly,
Where thirst of fame the active hero warms,
And what I've lost in peace, regain in arms."

Das Don Carlos-Thema steht in der Fülle seiner Bearbeitungen kaum viel zurück hinter dem andern großen Stoff, den Spanien der dramatischen Weltliteratur gegeben, dem Don Juan. Schon vor Schiller haben wir außer Otways Drama drei spanische, zwei italienische und vier französische Don Carlos-Tragödien. Später neigt das Uebergewicht sich entschieden auf die Seite germanischer Dichtung, wobei allerdings es sich in der Großzahl um mehr oder minder schülerhafte Nachahmungen Schillers handelt. Eine zuverlässige, beinahe vollständige Zusammenstellung der nennenswerten Don Carlos-Dichtungen gibt Fr. Lieder in seiner Textausgabe des Schillerschen Dramas für die „Oxford German Series", 1912. Zu ergänzen habe ich nur des Marquis de Ximenès „Dom Carlos", am 5. Mai 1761 in Lyon aufgeführt. Das Stück taugt nicht viel; einige bessere Szenen verdankt der Verfasser Campistrons „Andronic", auf den er sich auch durchgehends beruft. Ueberschauen wir die breite Masse dieser Dramen, so heben auf den ersten Blick aus Machwerken von Ximenès' und Merciers Schlage, aus mittelmäßigerträglichen Leistungen wie Campistrons, Lord John Russells[1]) und M.-J. Chéniers Tragödien, drei Schöpfungen von genialer Eigenart sich überragend heraus: es sind die Werke Otways,

---

[1]) Sein „Don Carlos; or, Persecution" erschien 1822 und erlebte fünf Auflagen im gleichen Jahr. Schlechthin unbegreiflich ist mir, wie Henry Morley in seiner englischen Ausgabe von Schillers Werken (1889) dieses Stück in allen Treuen als Uebersetzung des Schillerschen Dramas abdrucken kann! Dabei zeigt Russell gerade eine rühmliche Unabhängigkeit, auch gegenüber Schiller.

Alfieris und Schillers, [1]) in ihrem Gehalt und Ausdruck so scharf voneinander verschieden wie die Naturen der Dichter selbst. Keine innere Beziehung läßt vom einen zum andern sich nachweisen.[2]) Jeder strebt seinem besondern künstlerischen Ziele zu; wir können mit einem Wort ihre letzten Absichten andeuten: die Leidenschaft bei Otway, der Charakter bei Alfieri, der Gedanke bei Schiller. Und hier fällt uns ein Vorzug Otways ins Auge, der gerade im Vergleich zu Schiller deutlich wird: daß seine ganze Kraft und Kunst konzentriert ist auf das eine, leitende Motiv; sein Drama ist wirklich eine Don Carlos-Tragödie. Schiller, mit der unendlich größern Weite seines Gedankens, kann ihn nicht in den Rahmen eines Liebesdramas spannen; die Idee kommt mit der dramatischen Handlung in Zwiespalt, Posa, der ideale Held, tritt gleichberechtigt neben, ja vor den dramatischen Helden, Don Carlos. Alfieri sagt es durch den Titel „Filippo" schon, daß nicht Carlos im Mittelpunkt des Interesses steht. Es ist mehr eine Charakterstudie als eine tragische Entwicklung, aber ein Bild von furchtbarer Schärfe, mit virtuoser Meisterschaft gezeichnet.[3]) Alfieri spricht sich in der Antwort auf Ranieri de' Calsabigis Kritik über seine künstlerische Absicht aus: „. . . volendo io a Filippo dare per l' appunto quel feroce e cupo carattere del Tiberio di Tacito, non poteva io meglio il mio intento ottenere, che spandendo moltissima oscurità, dubbiezza, contraddizione apparente, e sconnessione di ordine di cose in tutta la condotta di Filippo."

Otways schöpferische Phantasie ist nicht bedeutend; keines seiner Trauerspiele beruht auf frei erfundener Fabel. So folgt auch sein „Don Carlos" im Stofflichen eng der Novelle St. Réals. Bis in Einzelheiten hinein läßt die Anlehnung sich nachweisen. Die erste Szene, die so höchst wirksam die schwüle, unheimlich lastende Stimmung der Tragödie heraufbringt, geht aus einer kurzen, fast nebensächlichen Bemerkung der Quelle hervor: „. . . In other occasions, where it seemed, that all the company disputed who should praise the Queen best, Don Carlos praised her not at all in his turn, as the others did." Fast wörtliche Anklänge zeigt der vierte Akt; der leidenschaftlich erregte Auftritt zwischen Vater und Sohn hat seinen Keim in folgender Stelle: „The submission he [Carlos] had for the Queens orders, made him resolve to fall upon his knees before the King, and tell him, that he beseeched him to

---

[1]) Ich übergehe mit Absicht Nuñez de Arces ausgezeichnete Tragödie „El Haz de Leña". In ihr hat der Stoff eine Gestaltung erfahren, die mit dem ursprünglichen Don Carlos-Motiv nichts mehr gemeinsam hat.

[2]) Ueber Schiller und Otway vgl. die Arbeiten von Jacob Löwenberg (Heidelberger Diss. 1886) und Ernst Müller (1888). Sie sind entgegengesetzter Ansicht in der Frage einer Beeinflussung Schillers durch Campistron, gehen aber einig darin, daß von einem Einfluß Otways nicht die Rede sein kann.

[3]) „Filippo" fällt in des Dichters Frühzeit, so gut wie Otways und Schillers Don Carlos-Tragödien. Alfieri urteilt später vielleicht allzu streng über das Werk; er erklärt den Stoff überhaupt als ungeeignet für tragische Gestaltung.

consider that it was his own blood he was going to shed. The King answer' d him coldly, that when he had bad blood, he gave his arme to the chirurgion to draw it from him. Don Carlos even desperate to have done a baseness without effect, rose up briskly at these words . . ." [1]) Der Vergleich solcher Stellen raubt Otway nichts von seinem Verdienst. Was er in seiner Quelle findet, ist Rohmaterial; daran ändert auch der Umstand nichts, daß die Novelle an sich schon hohe Vorzüge besitzt: dem dramatischen Dichter kann die vollendetste Erzählung nicht mehr bieten als Stoffliches, und auf vollkommen verschiedenen Gesetzen muß er neu ein Ganzes aufbauen. Und diese dramatische Wertung und Neuschöpfung der übernommenen Tatsachen ist Otways ausschließliches Eigentum. Unbeirrt folgt er dem einen tragischen Motiv; das Drama stürzt unaufhaltsam seiner Lösung entgegen. Kennzeichnend für Otways Tragödie ist diese ungemilderte, fast quälende Spannung bis zur Katastrophe; die Handlung schreitet von Gipfel zu Gipfel fort; alles drängt auf das eine und einzige Ende hin.[2]) Bewußt scheidet Otway aus, was das Interesse von der Liebestragödie ablenken könnte, jedes politische und religiöse Moment. Zwei Faktoren, die in den meisten Don Carlos-Dramen eine wichtige Rolle spielen, sind bei ihm ganz unwesentlich: die Inquisition und der Aufstand in Flandern. Die eine ist mit keinem Wort genannt;[3]) die geplante Flucht nach den Niederlanden dient einzig dazu, Carlos' Untergang zu beschleunigen und dem Haß des Königs einen Schein von Recht zu verleihen.

Es ist leicht zu verstehen, daß Otways Drama dort am schwächsten sein muß, wo verschlagene Klugheit und wühlende Intrigue darzustellen ist, am besten in den Szenen seelischen Leides und Bangens oder ungefesselter, stürmischer Leidenschaft. Und entsprechend ist die Wertung seiner Charaktere. Als gänzlich verfehlt müssen wir nur eine Gestalt betrachten: Rui-Gomez. Es war nun einmal Otway nicht gegeben, solche Naturen nach dem Leben zu zeichnen; seine Bösewichte sind aus der

---

[1]) vgl. „Don Carlos", IV. Akt (Noels Ausgabe, p. 60):

„Carlos: Behold me as your poor unhappy son,
       And do not spill that blood which is your own.

King: Yes, when my blood grows tainted, I ne' er doubt
       But for my health 'tis good to let it out.
    . . . .
Carlos: Thus then I lay aside all rights of blood. [Rises boldly.]"

Der Schauplatz des zweiten und dritten Aktes, „an orange grove", ist gleichfalls nach St. Réal.

[2]) Interessant ist in diesem Punkt die Uebereinstimmung mit Alfieri: „. . . la mia maniera in quest' arte . . . è sempre di camminare, quanto so, a gran passi verso il fine; onde tutto quello che non è quasi necessarissimo, ancorchè potesse riuscire di sommo effetto, non ve lo posso assolutamente inserire."

[3]) Höchstens, daß wir einen Vers des fünften Aktes über „religious cruelty" auf sie beziehen können.

50

Schablone geschaffen, und wir bedauern es nicht, daß im „Don Carlos" der Typus uns zum letztenmal begegnet. Rui-Gomez gemahnt denn auch bedenklich an den Tissaphernes des „Alcibiades", wenn wir ihm auch einen gewissen Vorzug vor jenem zuerkennen dürfen, der eine Folge der gereiften Kunst Otways überhaupt ist. Gewiß kündet sich Rui-Gomez nicht mehr wie sein Vorgänger[1]) in pompösen Worten selber als Theaterschuft par excellence an; und doch fehlt auch seiner bodenlosen Bosheit Begründung sowohl wie Glaubwürdigkeit. Erträglicher wird uns sein Wesen durch eine Spur von tragischer Ironie, die ihn, den überschlauen Intriganten, zum willenlosen Werkzeug für die buhlerischen Zwecke des eigenen Weibes macht. Auch der König kann mit den Gestalten Schillers und Alfieris sich nicht messen. Er hat viel vom herkömmlichen Bühnentyrannen: er poltert und tobt, statt zu überlegen und zu prüfen. Höchst unglücklich ist in ihm der jugendfeurige Liebhaber verquickt mit dem greisenhaft-eifersüchtigen Despoten. So erhält der Charakter etwas sonderbar Unausgeglichenes, das in der einen Szene ihn bedeutend und würdig, in der nächsten beinahe komisch erscheinen läßt. Befremdlich ist es an sich schon, daß ein König eine ganze Tragödie durch einzig in der Rolle des eifersüchtigen Liebhabers, sein Minister als Vertrauter dieser Leidenschaft auftritt. Dabei ist der wilde Widerstreit der Gefühle in Philipp mit Kraft und Kunst dargestellt; nur daß er nichts Königliches an sich hat: am meisten gewinnen wir, wenn wir alle historischen Namen und Beziehungen zu vergessen suchen. Ein Mangel, den die meisten Geschöpfe Otways weisen, und der aus der ausschließlichen Betonung des Gefühls seinen Ursprung nimmt, wird bei Philipp recht empfindlich spürbar: seine geistigen Fähigkeiten sind gering, allzu gering. Es würde nicht übertrieben viel Scharfsinn brauchen, Gomez' Ränke zu durchschauen, Schuld und Unschuld richtig zu beurteilen: aber Philipp ist dermaßen blind in seiner Eifersucht, daß das Nächstliegende ihm entgeht. Sein Haß gegen den Sohn ist nicht Teil seines Charakters, wie bei Alfieri etwa. Otway denkt seinen König als von Natur gut und durch die Leidenschaft grenzenlos verblendet. Darum muß der Rückschlag, als er zur Besinnung kommt, ein ebenso gewaltiger sein, und daß die Reue über das Geschehene ihn zum Wahnsinn bringt, ist strenge Konsequenz.

Alle Bedenken und Einwände verstummen vor den beiden Hauptgestalten des Trauerspiels. Sie sind ohne Fehl; denn sie leben. Was die Bühne seit den Tagen Elisabeths und Jakobs nicht mehr gesehen, was Dryden bei aller Kunst und allem Fleiß nie geschaffen, das brachte fast mühelos einer der Jüngsten hier zur Erscheinung: die schlichte Wahrheit unmittelbaren Empfindens, den großen Ernst einer echten Leidenschaft. Nichts Kompliziertes ist in diesen Charakteren, kein Problem und keine Widersprüche: ein

---

[1]) vgl. den Monolog des Tissaphernes am Schluß des ersten Aktes im „Alcibiades".

liebendes Paar, getrennt und vernichtet durch ein finsteres Schicksal, Glück und Freiheit im Tod nur findend. Wenn wir Liebesszenen von der gleichen verhaltenen Innigkeit, dem gleichen ekstatischen Selbstvergessen finden wollen, so müssen wir bis auf Shakespeare selbst zurückgehen. Hier, bei den Liebenden, kann der Mangel an Vorsicht und Weltklugheit uns nicht stören; neben der Liebe hat in Otways Dichtung wie in seinem Leben ein anderes nicht Raum. Die erste Szene, die eine meisterhafte Exposition bringt, klärt uns von Anbeginn über den Charakter dieser Leidenschaft auf: die Königin erwidert Carlos' Gefühle mit der gleichen Zärtlichkeit. Und so rein ihr Verhältnis ist, ganz frei von Schuld dürfen wir sie nicht sprechen, die mit keinem Versuch ihr Gefühl zu zwingen trachten. Darum ist das Ende nicht bloß ein mitleiderregender Akt tyrannischer Willkür; es ist Reinigung und Sühne, die letzte, höchste Läuterung ihrer Liebe. Die Szenen zwischen Carlos und der Königin sind von vollendeter Schönheit; der Ausdruck hebt sich zu einer einfachen Größe und Gewalt, die wir im zeitgenössischen Drama vergebens suchen. Je höher die Leidenschaften stürmen, desto stolzer zeigt sich die Kunst des Dichters: Die Königin hört von Carlos' geplanter Flucht; nicht Angst um das Mißlingen des Anschlags, nicht Zweifel an der Berechtigung seines Unterfangens, nur die heiße, wilde Furcht vor einer Trennung kommt über sie:

„Say I have sworn not to survive the hour
In which I hear that he has left this shore.
Tell him, I've gain' d his pardon of the King.
Tell him — to stay him — tell him any thing. —"

Carlos, vom nämlichen Gefühl zermartert, stürzt ihr zu Füßen:

„Run out of breath by Fate,
And persecuted by a father' s hate,
Weary' d with all, I panting hither fly,
To lay my self down at your feet, and die."

Dann aber, wie das Ende näher zieht, wie der Tod unausweichlich vor ihnen steht, da verebben die überschwänglichen Empfindungen in einem stillen, seligen Triumphe:

„Queen: Make haste, in the first sphere I 'll for you stay;
Thence we 'll rise both to everlasting day.
Farewel —
Carlos: I follow you; now close my eyes;
Thus all o' er bliss the happy Carlos dies —"

Wir fühlen, daß es nicht zu viel gesagt ist, wenn man „Don Carlos" die beste englische Tragödie in Reimversen genannt hat. Ja, eher will das Lob uns zu gering bedünken: denn an zweiter Stelle wäre gewiß Drydens „Aureng- Zebe" zu nennen,[1) und dann

---

[1)] Ein Vergleich des „Aureng- Zebe", den Dryden selbst für seine beste Tragödie in heroischen Reimpaaren betrachtet, mit „Don Carlos" ist von

wohl, in einigem Abstande, Lees „Sophonisba"; und eine weite Kluft trennt diese Werke vom „Don Carlos".

Die beiden andern weiblichen Gestalten des Dramas, in einfachen Zügen kräftig entworfen, stehen in wirksamem Kontrast zu der Heldin: Henrietta, ihre vertraute Dienerin, lieb und kindlich, ganz hingegeben der stillen Neigung für den Prinzen; die Eboli, keinem Gesetz als ihrer Sinnenlust gehorsam, heiß in Liebe und Haß, und bedeutend selbst in ihrer Verderbtheit. Auch neben dem Prinzen stehen zwei gegensätzliche Charaktere: Posa und Don Juan. Zeigt allerdings der erstere Züge des obligaten Vertrauten auf der französischen Bühne, so ist Juan um so selbständiger und frischer gezeichnet. Er ist vielleicht die trefflichste Nebenfigur, die Otway geschaffen. Heiterer, derber Lebensgenuß, und doch der höheren Ziele nicht vergessen, Anteil jedem unverdienten Leid, und doch nie sich verlieren an das Gefühl: das sind die Linien seines Wesens. Daß seine Liebesphilosophie uns zu frei erscheint, darf uns nicht an den Absichten des Dichters irre machen. Er wollte in Don Juan eine ritterlich sympathische Erscheinung hinstellen, und als solche mußte er den Zeitgenossen durchaus vorkommen. Außer der Königin und Don Carlos ist keine der Gestalten mit so unmittelbarer Frische geschrieben. Und da wir wissen, was den Hauptpersonen dieses warme Leben gibt, ihre enge Beziehung zur Wirklichkeit, ihr Hineinragen in des Dichters eigenstes Sein, so sind wir geneigt, auch für Don Juan das Urbild in Otways Umwelt zu suchen. Unsere Vermutung wird gestützt durch den Umstand, daß Otway in der Entwicklung dieses Charakters am entschiedensten von St. Réals Darstellung abweicht, und zwar zugunsten Juans. [1]) Ist aber die Annahme, daß Don Juan nach dem Leben gezeichnet sei, berechtigt, so kann nur einer dem Dichter Modell gestanden haben, der Earl of Rochester. Dann ist die Rolle nichts anderes als eine schmeichelhafte Huldigung an den Gönner, feiner und ansprechender als die plumpen Lobsprüche einer pathetisch-verlogenen Dedication. Dem steht nicht entgegen, daß Rochester herzlich wenig mit Don Juans edleren Zügen gemein hat; damals konnte er Otway wohl in diesem Lichte erscheinen.[2])

Interesse. Beide sind im selben Jahr erschienen und weisen ein nahe verwandtes Motiv: der Vater als Nebenbuhler des eigenen Sohnes. Aber Drydens waffenlärmendes Stück mit den herkömmlichen, sich kreuzenden Liebesintriguen, fällt unendlich ab gegen den energischen Gang und das heiße Leben der Tragödie Otways. Der Vorrang gebührt Dryden in den häufigen, oft recht glücklich geprägten Sentenzen, im rein Gedanklichen überhaupt.

[1]) In der Novelle ist er selber in die Königin verliebt.

[2]) Höchst ungereimt ist eine Behauptung A. Johnsons in seinem Buch „Lafosse, Otway, Saint-Réal": „C'est notre opinion qu' Otway s'est vengé de lord Rochester dans Venice Preserved comme il l'a fait dans Don Carlos" (p. 225). Wie Otway dazu kommt, sich im „Don Carlos" an Rochester zu rächen, der dem Stück zum Erfolg verhilft und den Dichter in allen Teilen fördert, ist wohl außer Herrn Johnson niemandem ersichtlich.

Und die weltmännisch-frivole Ansicht Juans über Treue und Gesetz findet in Rochesters Gedichten oft genug Ausdruck:

„Since ' tis Nature' s law to change,
Constancy alone is strange —".

Zur technischen Vollendung läßt „Don Carlos" gewiß manches noch vermissen: gar oft müssen die Personen durch ein „aside" uns über ihre wahren Absichten und Gefühle unterrichten; eine bis ins kleinste strenge Motivierung fehlt, wir müssen vieles auf guten Glauben hinnehmen; der Wahnsinn des Königs ist zu theatralisch. Doch können solche vereinzelte Schwächen am großen Eindruck des Gesamten nichts ändern; diese straffe, geschlossene Handlung, die Wahrheit der Leidenschaften, diese Gestalten, die des Dichters eigenes Herzblut nährt: Otway hat ein starkes, bleibendes Werk geschaffen. Die Sprache ist reicher, nerviger als im „Alcibiades"; Wendungen von überraschender Schärfe und Energie erfreuen. Der Reim hat nicht mehr das unerträglich Schleppende; er fließt leicht und sogar gefällig. [1]) Otway achtet sorgfältiger darauf, ihn rein zu halten: Unmöglichkeiten wie solemnize-Alcibiades, oder pursuit- out finden sich kaum mehr; doch sind nachlässige Reime wie well- feel, false- falls immerhin noch zahlreich.

„Don Carlos" gelangte im Sommer 1676 zur Aufführung (L'Estrange hatte am 15. Juni die Lizenz erteilt), und hatte den wohlverdienten Erfolg, der allerdings ebensosehr der Protektion Rochesters wie dem innern Wert der Tragödie zu danken war. Downes berichtet: „. . . all the parts being admirably acted, it lasted successively 10 days; [2]) it got more money than any preceding modern tragedy." Der finanzielle Gewinn kam aber nicht in erster Linie dem Dichter zugute; er hatte außer der zumeist lächerlich geringen Summe für das Verlagsrecht einzig den Erlös seines dritten Abends, der bei einem beliebten Stück immerhin nennenswert war, wenn er auch in keinem Verhältnis stand zu der Leistung. Nach Downes war das Höchste, was ein Dichter im Drury- Lane Theater an seinem Abend erzielte, 130 Pfund. [3]) Ein Vermögen hat also Otway mit seinem Drama sich nicht erschrieben; da ihm aber später von Gegnern der reiche Ertrag des „Don Carlos" vorgerückt wird,[4])

---

[1]) Für die größere Beherrschung spricht schon die ungemein hohe Zahl von dreifachen Reimen, im ganzen gegen hundert.

[2]) Spätere reden übertreibend von dreißig Tagen; bereits Samuel Johnson weist diese Behauptung als unwahrscheinlich zurück.

[3]) Thomas Shadwell für seine Komödie „The Squire of Alsatia" (1688). Die Vorrede des Verfassers bestätigt Downes' Angabe über den Erfolg des Stückes; Shadwell schreibt: „. . . the house was never so full since it was built, as upon the third day of this play; and vast numbers went away, that could not be admitted."

[4]) Es ist seit à Wood allgemeine Annahme, daß die frechen Verse in Rochesters „Trial of the Poets for the Bays":
„Don Carlos his pockets so amply had fill' d,
That his mange was quite cur' d, and his lice were all kill' d . . ."
sich auf Otways dürftigen Aufzug nach der Heimkunft aus Flandern beziehen.

muß er wenigstens einen anständigen Betrag daraus gelöst haben,
der für einige Zeit ihn vor der Not sicherte. Die Tragödie hielt sich
lange auf der Bühne; ja, sie soll, nach einer Bemerkung Bettertons,
die Booth mitteilt, selbst die „Orphan" und „Venice Preserved"
in der Gunst des Publikums übertroffen haben. Die Angabe von
Sidney Lee im „Dictionary of National Biography" stimmt nicht:
„only one revival after Otway's death is noted by Genest." Sein
„Account of the English Stage" erwähnt eine Aufführung in
Lincoln's-Inn-Fields am 27. September 1703 (Bd. II. p. 303), eine
solche in Drury-Lane vom 27. Juli 1708 (Bd. II. 405: Booth spielt
den Don Carlos, Keen den König, Young Bullock den Posa und
Mrs. Porter die Königin), endlich am 12. August 1711, ebenfalls
in Drury-Lane (II. 500: Don Carlos=Booth; Don John=Powell;
Queen=Mrs. Bradshaw) und am 17. Juni 1715 (II. 557: „for the
benefit of the Young Persons who perform the play . . . with a Prologue by the child who acted the Princess Elizabeth"). Von da an
hören wir allerdings nur ein einziges Mal noch von einer Aufführung des „Don Carlos", und zwar spricht Davies davon in
seinen „Dramatic Miscellanies", 1784 (Bd. III. p. 179): „. . . .it was
revived, above fifty years since, at the theatre in Lincoln's-Inn-
Fields; when Boheme's action in Philip, and Mrs. Seymour, by
her excellence in the Queen, rendered their names celebrated, and
contributed to establish a company struggling with difficulties."[1]
Der Grund, warum ein Bühnenstück von diesen Vorzügen später so
ganz in Vergessenheit sinken konnte, ist vor allem wohl in seiner
Form zu suchen: die heroischen Reimtragödien waren endgültig
veraltet, und mit ihnen mußte auch „Don Carlos" aus dem Repertoire scheiden. Für die Beliebtheit, die er zu seiner Zeit aber genoß,
spricht schon der bedeutende buchhändlerische Erfolg; bis zum
Jahr 1704 erlebte das Werk fünf Quarto-Ausgaben. Die erste, noch
1676 erschienen, scheint früh bereits ungemein selten geworden zu
sein; und wenn verschiedene Quellen (so Langbaine) 1679 als Er-
scheinungsjahr nennen, so haben sie wohl die zweite Auflage irrig
für den Erstdruck angesehen. Auch von den Herausgebern hat kein
einziger jenen ersten Quarto beigezogen. Er gibt in Kleinigkeiten
die bessere Lesart, aber vor allem enthält er im fünften Akt eine
längere Stelle (es sind siebzehn Verse), die, wahrscheinlich bloß
durch irgendwelchen Zufall, in der zweiten Ausgabe weggelassen
und später nie wieder gedruckt worden ist. Wenn die Verse auch
nicht von hervorragendem Werte sind, dürften sie doch zur Er-

---

Und doch ist das bei genauem Zusehen höchst unwahrscheinlich: welchen
Gewinn hatte denn Otway nach seiner Rückkehr von einem Drama zu erwarten, das schon längst gespielt und gedruckt war? Natürlicherweise kann
die Satire nur darauf gehen, daß Otways vorherige ärmliche Umstände durch
den Erfolg des „Don Carlos" behoben wurden. Damit ergibt sich auch die
gehässige Uebertreibung von selbst.

[1] vgl. aber dazu Genest, III. 316 f. Er bezweifelt mit guten Gründen
die Angabe von Davies und vermutet eine Verwechslung des „Don Carlos"
mit „Mariamne".

gänzung aller Texte (auch derjenigen Thorntons und Noels) hier am Platze sein. Sie sind gegen Ende des fünften Aufzugs einzufügen (bei Noel p. 80), nach Carlos' Worten: „Before I die what is 't you would command?"

„King. The grant thoul' t find too difficult a task;
I want forgiveness if I durst but ask.
How curs' t! and yet how might I have been blest!

D. Carl. Oh all my wrongs and my misfortunes past,
As they ne' re were let your remembrance shun,
And quite forget e' m all as I ha' done.
Alas! 'tis Fate has been too [sic] blame, not you,
Who only Honours dictates did pursue.
I was a wicked son, indeed I was;
Rebel to yours as well as Duties laws.
By head- strong will too proud to be confin' d;
Scorn' d your commands, and at your joyes repin' d.
When to my love your royal claim was layd,
I should have born my inj' ries and obeyd;
But I was hot, and would my right maintain,
Which you forgave; yet I rebell' d again,
And nought but death can now wash off the stain."

Von da an geht der überlieferte Text weiter:

„King. Why wert thou made so excellently good? . . ."[1])

Es lohnt sich, die Mottos, die Otway fast all seinen Werken voranstellt, zu beachten: sie sind immer Ausdruck seiner momentanen Gefühle und Stimmungen. Die ängstliche Spannung, mit der er sein erstes Werk in die Welt schickte, barg sich hinter geheuchelter Gleichgültigkeit: „Laudetur ab his, culpetur ab illis." Selbstgewiß tritt er mit dem „Don Carlos" auf den Plan: das Horazische „Principibus placuisse viris non ultima laus est", steht unter dem Titel. Und die Erklärung finden wir in der „Dedication": das Werk ist keinem Geringeren als dem Duke of York gewidmet. Er und sein königlicher Bruder würdigten die Tragödie ihres Lobes. Otway hatte sogar die Ehre einer Audienz beim Herzog und erhielt die gnädige Bewilligung, dies sein zweites Werk ihm zuzueignen. Wir finden den Dichter von da an stets als treuen, unentwegten Verteidiger der Stuart, ganz insbesondere des viel-

---

[1]) Eine Kleinigkeit, die von der heitern Stimmung des Dichters während dieser Zeit Zeugnis gibt, sei gleich noch erwähnt. Nach dem Rollenverzeichnis stehen in der ersten Ausgabe einige Zeilen „Errata", dann folgendes „Advertisement:

The reader is desired to take notice, that in the third and fourth acts particularly the sence is frequently mistopped; which I know not whether they are the fault of the press, or of him that transcribed it from the author' s copy; the false stops are generally interrogation points, or notes of exclamation; when indeed they might as properly have made True- love- knots, and they would have serv' d as well to the purpose."

angefeindeten Jakob. Doch wissen wir, daß seine Anhänglichkeit ihm dürftig gelohnt wurde; wir sehen auch die blinde Einseitigkeit seines politischen Standpunkts. Und dennoch liegt etwas Rührendes und Schönes zugleich in dieser unbestochenen, selbstlosen Ergebenheit an sein Fürstenhaus. Nicht wie bei Settle, der seine Ueberzeugung nach dem Erfolg richtet, auch nicht wie bei Dryden, dem es sozusagen offiziell oblag, den Standpunkt der Tories zu vertreten, ist bei Otway die politische Einstellung bis zu einem hohen Grad Herzenssache.

Ganz anders ist der Ton, den er in der Vorrede an den Leser, „The Preface", anschlägt. Der Stil hat etwas sonderbar Preziöses, Selbstgefälliges, das bei Otway höchst ungewohnt anmutet. So zitiert er Ariost in der Uebersetzung von Sir John Harington (1591 erschienen) und merkt an: „. . . had I understood Italian I would have given it thee in the original, but that is not my talent; therefore to proceed . . ." Von seinem „Alcibiades" spricht er mit lächelndem Gleichmut; aber auf die Gegner desselben schaut er doch sehr überlegen herab. Mit offensichtlichem Behagen erzählt er dann, wie „Don Carlos" bei allen Urteilsfähigen Anklang gefunden. Warmen Dank hat er für alle Förderung, die durch den Earl of Rochester ihm zuteil wurde; er setzt auch für die Zukunft alle Hoffnung auf dessen Gunst. Und zum Schluß nimmt er mit jugendlicher Keckheit die Fehde auf gegen den Poeta Laureatus: „. . . a certain writer, that shall be nameless (but you may guess at him by what follows), being ask'd his opinion of this play, very gravely cock'd, and cry'd, „I gad he knew not a line in it he would be author of." But he is a fine facetious witty person, as my friend Sir Formal has it; and to be even with him, I know a comedy[1]) of his, that has not so much as a quibble in it which I would be author of." Daß der ungenannte Schriftsteller John Dryden hieß, war offensichtlich genug, denn noch war Buckinghams witz- und geistreiches „Rehearsal"[2]) jedem gegenwärtig, und das „I gad" mußte auf einmal die Gestalt des Poeten Bayes in Erinnerung rufen. So übereilt Drydens abschätziger Ausspruch war, können wir ihn doch wohl begreifen. Er hatte Grund genug zur Erbitterung, seitdem er nacheinander den armseligen Produkten Settles und Crownes das Feld hatte räumen müssen. Und nun Rochester mit schnöder Absichtlichkeit einen neuen Gegenkandidaten aufstellte, war es verzeihlich, wenn ein sachliches Urteil ihm

---

[1]) Gosse vermutet „Marriage à- la- Mode"; wäre es nicht ein schlechtes Kompliment für den Geschmack Rochesters, dem diese Komödie zugeeignet war? Vielleicht ist an „The Assignation, or Love in a Nunnery" zu denken, ein Stück, das wenig Anklang fand.

[2]) Ueber die große Wirkung dieser sehr geschickten dramatischen Satire vgl. Rymer in seinem Buch "A short View of Tragedy" (1693) p. 158: „We want a law for acting the Rehearsal once a week, to keep us in our senses, and secure us against the noise and nonsense, the farce and fustian which, in the name of tragedy, have so long invaded, and usurp our theater."

unmöglich wurde. Hingegen wäre es wohl an Otway gewesen, dem gekränkten ältern Dichter die unwirsche Bemerkung hingehen zu lassen; aber der Uebermut gab es nicht zu, und mehr vielleicht noch war es ihm darum, dem Beschützer Rochester ein boshaftes Vergnügen zu geben. Zu einem eigentlichen literarischen Zank, wie er damals an der Tagesordnung war, kam es indes zwischen Dryden und Otway nicht. Doch scheint eine gewisse Spannung dauernd zwischen ihnen bestanden zu haben. Gemeinsame politische Interessen spielten mit, sie wenigstens zeitweilig einander zu nähern: als am 21. April 1682 zu Ehren der Rückkehr des Herzogs aus Schottland „Venice Preserved" gegeben wurde, schrieb Dryden einen Prolog auf den Anlaß, während Otway einen neuen Epilog beisteuerte.[1]) Bereits im ursprünglichen Epilog zu diesem Drama äußerte er in sympathischer Weise seine Empörung über den gemeinen Ueberfall, dessen Opfer Dryden im Dezember 1679 auf Rochesters Anstiften geworden war:

„He [the poet] fears . . .
Not a Rose- Ally cudgel- ambuscade,
From any private cause where malice reigns,
Or general picque all blockheads have to brains."

Nach der Angabe Gildons machte dagegen Dryden aus seiner Abneigung gegen Otway nie ein Hehl: „. . . for most part of his time he commonly express'd a very mean, if not contemptible opinion of Otway . . .". Th. Cibber bestätigt diese Aussage: „Dryden was often heard to say, that Otway was a barren illiterate man." Doch sei es zur Ehre Drydens gesagt, daß er nach Otways Tod, wenn auch nie mit Wärme, so stets doch mit aufrichtiger Achtung von ihm spricht. Allbekannt ist das Geständnis in der Einleitung seiner Prosaübersetzung von Du Fresnoys lateinischem Gedicht „De Arte Graphica" (1695); p. XLV: „. . . the motions which are studied are never so natural, as those which break out in the height of a real passion. Mr. Otway possess'd this part as thoroughly as any of the ancients or moderns. I will not defend every thing in his Venice preserv'd; but I must bear this testimony to his memory, that the passions are truly touch'd in it, though perhaps there is somewhat to be desir'd both in the grounds of them, and in the height and elegance of expression; but Nature is there, which is the greatest beauty."

Herzlicher berührt es uns, wenn er in einem Brief an Dennis seines Freundes Lee gemeinsam mit Otway gedenkt: „Otway and he are safe by death from all attacks . . .". Zu Southerne soll Dryden nach dem Erfolg seiner „Fatal Marriage" gesagt haben, er würde

---

[1]) In L'Estranges „Observator", am 27. April 1682, angekündigt:
„Mr. Drydens Prologue, and Mr. Otways Epilogue to Venice Preserv'd, Spoken by Mr. Smith, and Mr. Betterton, upon his Royal Highness the Duke of Yorks coming to the theatre. Recommended to all men of sense and loyalty."

ein Dichter werden wie Otway. Southernes Antwort war: er wünsche kein größerer zu sein. Man hat Drydens Worte ironisch verstehen wollen; ich bin mit Malone der Ueberzeugung, daß sie aufrichtig gemeint sind: Dryden zollt gerade um diese Zeit dem toten Dichter auch sonst ja volle Anerkennung.

Theophilus Cibber und manche spätere (Mosen z. B.) glauben in Otways Freundschaft mit Shadwell den tiefern Grund für Drydens Gehässigkeit zu finden. Das kann schon darum nicht stimmen, weil zu jener Zeit Dryden und Shadwell sich noch ganz trefflich verstanden: 1674 hatten sie zusammen mit Crowne sich gegen Settle gewendet; 1678—79 gibt Dryden den Prolog zu Shadwells „True Widow"; erst 1682 kommt der erbitterte Kampf dann zum Ausbruch, der in „Mac Flecknoe" den Höhepunkt erreicht. Aber allerdings steht Otway schon zur Zeit, da sein „Don Carlos" erscheint, auf freundschaftlichem Fuß mit Shadwell; und gerade die Vorrede zu diesem Stück zeigt eine gewiß nicht zufällige Annäherung an den breiten, ziemlich plumpen Humor Shadwells, mit seiner unbedingten und nicht immer glücklichen Einstellung auf Ben Jonson. Otway zitiert sogar aus der neuesten Komödie seines Freundes: die Stelle „But he is a fine facetious witty person, as my friend Sir Formal has it", geht auf Shadwells unmittelbar vor dem „Don Carlos" erschienenes Lustspiel: „The Virtuoso", [1]) worin der Verfasser in der Gestalt des Sir Formal Trifle einen der besten seiner beliebten „Humore" geschaffen hat. Die Worte, welche Otway zitiert, spricht er im zweiten Akt: „. . . he' s a fine facetious witty person indeed." [2]) Uebrigens spielte Shadwells Frau, Anne, die Rolle der Eboli in Otways Trauerspiel.[3]) Wir wissen nicht bestimmt, wie sich später die Beziehungen zwischen den beiden Dichtern entwickelt haben; alle älteren Berichte sprechen nur von ihrer dauernden Freundschaft. Davies sagt: „It is to the credit of Otway and Shadwell, that the being of different parties caused no interruption to their friendship." Und in der schönen Apotheose Miltons im „Gentleman' s Magazine" von 1738 wird Otway die Intimität mit Shadwell direkt zum Vorwurf gemacht. Es ist ein einziger Umstand, der die Richtigkeit dieser Angaben in Frage stellt: 1682 erschien ein Pamphlet „The Tory Poets", das gegen Dryden und Otway gerichtet war. Insbesondere wurde das unblutige Duell des letzteren mit Settle bespöttelt:

„The laurel makes a wit; a brave, the sword;
And all are wise men at a council-board;

---

[1]) Die Dedication ist am 26. Juni 1676 unterzeichnet; im Buchhandel erschien das Stück gleichzeitig mit „Don Carlos" zu Michaeli dieses Jahres.

[2]) Die Wendung begegnet auch sonst in dieser Komödie; Sir Samuel Harty spricht von sich selber: „. . . he is a fine gentleman, and a witty facetious person, as any wears a head." vgl. auch „Mac Flecknoe", v. 167 ff.

[3]) In einer widerlich rohen „Satyr of the Players" (MS. Harl. 7317 und 7319) wird sie als „Antiquated Shadwell" erwähnt samt ihrem „lumpish husband Ogg". (vgl. „Absalom and Achitophel" II.)

Settle's a coward, 'cause fool Otway fought him,
And Mulgrave is a wit, because I taught him."[1])

Als Verfasser dieser anonymen Satire wird stets und unwidersprochen Shadwell genannt. Ist das richtig, so müssen wir allerdings doch annehmen, daß politische Leidenschaft und Gehässigkeit der früheren Freundschaft ein Ende gemacht. Aber aus den authentischen Werken der beiden Dichter spricht nichts dafür, daß ihre Beziehungen anders als freundlicher Art waren. Es ist eine der Fragen, die ihrer endgültigen Lösung noch warten.

Hingegen können wir uns über die eben erwähnte Streitigkeit mit Settle ein ziemlich deutliches Bild machen. Sie ereignete sich nicht sehr lang nach dem Erscheinen des „Don Carlos", im Jahr 1676 oder 1677. Die gewöhnliche Annahme war, Settles Eifersucht habe den Anlaß dazu gegeben, weil er durch Otway sich aus Rochesters Gunst verdrängt sah. Das kann schon darum nicht stimmen, weil Crowne und nicht Otway unmittelbar an Settles Stelle trat. Der Grund war ein ganz anderer: Rochesters schmutzige „Session of the Poets" machte ohne Namen des Verfassers in den literarischen Zirkeln die Runde. Man war natürlich eifrig danach, den Urheber zu ermitteln, und da Settle sich früher in äußerst unverfrorener Weise über andere Dichter geäußert hatte,[2]) ging die allgemeine Ansicht eine Zeitlang dahin, das Produkt ihm zuzuschreiben.[3]) Otway war offenbar von der Richtigkeit dieser Vermutung überzeugt, und da er selber in der Satire überaus frech angegriffen war, verlangte er von Settle Genugtuung und forderte ihn zum Zweikampf. Begreiflicherweise hatte jener nicht große Lust, sich für die boshaften Verse eines andern zu schlagen, und stellte seine Autorschaft entschieden in Abrede. Aber Otway, der jedenfalls argwöhnte, Settle leugne aus bloßer Angst alles ab, forderte eine in stärksten Ausdrücken gehaltene schriftliche Erklärung, daß Settle nicht Verfasser der Satire sei, und dieser, dessen starke Seite persönlicher Mut nie eben war, zog es vor, auf diesem Weg sich aus der peinlichen Situation zu ziehen.

Das ist wohl mit annähernder Genauigkeit der tatsächliche Hergang dieser tragikomischen Episode. Er ergibt sich aus zwei sich ergänzenden Dokumenten, die hier nachfolgen mögen. Das

---

[1]) Ich muß das Zitat aus Malones „Prose Works of John Dryden" entnehmen, da mir die „Tory Poets" nicht erreichbar sind. In F. C. Browns „Elkanah Settle" steht statt „fool Otway" — „foul Otway" (p. 24), vielleicht ein bloßes Versehen. Brown sieht Shadwell auch in „The Poet's Complaint" angegriffen; das ist irrig.

[2]) Die Dedication der „Empress of Morocco" ist voll dreister und völlig unmotivierter Ausfälle auf zeitgenössische Dichter; gleich der Anfang ist für den arroganten Ton des Ganzen kennzeichnend: „The impudence of scriblers in this age, has so corrupted the original design of dedications . . ."

[3]) Daß Settle selber in der Satire vorkommt, war leicht als Finte zu deuten, mit welcher er die Vermutungen auf falsche Spur leiten wollte, um so eher, als die Verse, welche ihm gelten, weder scharf noch besonders treffend sind.

erste ist eine Schmähschrift auf Settle und als solche natürlich mit Vorbehalt aufzunehmen. Sie erschien 1682 unter dem Titel: „A Character of the true blue Protestant Poet: or, the pretended Author of the Character of a Popish Successor"[1]. Hier lesen wir auf der zweiten Seite: „. . . But our malicious buzzard did not in those days soar so high, he only did abuse the poets then, into whose number he would fain have crept, which because they always scorn' d, and lookt with contempt upon him, he endeavours thus to revenge himself; but it fell out most unluckily, for a discovery was soon made of our author. And Mr. O. a man of the sword, as well as the pen, finding himself most coursly dealt withal, immediately call' d him to an account, and required the satisfaction of a gentleman from him: This I must confess was something unreasonable, and did by no means agre with our scriblers constitution, who had much rather rail than fight; and being at this news as much surprized, and in little better pickle, than Alderman Atkins would have been upon the like occasion, beg' d he would spare his life, and he would give him any other satisfaction he could desire; and presently taking pen, ink, and paper out of his pocket, he writ these following words, (viz.) I confess I writ the Sessions of the Poets, and am very sorry for' t, and am the son of a whore for doing it;[2] witness my hand E. S. This he delivered to Mr. O. which it seems saved his throat for that time; but I am affraid for a worse hand." Als Settle im Jahr darauf gegen diese Anschuldigungen sich zur Wehr setzte, hatte er bereits vom „True blue Protestant" sich zum überzeugten Tory bekehrt. Seine Verteidigungsschrift „A Supplement to the Narrative"[3] läßt sehr hübsch erkennen, wie der Angriff im wesentlichen nicht aus der Luft gegriffen war, und gibt zugleich die Anhaltspunkte, um die Entstellungen und Uebertreibungen des böswollenden Berichtes zu korrigieren. Seite 17 kommt Settle zu sprechen auf „a certain inveterate filthy libel against me, called the Character of a true blue Protestant Poet, where amongst the impudent lyes and detraction that fills that paper, I was accused of being the author of a scandalous copy of verses call' d the Sessions of the Poets, an ill- natured scurrilous lampoon, written some years since, and now laid as believed at the fathers door, being printed amongst the Lord Rs. - - - poems. Amongst the other extravagancies in that base and malicious libel against me, it was said that I gave it under my hand to Mr. O- - - a gentleman highly wronged and affronted in

---

[1] Settle heißt darin nach seinem Vornamen „Old Cana" (=Elkanah).

[2] Ich vermute, Dryden spielt im zweiten Teil des „Absalom and Achitophel", v. 429 darauf an, wenn er von Doeg (=Settle) sagt:
  „For almonds he' ll cry whore to his own mother . . ."

[3] Mit dem vollen Titel: „A Supplement to the Narrative. In Reply to the Dulness and Malice of two pretended Answers to that Pamphlet. Written by E. Settle. London 1683." fol.

that paper of verses, that I was the author of that Sessions of Poets, and that for which I was the son of a whore.

Which is so damnable a falshood, and so publickly known to be so too, that on the quite contrary I disown'd and abjured the writing so much as one syllable of it: and to vindicate my self from the scandal of such a lampoon, at that time so unjustly and so universally laid at my door, and so much to my disreputation, if to clear my self by no less a protestation then that I was the son of a whore if I wrote one word of it, when indeed I did not write one word of it, be calling a mothers honesty into question, let the world judge."

Eine zweite, allerdings recht unsichere, aber immerhin interessante Bemerkung über ein Duell, das Otway ausgefochten habe, mag hier gleich ihre Stelle finden. In einem Brief eines John Verney an Sir R. Verney, am 23. Juni 1679 in London geschrieben, wird erzählt: „. . . Churchill, for beating an orange wench in the Duke's playhouse, was challenged by Capt. Otway (the poet), and were both wounded, but Churchill most. The relation being told the king, by Sir John Holmes, as Churchill thought to his prejudice, he challenged Holmes, who fighting disarmed him, Churchill'"[1]). Ort und Zeit dieser Begebenheit, sowie der Anlaß, der dem Charakter des Fordernden nur Ehre macht, legen den Schluß recht nahe, daß wirklich der Dichter Otway darunter zu verstehen ist. Natürlich befremdet die Benennung als captain, da Otway diesen Rang nie bekleidet hat. Doch ist zu beachten, daß der Brief unmittelbar nach Otways Entlassung aus dem Heeresdienst geschrieben ist: Der Absender konnte wohl davon wissen, daß der Dichter einen Offiziersposten versehen hatte, ohne daß der genaue Grad ihm bekannt war. Freilich ist anderseits auch denkbar, daß Verney einen wirklichen Captain Otway irrigerweise mit dem Dichter identifiziert.[2]) Daß übrigens Duelle damals zum guten Ton gehörten ist bekannt: der Colonel Codrington schlug sich für die Etymologie eines griechischen Wortes.[3])

---

[1]) Im siebenten Report der „Royal Commission on Historical Manuscripts" (1879), p. 473, bei der Besprechung der Handschriften im Besitz von Sir Harry Verney, Bart; at Claydon House, Co. Bucks. (vgl. p. 434: „a notice . . . of a duel in which Otway, the poet, was a principal.").

[2]) Ein Capt. Edward Otway ist z. B. im Jahr 1677 erwähnt (Calendar of Treasury Books V. p. 590).

[3]) MS. Add. 4245, bl. 74; vgl. auch die Bemerkung über den „Club of Duellists" in Nr. 9 des „Spectator".

FÜNFTES KAPITEL

Von Racine zu Shakespeare

In der Vorrede zum „Don Carlos" hatte Otway mit begründetem Stolze sich geäußert: „But this I may modestly boast of, which the author of the French Berenice has done before me, in his preface to that play, that it never fail' d to draw tears from the eyes of the auditors . . ."[1]). Er war damals also schon mit dem Werke beschäftigt, das ihn für die nächsten Monate in Anspruch nahm. Daß sein Interesse auf das Studium der französischen Literatur sich wandte, war bei der so ganz französisch gerichteten Bildung der Kreise, in denen er verkehrte, nur natürlich. Ein anderer Weg und andere Vorbilder waren für den dramatischen Dichter nicht denkbar.[2]) Und Otway hatte bei einem Meister von Racines Vollendung und Feinheit vieles zu lernen; ihm war diese Schulung um so fruchtbringender, als sein Genie von Natur nach entgegengesetztem Ziele strebte. Otway, der im „Alcibiades" mit wahrer Henkerslust seine Personen hingeschlachtet hatte, der noch im „Don Carlos" nicht unter fünf Toten und einem Wahnsinnigen auskam, er mußte sich wohl nachdenklich gestimmt fühlen, wenn er bei Racine las: „Ce n'est point une necessité qu'il y ait du sang et des morts dans une tragédie; il suffit que l'action en soit grande, que les acteurs en soient heroïques, que les passions y soient excitées, et que tout s'y ressente de cette tristesse majestueuse qui fait tout le plaisir de la tragédie." Gewiß liegt diese Tragik nicht in Otways Natur; sein Trauerspiel kennt keine Lösung als den Tod.[3]) Aber die weisere Mäßigung, die er in den späteren Tragödien hält, daß nicht Schreckliches und Tragisches mehr sich verwirrt, die sichere

---

[1]) Racine: „Mais aussi je ne puis croire que le public me sçache mauvais gré de luy avoir donné une tragédie qui a esté honorée de tant de larmes; et dont la trentième représentation a esté aussi suivie que la première."

[2]) Guthrie in seinem „Essay upon English Tragedy" p. 4: „. . . the ignorant, degenerated, though witty, court of Charles II. encouraged the French drama, almost to idolatry . . .".

[3]) Es kann sich nicht darum handeln, der einen oder andern Art den Vorzug zu geben; vollendete Werke haben beide aufzuweisen: es ist, um einen naheliegenden Vergleich zu ziehen, die Tragik des „Tasso" im Gegensatz zu der pathetischen Tragik Schillers.

und überlegene Beherrschung des Technischen, das dankt er zu einem guten Teil der ernsten Beschäftigung mit Racine. Daß er von dem französischen Meister lernen wollte und gelernt hat, deutet schon das Motto aus Petron an, das er seiner Uebersetzung voranstellt, und zu dessen Würdigung und Verständnis erst Racine ihn eigentlich hat bringen können: „Grandis oratio non est turgida, sed naturali pulchritudine exsurgit." Es war eine glückliche Wahl, die Otway bewog, die „Bérénice" in seine Sprache zu übertragen; zeigt doch gerade dieses Stück den französischen Dichter in der vollen Beherrschung seiner Kunst.[1]

Das tragische Thema ist fast in seinem ganzen Umfang gegeben durch den einen Satz, mit dem Racine seine Vorrede einleitet: „Titus Reginam Berenicen, cui etiam nuptias pollicitus ferebatur, statim ab Urbe dimisit invitus invitam."[2] In langsam sich steigernder, feinbegründeter Entwicklung wird dieses spröde Motiv zum Austrag gebracht; von Handlung ist kaum zu sprechen; alles beruht auf seelischen Vorgängen. Ueber die Art, wie Otway das Drama Racines übertragen hat, unterrichtet R. Mosen gut und gründlich in seiner knappen Otway-Biographie (Englische Studien, Bd. I. p. 425—456 und Bd. II. p. 532 f.).[3] Daß es um eine getreue Uebersetzung sich nicht handeln kann, ist aus dem äußern Umfang schon ersichtlich: Otway kürzt die fünfaktige Alexandriner-Tragödie zu einem dreiaktigen Drama in heroischen Reimpaaren; die Verszahl reduziert sich dabei um mehr als ein Drittel. Racines erster und zweiter Akt sind bei Otway in einen zusammengezogen; der dritte Akt Racines entspricht Otway zweitem; der vierte und fünfte bilden den dritten der englischen Bearbeitung. Die Personen sind in beiden Dramen die gleichen; nur kommt bei Otway der Tribun Rutilius, der bei Racine bloß zweimal ein paar Worte zu sagen hat (II. 3 und IV. 8), mehr zur Geltung. Er hat teilweise die Funktion des Arsaces übernommen: so ist er zum Beispiel Bote des Antiochus an die Königin. Inhaltlich hat Otway nur eine wesentliche Aenderung getroffen: sein Antiochus gesteht schon zu Anfang des zweiten Aktes dem Titus seine Liebe zu Berenice, während er bei Racine dies erst ganz gegen Ende des Stückes tut. Otway will sichtlich die Situation heroischer gestalten, daß sein Titus trotz, ja, eigentlich wegen dieses Bekenntnisses den Rivalen als Vertreter seiner Sache zu Berenice sendet; ob die innere Wahrheit der Tragödie dadurch gewonnen hat, läßt sich bezweifeln. An kleineren

---

[1] „Bérénice" ist 1670 geschrieben und aufgeführt, 1671 gedruckt worden. Ueber die Entstehung des Dramas und Corneilles unvergleichbar schwächere Comédie Héroïque „Tite et Bérénice" vgl. Claretie: „Histoire de la Littérature Française", II. 412. Von Otways zu Corneilles Stück besteht kein Zusammenhang; er hat es wohl gar nicht gekannt.

[2] Nach Sueton, „Titus" 7; vgl. Tacitus, Hist. II. 2: „. . . neque abhorrebat a Berenice iuvenilis animus, sed gerendis rebus nullum ex eo impedimentum."

[3] Vorher (1875) als Jenaer Dissertation erschienen.

Abweichungen seien genannt: Antiochus erzählt bei Otway schon in der ersten Szene dem Arsaces von seiner Liebe; bei Racine erfährt dieser erst später (im dritten Akt) davon; die Szene zwischen Antiochus und Berenice im dritten Aufzug fehlt bei Racine. Otway löst gern und mit Geschick längere Monologe und Erzählungen in Dialog auf, so den Monolog des Antiochus (I. 2 bei Racine), oder er verkürzt sie stark, so die langen Reden des Titus im vierten und fünften Akt. Eine gewisse Unbeholfenheit verrät sich noch in der Anwendung zahlreicher „asides", die Racine nicht hat. Mosen hebt hervor, daß Antiochus in Otways Darstellung männlicher und leidenschaftlicher geworden ist. Bei Racine antwortet er z. B. auf die Kunde, daß Berenice am selben Tag noch Roms Kaiserin sein werde, mit einem bloßen „hélas" (demselben Ausruf, mit dem er die Tragödie dann beschließt); Otways Antiochus fährt auf:

> „What do I hear? Confusion on thy tongue!
> To tell me this, why was thy speech so long?
> Why didst not ruin with more speed afford?
> Thou mightst have spoke, and kill' d me in a word."

Freilich mag Otway uns vielfach bloß darum kräftiger anmuten, weil er derber im Ausdruck ist. Wenn Racines Titus ausruft: „Telle est ma destinée!", so lautet das bei Otway: „curst necessity!"; ähnlich sind seine selbständigen Zusätze: Titus herrscht den Paulinus, der ihm kaltblütig rät, Berenice gehen zu lassen, an:

> „Curse on thy Roman rudeness, that canst see
> Such tears unmov' d, and mock such misery!"

Im ganzen möchte ich diese Vergröberungen nicht tadeln; sie heben sich gegen die oft übergroße Weichlichkeit der Gestalten Racines angenehm ab. Doch geht zweifellos auch manches Schöne dabei verloren; Racines Berenice beschließt den ersten Akt:

> „. . . Dire tout ce qu'au coeur l'un de l'autre contens
> Inspirent des transports retenus si long- temps."

Bei Otway klingt das ungestümer, aber auch roher:

> „My eager wishes drive me wildly on,
> Nor will be temper' d till my joy 's begun."

Es war zum guten Teil Rücksicht auf seine Hörer, die ihn zwang, grell aufzutragen; die vornehme Kühle Racines wäre dem englischen Theaterpublikum ungenießbar gewesen. Allerdings, die ärgste, unverzeihliche Konzession macht er am Schluß, eine schwere Geschmacksverirrung, die uns zeigt, daß er Racines künstlerisches Endziel nur halb begriffen hat: Titus und Berenice trennen sich auf immer; mit feierlich ernster Trauer beugen sie dem größern Schicksal sich, ohne Abschiedswort und Klage: dem willensschwächern Antiochus nur entgleitet ein Seufzer: „hélas!" So ist das Ende. Otway konnte es nicht verstehen, daß ein Trauerspiel derart schließen dürfe. Er versucht, die Wirkung zu steigern, zu überbieten. Nun bricht sein Titus tobend los:

„. . . She 's gone, and all I valu' d lost.
Now, friend, let Rome of her great emp'ror boast!
Since they themselves first taught me cruelty,
I 'll try how much a tyrant I can be.
Henceforth all thoughts of pity I'll disown,
And with my arms the universe o'er- run.
Robb' d of my love, thro' ruins purchase fame,
And make the world as wretched as I am."

Es ist schade um diesen greulichen Rückfall ins Spektakelstück:
ohne ihn wäre Otways Bearbeitung des Racineschen Dramas nicht
durchaus eine Verschlechterung zu nennen. Durch die starken Kür-
zungen werden allerdings manche Feinheiten der Entwicklung be-
einträchtigt; aber anderseits hat Otway mit Glück unnötige Längen,
namentlich die Vorgeschichte betreffend, getilgt. Die Präzision des
Ausdrucks trifft er nicht selten mit erfreulicher Sicherheit: „un amy,
qui me parle du coeur" übersetzt er: „he, whose words and heart
are one." An andern Stellen bleibt er indes wieder weit hinter Racine
zurück; das energische: „il ne s'agit plus de vivre, il faut régner",
gibt er höchst matt wieder:

„And now I would not a dispute maintain,
Whether I lov' d, but whether I must reign."

Die französische Sprache beherrscht Otway mit großer Fer-
tigkeit: weder in der „Berenice" noch im „Scapin" läuft ihm ein
ernstliches Mißverständnis unter. Einzig eine Stelle des dritten
Aktes (bei Racine) gibt er unklar wieder:

„Bérénice: Et qu'a-t-il pu vous dire?
Antiochus: Mille autres, mieux que moy, pourront vous en
instruire."

Bei Otway: „Ber. . . . Alas! or what could Titus say of me?
Ant. Better a thousand times than I can tell."

In formeller Hinsicht ist ein Fortschritt gegenüber „Don
Carlos" nicht zu erkennen. Im Reim ist Otway eher lässiger: er
stellt wieder unbekümmert „destroy' d" neben „laid", oder
„friend" neben „mind", etc. Im ganzen ist „Titus and Berenice"
uns wichtiger als Zeugnis für Otways Studium französischer Dramatik, denn als künstlerische Leistung von selbständigem Wert. [1])

Die drei Aufzüge der Tragödie reichten nicht hin, einen
Theaterabend auszufüllen. Otway gab zur Ergänzung einen zweiten
Dreiakter mit, eine Posse, gleichfalls aus dem Französischen übertragen, Molières „Fourberies de Scapin". Die Sitte, dem Trauerspiel eine Farce folgen zu lassen, wurde später allgemein üblich.

[1]) Dagegen stellt Dorothea Frances Canfield in ihrem Buch „Corneille
and Racine in England" (New York 1904) die Uebertragung Otways sehr
hoch; vgl. p. 92—101. Sie kommt zu dem Resultat: „In spite of its very considerable variations from the original, „Titus and Berenice" may, perhaps,
claim to be the most satisfactory attempt at transplanting French tragedy to
the English stage. It almost attains the ideal of translation . . ."

Wilkes [1]) äußert sich mißbilligend darüber und gibt zugleich eine eigenartige Erklärung der Tatsache: „For my own part, I would chuse to leave the theatre impressed by that gloomy pleasure which I feel from the sublimity of Skakespeare, or the tenderness of Otway; and not to have it dissipated by farce; yet it is perhaps a dissipation necessary in this kingdom, where the temperature of the air inclines to gloom and melancholy; a disposition to which we also owe the speaking of comic epilogues after tragedies."

Es ist seltsam: Otway, der ausgesprochene Tragiker, übersetzt Racines Trauerspiel nur mäßig gut; in der Uebertragung der Molièreschen Komödie schafft er auf anspruchsloserem Gebiet eine vortreffliche Leistung. „Les Fourberies de Scapin" ist eine kräftige, handgreifliche Posse in Prosa, nicht entfernt den großen Lustspielen Molières zu vergleichen, aber munter und lustig. [2]) Boileau hat den Dichter getadelt, daß er so zum gemeinen Geschmack der Menge sich herabließ („Art poétique" III.):

> „Estudiez la cour, et connoissez la ville:
> L'une et l'autre est toûjours en modeles fertile.
> C'est par là que Moliere, illustrant ses écrits,
> Peut-estre de son art eust remporté le prix,
> Si, moins ami du peuple, en ses doctes peintures
> Il n'eust point fait souvent grimacer ses figures,
> Quitté pour le bouffon l'agreable et le fin,
> Et sans honte à Terence allié Tabarin.
> Dans ce sac ridicule où Scapin s'enveloppe,
> Je ne reconnois plus l'auteur du Misanthrope."

Wenn Boileau hier die Namen Terenz und Tabarin nennt, will er damit nicht bloß allgemein den Gegensatz von feinem Lustspiel und roher Posse anschaulich machen: es sind wirklich die beiden Quellen, aus denen Molière die Fabel seines „Scapin" zusammenstellt. Die Haupthandlung entlehnt er im Umriß dem „Phormio" des Terenz. Wir erkennen leicht die stehenden Typen der Palliata: die beiden geizigen, pedantischen Väter, die die Jungen in strenger Zucht halten wollen und selber nicht so ganz ohne Schwachheiten sind: Chremes und Demipho bei Terenz, Geronte und Argante bei Molière; die jungen, liederlichen Herren, die in Abwesenheit der Alten sich in verliebte Abenteuer stürzen: Antipho und Phaedria — Octave und Leandre; mit ihnen im Komplott der verschmitzte, dabei furchtsame Sklave: Geta — Silvestre; der Parasit, der mit List und Verwegenheit das Spiel zugunsten der Jungen wendet: Phormio — Scapin. Die Geliebten der beiden Söhne treten bei Molière natürlich mehr in den Vordergrund; Terenz bringt sie überhaupt nicht auf die Bühne. Doch ist ihre Geschichte im wesentlichen dieselbe, wenn auch Molière seine Zerbinette statt in der

---

[1]) „A General View of the Stage". (London 1759.)

[2]) „Les / Fourberies / De / Scapin. / Comedie. / Par J. B. P. Moliere. / . . . A Paris, / . ●. MDCLXXI. "

Obhut eines Kupplers in der einer Zigeunerbande leben läßt; nur daß sich bei ihm zum Schluß gleich jedes der Mädchen als Tochter eines der Alten erfindet. Die Anlehnung an Terenz geht teilweise bis in Einzelheiten: so in der Unterredung des heimkehrenden Argante mit Scapin (=„Phormio" v. 231 ff.), und in Scapins Erzählung von den unbescheidenen Forderungen des angeblichen Bruders der Hiacinte (=„Phormio" v. 642 ff.). Einzelne Stellen bei Molière sind geradezu freie Uebersetzungen aus Terenz; z. B. „Phormio", v. 241 ff.:

„Quam obrem omnis, quom secundae res sunt maxume, tum maxume Meditari secum oportet, quo pacto aduorsam aerumnam ferant.
Pericla, damna peregre rediens semper secum cogitet
Aut fili peccatum aut uxoris mortem aut morbum filiae,
Communia esse haec, nequid horum umquam accidit animo nouom: Quidquid praeter spem eueniat, omne id deputare esse in lucro."
=„Scapin", Acte II. sc. 5: „. . . une parole d'un ancien: Que pour peu qu'un père de famille ait été absent de chez lui, il doit promener son esprit sur tous les fâcheux accidents que son retour peut rencontrer: se figurer sa maison brûlée, son argent dérobé, sa femme morte, son fils estropié, sa fille subornée; et ce qu'il trouve qu'il ne lui est point arrivé, l'imputer à bonne fortune."

Dem Tabarin entnimmt Molière nur eine einzige Idee, die er recht vergnüglich ausgestaltet: die Geschichte mit dem Sack, in den Geronte vor Angst sich verkriecht. Sie kehrt in roher, ziemlich witzloser Form in den „Farces Tabariniques" (1623—24) mehrfach wieder. Zum Vergleich sei die betreffende Stelle aus dem „Argument de la première Farce" hergesetzt: „Lucas se plaint des sergens qui le veulent emprisonner; Francisquine, qui se veut depestrer de luy, luy fait accroire que les sergens sont à sa porte, et par ainsi [Lucas] se cache dans un sac; elle en execute la mesme à l'endroit d'un laquais [Fritelin] du capitaine Rodomont . . ."[1])

Aehnlich wie „Titus and Berenice" ist auch Otways „Scapin" mehr eine Bearbeitung als eine Uebersetzung zu nennen. Langbaines und Thorntons Bemerkungen darüber sind irreführend: Otway ist in der Behandlung der Posse entschieden freier und selbständiger als gegenüber Racine, aber auch sehr viel glücklicher. Weniges hat er geändert, was man nicht als durchaus gelungen betrachten darf; ich muß gestehen, daß ich den „Cheats of Scapin" den Vorzug vor dem Original gebe. Vor allem weiß er einen einheitlichen Ton, fast etwas Lokalfarbe, in das Stück zu bringen: bei Molière spielt die Handlung in Neapel, bei Otway in Dover,[2]) und in jedem Wort

---

[1]) In der zweiten Farce wird der alte Lucas (an Stelle des capitaine Rodomont) im Sacke durchgebläut. („Oeuvres Complètes de Tabarin", ed. par G. Aventin, Paris 1858; vol. I. p. 219—235.) Für alles Genauere über Molières Verhältnis zu den Quellen, vgl. Einleitung und Anmerkungen zum achten Band seiner Werke, hg. von Despois und Mesnard, 1883 (in „Les Grands Ecrivains de la France").
[2]) Spätere Ausgaben verlegen die Szene nach London.

fast sind englische Zustände berücksichtigt und zugrunde gelegt. Sein „Scapin" ist schon als Kulturbild von Interesse: kurze, scharfe Streiflichter beleuchten manche unerquicklichen Verhältnisse des damaligen England. „I 'll warrant you some waiting-woman corrupted in a civil family, and reduc' d to one of the play-houses, remov' d from thence by some keeping coxcomb" — diese Worte Scapins sind z. B. fast eine kurze Biographie Nell Gwyns, womit ich natürlich nicht sagen will, daß Otway dabei irgend an sie gedacht habe: ihre Geschichte ist nur ein bekanntes Beispiel aus Dutzenden minder berühmten. „Do you look very carelessly, like a small courtier upon his country acquaintance", ermuntert Scapin seinen Zögling; und Shift klagt: „my master has lean vigilant duns that torment him more than an old mother does a poor gallant, when she sollicits a maintenance for her discarded daughter." Sehr zum Vorteil des Ganzen kürzt und vereinfacht Otway die Liebesintrigue, die mit ihrer blassen Sentimentalität (man denke an die Erzählung vom Tod der Mutter Hiacintes) in unerquicklichem Widerspruch steht zum keck Possenhaften der eigentlichen Handlung. Auch das verbrauchte, billige Motiv vom Wiedererkennen der lange verlorenen Tochter auf Grund eines Armbandes läßt er mit Geschick weg; damit fällt auch die Rolle der Amme Nerine dahin. Die übrigen Personen hat Otway alle, mit zum Teil geänderten Namen, beibehalten: Argante heißt bei ihm Thrifty, Geronte — Gripe, Silvestre — Shift, Carle — Sly, die beiden Mädchen Lucia und Clara. Beträchtlich erweitert ist die Prügelszene im dritten Akt. Bei Molière täuscht Scapin zuerst einen Gascogner, dann einen Ausländer vor; Otway bringt eine ganze Musterlese von Typen und Dialekten zur Darstellung: da kommt ein Welshman, der bei St. Tavy schwört, er wolle sie lehren, „How they profook hur Welse ploods and hur chollers"; dann einer aus Lancashire: „Yaw fellee, wi' th' sack there, done yaw knaw whear th' awd rascatt Griap is?"; hierauf ein Irländer, der dem Scapin die Zusicherung gibt: „if thou dost not tell fare is Gripe, but I will beat thy father' s child very much indeed"; ein Seemann, mit der Verheißung: „I 'll lay him on fore and aft, swinge him with a cat o' nine-tail, keel haul, and then hang him at the main yard"; zum Schluß ein Franzose: „I vill kille him, I vill put my rapire in his body . . .". Die Szene zwischen Thrifty, Scapin und dem als Raufbold vermummten Shift hat Otway amüsanter gestaltet; bei Molière spricht Argante aus Angst kein Wort; Thrifty dagegen muß wacker mithelfen sich selber verfluchen. Otways Zusätze sind drastisch, oft ziemlich grob, aber witzig und gepfeffert, recht der Natur der Farce gemäß. Gripe, entsetzt über die Forderungen des Piraten, in dessen Gefangenschaft sein Sohn sich vorgeblich befindet, ruft aus: „Has the fellow no conscience?" Trocken entgegnet Scapin: „O law! the conscience of a pirate! why very few lawful captains have any." Wenn Scapin, um für seine Streiche straflos auszugehen, sich schwer verwundet stellt, läßt Molière ihn klagen: „vous me voyez dans un étrange état . . .";

pathetisch jammert er bei Otway: „you see me, you see me in a sad condition, cut off like a flower in the prime of my years!" Von dem Raufbold vernehmen wir: he „roars out oaths, and bellows out curses enough in a day to serve a garrison a week." Lustig verbessert sich Scapin, wenn er Leander gegenüber von dessen Vater spricht: „With your good leave, sir, then he ly' d; — I beg your pardon, I mean he was mistaken." [1]) Schon aber klingt aus einzelnen Bemerkungen persönliche Bitterkeit heraus; es ist nicht mehr die Zeit des siegesgewissen Uebermuts. Otway hat mit herben Erfahrungen seinen jungen Ruhm bezahlt. Scapin belehrt Octavian, der vor der Begegnung mit seinem Vater sich fürchtet: „threaten him to turn soldier; or, what will frighten him worse, say, you 'll turn poet." Viel Persönliches spricht aus den Betrachtungen Scapins im dritten Akt; Otway läßt ihn recht eigentlich aus der Rolle fallen, indem er seine eigenen unfrohen Erkenntnisse ihm in den Mund legt: „Dame Fortune, like most others of the female sex, . . . is generally most indulgent to the nimble mettled blockheads; men of wit are not for her turn, even too thoughtful when they should be active: why, who believes any man of wit to have so much as courage? No, ladies, if y' ave any friends that hope to raise themselves, advise them to be as much fools as they can, and they 'll ne'er want patrons." Anspielungen auf politische Ereignisse finden sich gelegentlich; Scapin bildet ein interessantes Verb: to De- Wit: „. . . if you come within their reach, they 'll De- Wit you, they 'll tear you in pieces." Die Begebenheit liegt beinahe fünf Jahre zurück: am 20. August 1672 waren die holländischen Staatsmänner Jan und Cornelius De Witt vom Pöbel auf barbarische Weise ermordet worden. Beachtenswert bei dem wenigen, was wir von Otways literarischer Kenntnis und Belesenheit wissen, ist ein Hinweis auf eine alttestamentliche Stelle im zweiten Akt, so ziemlich die letzte Spur wohl von seinen einstigen theologischen Studien. Molière sagt von seinem Argante: „Le voilà qui rumine"; Otway erweitert das: „Here he comes, mumbling and chewing the cud, to prove himself a clean beast", nach der Mosaischen Satzung im elften Kapitel des Leviticus. [2])

Es ist beinahe unverbrüchliche Tradition geworden, Otways Bemühungen im Lustspiel in Bausch und Bogen zu verdammen. Wenn wir seinen ersten Versuch auf diesem Gebiet, den „Scapin", sorgfältig uns ansehen, will jenes Urteil uns vorschnell bedünken. Allerdings ist richtig, daß die selbständigen Komödien Otways ein wesentlich anderes Gepräge tragen; aber festhalten dürfen wir darum doch: „The Cheats of Scapin" bedeutet eine nicht zu unterschätzende Talentprobe im Possenhaft-Komischen.

---

[1]) Die Stelle erinnert, ohne irgendwelchen Zusammenhang natürlich, an die köstliche Wendung im „Don Juan", I. 208. (vgl. Swifts „Genteel and Ingenious Conversation", Dialogue I., gegen Schluß.)

[2]) vgl. v. 3: „Whatsoever parteth the hoof, and is clovenfooted, and cheweth the cud, among the beasts, shall ye eat."

Otway dürfte die Bearbeitungen der zwei französischen Stücke in der Hauptsache noch im Jahr 1676 geschrieben haben. Anfang 1677 gelangten sie zur Aufführung.[1]) Betterton spielte den Titus, Mrs. Lee die Berenice, Elizabeth Barry in der Tragödie die Vertraute der Königin, Phoenice, in der Posse die Tochter Thriftys. Während „Titus and Berenice", wie zu erwarten war, keinen Erfolg hatte,[2]) und spurlos von der Bühne verschwand, fand „Scapin" lebhaften Anklang und hielt sich dauernd auf den Brettern. Durch das ganze achtzehnte und bis ins neunzehnte Jahrhundert hinein hören wir von Aufführungen.[3]) Die beiden Stücke erschienen gemeinsam 1677 in einem Quarto, der 1701 neu aufgelegt wurde. „Titus and Berenice" scheint von da an nie mehr einzeln gedruckt worden zu sein; hingegen erlebte die Farce zahlreiche Neuausgaben, besonders dann in den vielen umfangreichen Sammlungen von Bühnenstücken, welche um die Wende des achtzehnten Jahrhunderts herauskamen.

Der Zufall wollte es, daß zur selben Zeit, da das Theater in Dorset-Garden Otways „Scapin" gab, die Truppe des Königs ebenfalls eine englische Anpassung der Posse vorbereitete, Edward Ravenscrofts „Scaramouch a Philosopher, Harlequin a School-Boy, Bravo, Merchant, and Magician", eine Verquickung des „Scapin" mit „Le Bourgeois Gentilhomme" und „Le Mariage forcé". Die Aufführung verzögerte sich, und so nahm Otways Farce den Erfolg vorweg. Im Prolog beklagt sich Ravenscroft darüber:

„Very unfortunate this play has bin [!];
A slippery trick was play'd us by Scapin.
Whilst here our actors made a long delay,
When some were idle, others run away,
The City House comes out with half our play."

Es ist zu betonen, daß Ravenscroft trotz des verfänglichen Ausdrucks „half our play" in keiner Weise Otway eines Plagiats bezichtigen will; er ärgert sich nur über das für ihn in der Tat unliebsame Zusammentreffen. Keines der zwei Stücke hat dem andern etwas zu verdanken; große Aehnlichkeiten sind bei dem gemeinsamen Original selbstverständlich. Langbaine hat fälschlich in seinem „Momus Triumphans" (1688) den „Scaramouch" als Quelle Otways genannt; in den „Dramatick Poets" (1691) ist er hierin besser unterrichtet.

Eine andere Frage verdient Erwähnung: Otway deutet mit keinem Wort an, daß „Titus and Berenice" und „Scapin" nicht ursprünglich ihm gehören. Wir würden ungerecht tun, aus diesem Verschweigen ihm einen Vorwurf zu machen. Sein Verhalten ist bei den Begriffen, die seine Zeit von literarischem Eigentum hat, ganz

---

[1]) Am 19. Februar wurde die Druckbewilligung erteilt.

[2]) Die Angabe Downes': „This play, with the farce, being perfectly well acted, had good success", dürfte sich vorwiegend auf den „Scapin" beziehen.

[3]) Die „Biographia Dramatica" (1812) sagt ausdrücklich: „It is still occasionally acted" (II. 94).

und gar korrekt. Für das halbwegs gebildete Publikum war ein Hinweis auf die französischen Dichter nicht nötig, um so weniger als schon die beiden Titel genau übernommen sind. Zu allem sei noch erinnert, daß Otway im „Don Carlos" schon auf den Verfasser der französischen „Berenice" verwiesen hatte. Doch hätte es dessen nicht einmal bedurft: die Uebertragung eines fremdsprachlichen Bühnenstückes mit beliebigen Aenderungen und Zusätzen galt so gut als originale Leistung wie irgend ein Werk mit selbsterfundener Fabel. Es sei nur des eben erwähnten „Scaramouch" Ravenscrofts gedacht, der gleich aus drei Molièreschen Komödien zusammengestückt ist. Aber darüber hinaus haben wir von Drydens „Sir Martin Marr-All" (=„L'Etourdi") über Wycherleys „Plain Dealer" (=„Le Misanthrope") bis zu Cibbers „Nonjuror" (=„Le Tartuffe") und weiter eine stattliche Reihe guter englischer Komödien, die nichts anderes sind als freie Anpassungen von Lustspielen Molières, wenn auch die wenigsten sich auf ihn berufen. [1])

Mit der Buchausgabe der beiden Stücke hatte der Dichter Gelegenheit, seinem Gönner und Beschützer eine Dankesschuld abzutragen: das Werk ist dem Earl of Rochester zugeeignet. Die Widmung liest sich, bei allem unverdienten Lob, das für den Earl abfällt, erträglicher als manche andere, vornehmlich weil sie mehr eine Beschwerde gegen die Feinde der Kunst als ein Panegyrikus persönlicher Natur sein will. Auf Verteidigung und Klage überhaupt ist die Dedication sowohl wie Prolog und Epilog gestimmt. Von der heiteren Laune, die im Vorwort zum „Don Carlos" sich aussprach, spüren wir nichts mehr; eine gequälte, unglückliche Stimmung spricht aus jeder Zeile, das drückende Bewußtsein, daß er in seiner Zeit nicht heimisch ist, nicht gewachsen den rohen Forderungen einer poesielosen Epoche: „Never was Poetry under so great an oppression as now, as full of fanaticisms as Religion, where every one pretends to the spirit of wit, sets up a doctrine of his own, and hates a poet worse than a Quaker does a priest." Die frühen Träume von Ruhm und Glück sind zerschlagen; der unerbittliche, brutale Kampf um die Existenz hat begonnen, das hoffnungslose Ringen des tieferregten, reizbaren Genies gegen eine Umwelt, die nur verstand, was schal und frech war. Was bedeutete ihr Thomas Otway? einen der ungezählten Berufspoeten, die schamlos jedem fadenscheinigen Höfling lobhudelten, denen man ein Trinkgeld hinwarf, wie dem Hund einen Knochen. Einige waren, die seine Größe fühlten: Betterton gewiß, vielleicht Aphra Behn; sein

---

[1]) Morley hatte den guten Gedanken, eine charakteristische Auswahl solcher Bearbeitungen zusammenzustellen: „Plays from Molière by English Dramatists" (als Band 2 seiner „Universal Library", 1883). Leider macht er infolge gelegentlicher Auslassungen selber die Sammlung für wissenschaftliche Zwecke unbrauchbar; ein bemühendes Beispiel der laienhaften Prüderie vieler englischer Gelehrten. Auch läßt sich fragen, ob nicht mit mehr Berechtigung Otways „Scapin" Aufnahme gefunden hätte als etwa Fieldings „Mock Doctor".

Unglück wollte, daß er die Freunde verkannte, bis es zu spät war.
Einmal kam ihm die Gewißheit:

> „But by raw judgment easily mis- led,
> I miss' d the brave and wise, and in their stead
> On every sort of vanity I fed."

Aber die Kraft gebrach zum neuen Entschluß. Otway hatte
auf die Gunst des Königs und seines Bruders gebaut; er sah sich
vergessen.[1]) Die Großmut anderer Gönner wechselte mit ihren
Launen. Doch an Rochesters aufrichtiges Wohlwollen glaubte er
noch von ganzem Herzen: „. . . my genius always led me to seek
an interest in your Lordship; and never I see you, but I am fir' d with
an ambition of being in your favour."

Es sollte sich bald ändern; kurze Zeit wohl nachdem er diese
Worte geschrieben, kam es zum Bruch zwischen ihm und Rochester.
Wir brauchen nach Ursachen nicht weit zu suchen. Es ist die alte
Taktik Rochesters: er spielt sich als selbstlosen Gönner auf, so
lange der Schützling ganz seine Kreatur bleibt und nicht die Anmaßung hat, selber etwas bedeuten zu wollen. Der mächtige Erfolg
des „Don Carlos" mußte ihn, der sich als Dichter so unendlich über
Otway erhaben fühlte, verstimmen; und seine Eitelkeit war be-
leidigt, als der junge Dichter über ihn hinweg dem Herzog sein
Werk zueignete. Das würde den giftigen Haß, mit dem er ihn
angreift, noch nicht erklären; der Grund lag näher: es konnte ihm
nicht verborgen bleiben, wie Otway mit selbstvergessener Hingabe
um Mrs. Barry diente, die jeder als Rochesters Geliebte kannte, die
vielleicht gerade um diese Zeit ihm eine Tochter geschenkt. In dem
verachteten Poeten einen Nebenbuhler zu finden, das gab den Aus-
schlag: von jetzt an ist Rochester Otways geschworener Feind.
Damals, und nicht erst nach Otways Heimkehr aus Flandern, muß
die gemeine Satire „A Trial of the Poets for the Bays" (oft auch
als „Session of the Poets" zitiert) entstanden sein.[2]) Seine ungeheu-
chelte Meinung über die berufsmäßigen Dichter, in erheiterndem
Gegensatz zu seinen maecenatischen Allüren, spricht Rochester in
einem Brief an Henry Savile aus: „. . . for the libel you speak of,

---

[1]) Daß Karl II. nie etwas für Otway tat, steht außer Zweifel. Jakob
scheint das eine und andere Mal des Dichters gedacht zu haben; Guthrie behauptet: „Otway was often relieved by him." Aber die rettende Hilfe, die
seine Treue verdiente, ward ihm nie zuteil. vgl. auch die Widmung der
„Orphan".

[2]) Rochester gilt allgemein, jedenfalls mit Recht, als der Verfasser; in den
„Miscellaneous Works, written by his Grace, George, late Duke of
Buckingham . . ." (1704) wird das Gedicht Buckingham zugeschrieben. Für
meine Annahme, daß es schon 1677 entstanden ist, sprechen die vielen Anspielungen auf Ereignisse dieses und des vorausgegangenen Jahres, die nur
wirken konnten, so lange sie aktuell waren: so die Hindeutung auf Dryden
und Mrs. Reeve, die kurz zuvor die Bühne mit dem Kloster vertauscht hatte;
vgl. den Epilog zum „Don Carlos". Ethereges mehr als siebenjähriges
Schweigen wurde gerade 1676 durch „The Man of Mode" gebrochen. Settles
„Ibrahim" und Durfeys „Madam Fickle" erschienen 1677. vgl. oben p. 54,
Anm. 4.

upon·that most unwitty generation the present poets, I rejoice in it with all my heart, and shall take it for a favour, if you will send me a copy. He cannot want wit utterly, that has a spleen to those rogues, tho' never so dully express'd . . . ".

Eine freudlose Zeit, Enttäuschung, Zank, Verkennung, bedeuteten die nächsten Monde für Otway. Das tägliche Brot war seine tägliche Sorge, wie er damals schrieb. Seine Kunst hatte sich den Nötigungen der Gegenwart zu fügen; er mußte, wenn er leben wollte, auf den Erfolg hin schaffen. Der Weg war ihm deutlich genug gewiesen durch die kalte Aufnahme, die „Berenice", den Beifall, welchen „Scapin" gefunden. So widmete er den Rest des Jahres der Abfassung eines neuen, diesmal selbständigen Lustspiels, „Friendship in Fashion".

Er hatte die Komödie eben vollendet, als sich ihm eine Aussicht bot, den drückenden Verhältnissen, auf eine Zeit wenigstens, zu entfliehen. Einer der vornehmen Gönner Otways, der junge Earl of Plymouth (er zählte zu den wenigen, die ihm aufrichtig wohlwollten), verschaffte ihm eine Offiziersstelle in einem für den Krieg in Flandern ausgehobenen Infanterie-Regiment. Wir fragen uns, wie er dazu kam, dem Dichter, dessen äußere Umstände damals so rettungslos bedrängt noch nicht sein konnten, diese unsichere Existenz anzubieten: da kann ich die Vermutung nicht abweisen, daß es auf Otways eigenen Wunsch geschah. Er fühlte wohl, daß in der schwülen, entnervenden Atmosphäre, die ihn umgab, der Mensch und Künstler nutzlos sich aufrieb, daß er allen Feindseligkeiten, die seine Erfolge ihm eintrugen, wehrlos preisgegeben war; sein Verstand sagte ihm von der Hoffnungslosigkeit seiner törichten Liebe: dem allem wollte er ausweichen, wäre es auch durch einen verzweifelten Schritt, nur daß er nicht willenlos daran zugrunde gehe. So ergriff er dankbar die Gelegenheit, die Charles Fitzcharles ihm bot. Am 10. Februar 1678 wurde seine Ernennung zum Ensign in einem neu rekrutierten Bataillon für das Infanterie-Regiment des Duke of Monmouth unterzeichnet.[1]) Im März schiffte sich Monmouth mit seinen Truppen nach Flandern ein; er hatte vornehmlich Befehl, Ostende und andere feste Plätze gegen die Franzosen zu halten, die rasch nacheinander Ypern und Gent genommen hatten.

Ehe der Dichter England verließ, übergab er Betterton das fertige Manuskript seiner Komödie. Dieser brachte das Stück im Sommer 1678, während der Abwesenheit des Verfassers zur Aufführung.[2]) Es fand gute Aufnahme: „This is a very diverting play,

---

[1]) Dalton: „English Army Lists and Commission Registers", p. 208. Viele Darstellungen (Gosse unter andern) bezeichnen Otway, nicht ganz richtig, als Cornet: das wäre der dem Ensign entsprechende unterste Offiziersgrad bei Kavallerie- und Artillerie-Regimentern; Otway diente jedoch als Infanterist. Die Angaben Daltons sind meines Wissens zuerst von S. Lee verwendet worden.

[2]) Lizenz vom 31. Mai 1678.

74

and was acted with general applause", bemerkt Langbaine. Doch hielt es sich nicht dauernd; „The Soldier's Fortune" lief ihm gänzlich den Rang ab. Nach einem Unterbruch von dreißig Jahren machte das Drury-Lane Theater im Januar 1750 einen neuen Versuch mit dem Lustspiel, von dessen Mißerfolg Oldys Nachricht gibt: „. . . by a great disturbance that happend there [it] was [quite interrupted: durchgestrichen] forbid by the audience to be acted another night."

Ueber den allgemeinen Charakter von Otways Komödie wird an späterer Stelle zu sprechen sein; hier nur die notwendigen sachlichen Bemerkungen zu „Friendship in Fashion". Wie alle Lustspiele Otways ist auch dieses in Prosa geschrieben, die Aktschlüsse meist in Reimversen; im zweiten Aufzug ist ein kurzes Lied eingelegt. Die Handlung ist in groben Zügen folgende: Goodvile, erst seit kurzem verheiratet, hat seine Verwandte, Victoria, verführt, und möchte nun, um ihrer los zu werden und bei seiner Frau nicht Verdacht zu erregen, sie mit seinem Freunde Truman vermählt sehen. Er hat bereits eine neue Leidenschaft für Camilla, die jedoch unerwidert bleibt. Seine Frau ihrerseits ist in Truman verliebt und stellt ihm anonyme Briefchen zu. Trumans Freund Valentine, der früher ein Verhältnis mit Lady Squeamish, einer alten Kokette und Lästerzunge, hatte, liebt Camilla. Bei einer Abendgesellschaft im Hause Goodviles kommen die verschiedenen Intriguen zur Entwicklung. Lady Squeamish bringt ein ganzes Gefolge von Gecken und Narren mit sich: da ist Malagene, ein entfernter Verwandter Goodviles, feig und unverschämt, der an Verleumdung und Klatsch sein innigstes Behagen findet, dann Saunter und Caper, zwei alberne Stutzer und Schmarotzer, der eine als Sänger,[1]) der andere als Tänzer sich bei jedem Anlaß produzierend, und endlich Sir Noble Clumsey, ein Vetter vom Lande, der gekommen ist, sich städtischen Schliff anzueignen. Während Malagene und die andern den Junker sinnlos besoffen machen, erfährt Truman durch Mrs. Goodvile von den unsaubern Umtrieben ihres Gatten. Um sich an ihm zu rächen, geht er, im Einverständnis mit Valentine, auf ihre Anträge ein und verabredet ein nächtliches Zusammenkommen im Garten. Goodvile bemüht sich neuerdings um Camilla, und sie, um seine Zudringlichkeiten los zu werden, zeigt sich scheinbar einverstanden und bewilligt ihm ein Stelldichein. Sie erzählt Valentine davon und auch, daß sie das Versprechen nicht zu halten gedenke. Ihre Unterredung wird von der Squeamish belauscht; sie versteht, Camilla und Valentine wollten sich ein Rendez-vous geben, und beschließt, selber Camillas Person vorzutäuschen und so den ab-

---

[1]) Er beginnt unter andern ein Lied mit den Worten: „As Chloe full of . . .". Ich vermute, Otway hat ein Gedicht Rochesters im Sinn: „As Chloris, full of harmless thoughts . . .". Dann haben wir auch hier eine leichte Spur der ausgebrochenen Fehde; denn ein Kompliment ist es wahrlich nicht, wenn er die Produkte des Earl durch diesen Halbidioten Saunter absingen läßt.

trünnigen Liebhaber zu strafen. Nächtlicherweise treffen sich die Paare im Garten: Truman und Mrs. Goodvile ziehen sich in eine Grotte zurück. Goodvile und die Squeamish begegnen einander, er im Glauben, Camilla vor sich zu haben, sie im Gedanken an Valentine. Zu spät erkennen sie den beiderseitigen Irrtum, und mit köstlicher Unverfrorenheit weiß Lady Squeamish sich in die Sachlage zu finden: „Well, innocence is the greatest happiness in the world!" Allmählich dämmert Goodvile nun doch eine Ahnung von den privaten Händeln seiner Frau; Victoria und Malagene bestätigen den Verdacht. Um sich vollends zu überzeugen, gibt er eine Reise aufs Land vor, kehrt aber heimlich in Verkleidung zurück. Victoria, die um seinen Plan weiß, warnt Truman und Mrs. Goodvile. Diese reizt boshaft den Gatten zu wütender Eifersucht und läßt im richtigen Moment ihn wieder in peinlicher Ungewißheit schweben. So bleibt zum guten Ende ihm kein Ausweg, als mit Truman sich zu versöhnen und ihn um Verschwiegenheit zu bitten, falls er wirklich ihm zu Hörnern verholfen habe. Valentine und Camilla haben inzwischen sich in Eile vermählt, und auch Sir Noble Clumsey und Victoria erklären sich als ein Paar. Goodvile beschließt die Komödie:

„Good people all that my sad fortune see,
I beg you to take warning here by me;
Marriage and hanging go by destiny."[1])

Gosse weist darauf hin, daß Congreves prächtiges Lustspiel „Love for Love" leichte Anklänge an die Komödie Otways zeigt: Tattle erinnert einigermaßen an Malagene; er und Mrs. Frail fallen einer ähnlichen Intrigue zum Opfer wie Goodvile und Lady Squeamish; Congreves Hauptperson heißt Valentine.

Auch der Druck der Komödie erfolgte noch während Otways militärischer Dienstzeit.[2]) Er widmete sie seinem alten Gönner, dem Earl of Dorset, dem schon der „Alcibiades" zugeeignet war. Die Dedication sagt uns, daß das Stück dem Dichter heftige Angriffe zugezogen habe, weil mancher darin persönliche Satire zu erkennen glaubte, und aus dem Prolog vernehmen wir, daß geschäftige Unfugstifter sich angelegen sein ließen, ihn deswegen mit seinen Freunden in Zerwürfnis zu bringen. Otway zeigt in der ruhigen Festigkeit, mit der er diesen Anfeindungen begegnet, wieder ganz seine aufrechte, lautere Art: „I hope I convinc' d your Lordship of my innocence in the matter, which I would not have endeavour' d

---

[1]) Die Wendung findet sich unzählige Male in der Literatur jener Zeit. vgl. z. B. „Hudibras", Part II. Canto I.: „. . . matrimony and hanging go / By destiny . . .". In einer Sammlung von Brown und andern (1699) lesen wir: „It has been frequently said that marriage and hanging go by destiny." Swift verwendet die Redensart in dem ersten seiner Dialoge „Of Genteel and Ingenious Conversation." Schon früher steht sie in Shakespeares „Merchant" (II. 9), bei J. Heywood, bei Fletcher und Middleton.

[2]) In den Buchhändler-Registern eingetragen: Trinity-Term, 1678; gleichzeitig mit Lees „Mithridates" (Druckbewilligung vom 22. Juni).

had it not been just. For I thank my stars I know my self better than (for all the threats some have been pleased to bestow upon me) to tell a lye to save my throat." In dem mir vorliegenden Exemplar des Quarto von 1678 (Brit. Mus. 644. h. 76.) folgt der Widmung eine Vorrede an den Leser, die sonderbar wenig zu Otways Stück passen will. Sie hat auch in der Tat nichts mit „Friendship in Fashion" zu tun, sondern gehört zu Aphra Behns „Sir Patient Fancy", einer freien Behandlung des „Malade Imaginaire", die fast gleichzeitig mit Otways Stück ebenfalls bei E. Flesher gedruckt wurde. Irrtümlicherweise kam diese Preface vor beide Komödien zu stehen.

Der Dichter befand sich zu jener Zeit in Flandern. Ueber seine militärische Laufbahn sind von manchen Biographen die unsinnigsten Hypothesen aufgestellt worden. Uebelwollende bezichtigten ihn der Feigheit, ja, geradezu der Desertion; andere meinten ihn entschuldigen zu müssen und öffneten der Verleumdung erst recht Tür und Tor.[1] Zwar hat schon Thornton die Hinfälligkeit all dieser Vermutungen überzeugend dargetan,[2] und doch schwingt sich noch Grisy (1868) zu der dummdreisten Behauptung auf: „Otway, acteur médiocre, fut plus mauvais soldat. Il laissa un jour son poste, regagna Londres . . .". Wir haben sichere Zeugnisse dafür, daß Otway seinen militärischen Pflichten nicht bloß ohne Tadel, sondern mit Auszeichnung nachgekommen ist. Er war persönlich zum Soldaten recht wohl geschaffen: von stattlicher Gestalt, rasch und mutig in seinem Benehmen, jeder Hingabe an ein Großes fähig. „A man of the sword, as well as the pen", wird er einmal genannt.[3] Sein Mißgeschick war, daß das ganze Unternehmen der Armee wie dem einzelnen weder Ruhm noch Gewinn eintragen konnte: es waren keine Großtaten, die das englische Heer in Flandern zu verrichten hatte. Ein eigentlicher Krieg gegen Frankreich kam überhaupt nicht zustande; nicht Waffen brachten die Entscheidung, sondern Ludwig des Vierzehnten überlegene diplomatische Kunst. Schon zu Anfang August wurde der Friede von Nimuegen geschlossen. Ein einziges nennenswertes Treffen fand statt, an dem die englischen Truppen sich beteiligten: wenige Tage nach dem Friedensschluß griff die vereinigte Armee Monmouths und des Prinzen von Oranien, von der Einstellung der Feindseligkeiten noch nicht unterrichtet, den Marschall von

---

[1] z. B. Theophilus Cibber: „What pity is it, that he who could put such masculine strong sentiments into the mouth of such a resolute hero as his own Pierre, should himself fail in personal courage, but this quality nature withheld from him, and he exchanged the chance of reaping laurels in the field of victory, for the equally uncertain, and more barren laurels of poetry." („Lives of the Poets", vol. II. p. 326.)

[2] Bereits vor ihm war Davies zu dem Schluß gekommen: „we may candidly and fairly conclude, that Otway's leaving the army was attended with no disgrace."

[3] „Character of the true blue Protestant Poet" (1682).

Luxemburg bei Mons an. [1]) Otway hat vielleicht dieses Gefecht mitgemacht; eine zweite Gelegenheit, sich hervorzutun, war ihm nicht geboten. England zog bald darauf seine Regimenter zurück. Doch fehlten die zur Entlassung nötigen Gelder. Es blieb nichts übrig, als die Truppen unter Waffen zu behalten, bis die Mittel zur Entlöhnung beschafft waren. Durch drei verschiedene Erlasse suchte das Parlament die Angelegenheit zu regeln; sie erwiesen sich alle als ungenügend. [2]) Schließlich wurden die Forderungen in Gutscheinen ausbezahlt, die spät oder gar nicht zur Einlösung kamen und somit tatsächlich fast wertlos waren.

Thomas Otway war schon im November zum Lieutenant in der Kompagnie des Captain Baggott befördert worden. [3]) Er blieb in seinem militärischen Verhältnis bis zum Sommer 1679. Am 17. Mai wurden für die Entlassung des Regimentes des Herzogs von Monmouth 2348 L 5 s 5 d angewiesen, am 20. dieses Monats ein weiterer Betrag von 842 L 12 s 2 d für die acht Kompagnien desselben Regiments. Und am 18. Juni endlich erhielt der Lieutenant Thomas Otway eine Anweisung auf 27 L 17 s 6 d als Gesamtbetrag seines Guthabens. Die Summe war noch zur Zeit, da „Caius Marius" aufgeführt wurde, nicht eingelöst.

Otways soldatische Laufbahn hat damit ihr Ende erreicht. Daß der Dichter in bettelhaft zerlumptem Aufzug nach London zurückgekehrt sei, ist Legende. Wood (in den „Athenae Oxonienses") hat diesen Irrtum veranlaßt durch seine Anmerkung: „He returned from Flanders scabbed and lowsie, as 'twas reported." Ich sehe darin eine willkürliche Kommentierung der bereits erwähnten Stelle in Rochesters Satire. Wenn nun jene, wie ich für erwiesen halte, nicht auf Otways Rückkehr vom Heere gemünzt sein kann, fallen alle auf sie gegründeten Folgerungen dahin. Gewiß ist, daß Otway keinen materiellen Gewinn mit heimgebracht hat, und daß seine Verhältnisse recht bedrängt waren: er sah sich mehr denn je auf den Erfolg seines dichterischen Schaffens angewiesen. Aber das soldatische Leben hatte wohltuend und anregend auf ihn gewirkt; er kehrte mit neuer Kraft und gefestigter Zuversicht an seine Arbeit zurück. In überraschend schneller Folge drängte ein Werk das andere: binnen Jahresfrist, von Michaeli 1679 bis zum Herbst 1680, erschienen zwei Trauerspiele, eine Komödie und sein bedeutendstes Gedicht.

Ein weiter Ausblick öffnet sich auf ungeahnt vollendete Schöpfungen. Und eines nur war, an dem diese Hoffnungen scheiterten: über so manches war Otway hinausgewachsen in dieser

---

[1]) vgl. Rankes „Englische Geschichte", Bd. 4.

[2]) Ueber diese komplizierten Transaktionen orientiert am genauesten „The Calendar of Treasury Books", 1679—80, vol. VI. London 1913. Hier sind auch die Einzelheiten über Otways Entlassung und Soldansprüche zu finden; p. 332 u. 823.

[3]) Die Ernennung wurde am 1. November 1678 in Whitehall unterzeichnet; Dalton I. p. 222.

Zeit; der verhängnisvollsten Täuschung seines Lebens konnte er sich nicht entreißen. Die Ferne hatte seine unselige Leidenschaft für Elizabeth Barry nicht gekühlt; nur tiefer, untilgbar war sie seinem Herzen eingegraben.

Für den Dichter Otway jedoch war der Feldzug nach Flandern der bedeutsamste Markstein seiner Entwicklung. Von hier datiert die zweite, höhere Epoche seines Schaffens: wenn die erste in „Don Carlos" gipfelt, so diese in „Venice Preserved"; jene steht unter dem Zeichen klassisch-französischen Einflusses, diese beginnt mit Shakespeare und endet in einer Schöpfung von reifer Eigenart. Hettner hat die grundfalsche Behauptung aufgestellt: „Otway brach mit den altenglischen Ueberlieferungen durchaus und schloß sich ohne alle Bedingung und Einschränkung der französischen Tragik an."[1]) Und gerade bei Otway läßt sich vorzüglich verfolgen, wie er mit vollem Bewußtsein und ernster Ueberlegung vom französischen Drama sich abwendet und zurückkehrt zu dem großen nationalen Vorbild, um später dann die Vorzüge, die er hier wie dort kennen gelernt, mit weiser Umsicht für sein Eigenstes zu nutzen.

Das Werk, in dem diese Wendung sich kundgibt, ist „The History and Fall of Caius Marius". Im Felde hatte Otway in freien Stunden sich mit Eifer und Andacht in die Schöpfungen Shakespeares vertieft: hatte er auch früher sie gewiß schon gekannt, jetzt erst offenbarte sich ihm ihre volle Größe. Die Römertragödien, „Romeo and Juliet", zeigten ihm, was er in der Schule der Franzosen nicht lernen konnte, die unmittelbare Gewalt großer Dichtung, die Hinfälligkeit jeder schulgemäßen Regel vor der selbstverständlichen Eigenart des wahren Genies. Es war zu seinem Heil, daß Otway erst jetzt zu der Erkenntnis Shakespeares gelangte; sie hätte früher ihm verderblich werden können. Sein Talent, das nach maßloser Subjektivität strebt, hätte nur die Freiheit Shakespeares begriffen, ohne die strenge Zielbewußtheit seiner Kunst zu fassen; er wäre leicht ins Uferlose geraten. Jetzt aber war er zu der Reife gelangt, die ihn die Ueberlegenheit Shakespeares verehren ließ, und doch ihn davor wahrte, sich blindlings dem Meister zu verkaufen. So sehen wir denn, wie er mit einem merkwürdigen Versuch in das Wesen Shakespeares sich einzuleben trachtet, wie er doch dabei fühlt, daß er nicht bloß Epigone, sondern eine eigene Kraft ist, und wie aus diesen Erfahrungen das vollendete Drama Otways sich entwickelt, in der Form dem Vorbilde Shakespeares folgend, im vorsichtigen und wohlberechneten Maß der dramatischen Entwicklung vom Einfluß der französischen Klassik zeugend, und im Geist und Gehalt Otways ausschließliches Eigentum. Es wäre darum unrichtig, wollten wir diese zweite Epoche im Schaffen Otways einfach mit Shakespeares Namen überschreiben. Das Unschätzbare dankt er diesem, daß er ihm den Weg zu freier Größe

---

[1]) Teil I. p. 101 seiner Literaturgeschichte des 18. Jahrhunderts.

gewiesen; und wieder schuldet er es der französischen Tragik, wenn er mit sichern Schritten diesen Weg begehen durfte.

Ein großer Teil des „Caius Marius" war schon geschrieben, als Otway nach London heimkehrte; der Epilog läßt darauf schließen:

> „For know, our poet, when this play was made,
> Had nought but drums and trumpets in his head.
> H' had banish' d Poetry and all her charms,
> And needs the fool would be a man at arms.
> No prentice e'er grown weary of indentures
> Had such a longing mind to seek adventures."

Das Stück nimmt eine einzigartige Stellung ein: mir scheint, wir werden ihm am ehesten gerecht, wenn wir es als eine Art von poetischem Experiment ansehen, als einen praktischen Versuch, die Besonderheit Shakespeares nachzufühlen. Otway hat hier, wenn auch mit der bescheidenen Demut des Geringern, seine Kraft unmittelbar an der des größten Meisters gemessen. Beljame [1]) erklärt kurzweg: „L'histoire et la chute de Caius Marius d'Otway n'est autre chose que Roméo et Juliette"; diese Behauptung geht zu weit. Das Kennzeichnende des Werkes ist gerade das sorgsame Durchweben Shakespeareschen Gutes mit selbständiger Dichtung Otways; er sucht Schritt zu halten mit seinem Vorbild, so tief er auch von dem Abstand überzeugt ist, der von dem Großen ihn trennt. Der Verehrung für Shakespeare und dem Gefühl des eigenen Unwertes hat er im Prolog so schön und entschieden Ausdruck gegeben, daß sein Plagiat einer andern Entschuldigung nicht bedürfte; „unsern Shakespeare" nennt er ihn mit Stolz und Liebe, „the happiest poet of his time, and best". Wehmut und leise Anklage zittert mit als Unterton, wenn er des Gegensatzes jener gesegneten Zeit und der kalten, frechen Gegenwart gedenkt:

> „A gracious prince' s favour chear' d his muse,
> A constant favour he ne'er fear' d to lose.
> Therefore he wrote with fancy unconfin' d,
> And thoughts that were immortal as his mind.
> And from the crop of his luxuriant pen
> E'er since succeeding poets humbly glean."

Und nun offen und schonungslos seine eigene Stellung zu dem Gefeierten:

> „Though much the most unworthy of the throng,
> Our this day' s poet fears he 's done him wrong.
> Like greedy beggars that steal sheaves away,
> You 'll find h' has rifled him of half a play.
> Amidst this baser dross you 'll see it shine
> Most beautiful, amazing, and divine."

---

[1]) „Le Public et les Hommes de Lettres en Angleterre au 18ième siècle", p. 59.

80

Den Umriss der dramatischen Fabel fand Otway im Leben des Caius Marius bei Plutarch. [1]) Wie immer, wenn er einen historischen Vorwurf behandelt, folgt er mit poetischer Freiheit der einen Quelle, die ihm dramatisches Interesse bot, ohne um der geschichtlichen Treue willen andere Werke zum Vergleich heranzuziehen. Die Handlung setzt mit dem Tage ein, da Caius Marius sich zum siebentenmal um das Konsulat bewirbt. Der eifrigste Anwalt seiner Sache ist Sulpitius, ein rühriger, skrupelloser Parteimann. An der Spitze der Gegner steht der alte Metellus, ihm zur Seite Cinna: Sulla ist der Mann, den sie gegen Marius ausspielen. Nach anfänglichem Erfolge sehen die Anhänger des Marius sich überwunden; sein Urteil lautet auf Verbannung aus Rom. Elend und ermattet, von Verfolgern gehetzt, sucht er in der Nähe seines Landgutes Salonium (eigentlich Solonium) in einem Walde Zuflucht. Hier tritt die syrische Prophetin Martha ihm entgegen und kündet ihm glückliche Wendung seines Geschicks. Inzwischen ist Cinna mit seinem Mitkonsul Octavius in Zwietracht geraten; er sucht Marius auf, und gemeinsam ziehen sie gegen Rom. Eine Gesandtschaft kommt gnadeflehend ihnen entgegen. Rom öffnet den Siegern die Tore, und Marius schwelgt in blutiger Rache. Metellus fällt; aber auch das Los des Caius Marius erfüllt sich: Sulla naht mit seinem Heere; der Pöbel fällt ihm zu. Sulpitius ist auf den Tod verwundet. Der alte Held sieht sich verlassen und gefangen. Nun bricht sein Stolz und Trotz; er sehnt sich dem Ende entgegen:

„Bear me away, and lay me on my bed,
A hopeless vessel bound for the dark land
Of loathsome death, and loaded deep with sorrows."

Alle Einzelheiten und Episoden dieser Handlung finden sich bei Plutarch vorgezeichnet; in ihrer Reihenfolge und Verknüpfung hingegen bewegt sich Otway mit dichterischer Freiheit. So hat er alle die Erlebnisse des Marius während seiner Verbannung in Süditalien und Afrika nach Zeit und Ort zusammengedrängt in eine einzige Szene des vierten Aktes: die knappe Rettung vor den nachsetzenden Feinden, die feige Aengstlichkeit des Praetors Sextilius und die berühmte Antwort auf den Ruinen Karthagos, endlich die Erzählung von dem gedungenen Mörder, der den Gewaltigen nicht zu töten wagt. Die Anlehnung an Plutarch ist im einzelnen recht genau und läßt sich zuweilen selbst in wörtlichen Anklängen spüren; so wenn von der Leibwache des Sulpitius die Rede ist:

„His band of full six hundred Roman knights,
All in their youth, and pamper'd high with riot,
Which he his guard against the Senate calls."

Bei Plutarch lautet die Stelle in Norths Uebersetzung: „Sulpitius . . . had ever six hundred young gentlemen of the order of

---

[1]) 1676 war in Cambridge eine Neuausgabe der Uebersetzung Thomas Norths (in Folio) erschienen.

knights, whom he used as his guard, about him, and called them the guard against the Senate." Auch gedankliche Anleihen macht Otway bei Plutarch; dieser spricht von Sklaven des Ehrgeizes: „. . . they cannot afterwards fill nor quench their unsatiable greedy covetous mind." Otway formt daraus etwas wie die Moral seiner Tragödie:

> „Be warn' d by me, ye great ones, how y' embroil
> Your country' s peace, and dip your hands in slaughter.
> Ambition is a lust that 's never quench' d,
> Grows more inflam' d and madder by enjoyment." [1])

In dieses Trauerspiel nun vom Sturz des Marius hat Otway die Liebestragödie von Romeo und Juliet hineinverflochten, nicht etwa die Fabel bloß, sondern wörtlich ganze Szenen des Shakespeareschen Dramas. Dieser Teil des Werkes ist in der Tat, wie Langbaine im „Momus Triumphans" grad heraus sagt, „stollen from Shakespear's Romeo and Juliet"; aber anderseits hat auch Mosen vollkommen recht, wenn er betont: „Die plagiarische Verwendung der Hauptfiguren aus Shakespeare's Drama ist sehr geschickt durchgeführt, so daß dieselbe geradezu als Muster eines gewandten literarischen Diebstahls gelten könnte." Die Rolle des Romeo spielt der Sohn des Caius Marius, Juliet ist die Tochter des Metellus, Lavinia. [2]) Dem Paris entspricht Sulla, der allerdings kaum Erwähnung verdient: er tritt in einer einzigen Szene auf und spricht kaum zwei Dutzend Verse. Die Amme und der Apotheker sind genau übernommen; dem Friar Laurence entspricht der Priester Hymens. Sulpitius trägt die Züge Mercutios und spricht oft in dessen Worten; doch ist beizufügen, daß der Charakter auch dem von Plutarch angedeuteten gut gerecht wird: er ist „the insolent and rash Sulpitius", nicht einfach ein schlechterer Mercutio, wie Genest meint. [3]) Die Entwicklung und Katastrophe stimmt, mit einer bedeutsamen Abweichung, genau mit Shakespeares Drama überein.

---

[1]) Einen ähnlichen Verstoß gegen die Hoheit der Tragödie begeht er bekanntlich selbst in „Venice Preserved" noch:

> „Sparing no tears, when you this tale relate,
> But bid all cruel fathers dread my fate."

Solche Geschmacklosigkeiten sind deutlicher Ausdruck der für die Poesie dieser Epoche so kennzeichnenden unkünstlerischen Nebentendenzen politischer, satirischer oder allgemein didaktischer Art. Daß im „Caius Marius" eine starke Unterströmung politischer Polemik mitgeht, ist gerade aus der zitierten Stelle ersichtlich; doch macht sie sich selten aufdringlich spürbar. (vgl. Thorntons Einleitung.)

[2]) Vielleicht hat „Titus Andronicus" den Dichter auf diesen Namen gebracht. Möglicherweise sind auch die Worte des Marius: „. . . we who 've been her champion forty years", Reminiszenz an I. 193 des „Andronicus": „Rome, I have been thy soldier forty years."

[3]) Langbaine merkt zu diesem Charakter an: „. . . Sulpitius, which last is carried on by our author to the end of the play: though Mr. Dryden says in his Postscript to Granada, That Shakespear said himself, that he was forc' d to kill Mercutio in the 3d. act, to prevent being kill' d by him."

82

Die wörtlich entlehnten Szenen und Verse sind wiederholt schon vollständig zusammengestellt worden;[1]) ich kann mich mit einem Ueberblick der hauptsächlichsten begnügen: Im ersten Akt zeigt Otway im ganzen sich selbständig; aus Shakespeare stammt das Gespräch des jungen Marius mit Sulpitius („Romeo and Juliet" I. 2, 51—58; 4, 58—85.[2]). Die Beschreibung der Feenkönigin wird charakteristisch erweitert:

> „Sometimes she hurries o'er a soldier's neck,
> And then dreams he of cutting foreign throats;
> Of breaches, ambuscado's, temper'd blades,"

bis hier Shakespeare; Otway fährt fort:

> „Of good rich winter-quarters, and false musters.
> Sometimes she tweaks a poet by the ear,
> And then dreams he
> Of panegyricks, flatt'ring dedications,
> And mighty presents from the Lord knows who,
> But wakes as empty as he laid him down."

Mehr als zur Hälfte entlehnt ist der zweite Akt: die Unterredung des Metellus mit der Amme und seiner Tochter („Romeo and Juliet" I. 3, 1—76, dazu III. 5, 177—199), dann Granius und Sulpitius (=Benvolio und Mercutio, II. 1); endlich die große Liebesszene im Garten (II. 2). In den dritten Akt übernimmt Otway die Botschaft der Amme an Romeo (II. 4.) und ihr Gespräch mit Juliet (II. 5, dazu III. 2, 1—31). Die bedenkliche Neigung zu geistigen Getränken, welche bei Otway die Amme an den Tag legt, hat wohl in IV. 5, 16 bei Shakespeare ihren Ursprung. Der vierte Akt weist nur am Anfang und Ende größere Anleihen auf: die Abschiedsszene zwischen den Liebenden (III. 5), Lavinias Gespräch mit dem Priester (IV. 1, 93 ff.) und ihr Monolog, ehe sie den Trank zu sich nimmt (IV. 3, 14—55). Die wesentlichen Entlehnungen im fünften Akt sind: die Auffindung der scheintoten Lavinia durch die Amme (IV. 5); die Szene, da der junge Marius davon Kunde erhält (V. 1); seine Unterredung mit dem Apotheker (V. 1, 57 ff.); das Zusammentreffen des Marius mit dem Priester (der hier zum Teil die Rolle des Paris spielt, V. 3); der Monolog des Marius, ehe er das Gift trinkt; und schließlich die letzten Worte des Sulpitius (III. 1, 101—105).

Von hoher Wichtigkeit ist die abweichende Gestaltung des Schlusses bei Otway, nicht darum bloß, weil sie, wie auch Genest zugibt, selbst gegenüber Shakespeare einen Fortschritt bedeutet; sie ist kennzeichnend für die Liebestragödie Otways überhaupt. Hier

---

[1]) vgl. etwa die Rostocker Dissertation von Willy Schramm (1898): „Thomas Otway's Caius Marius und Garrick's Romeo and Juliet in ihrem Verhältnis zu Shakespeare's Romeo and Juliet und den übrigen Quellen."

[2]) Die Verszahlen aus Shakespeare zitiere ich durchgehends nach der Ausgabe der Oxford University Press (ed. W. J. Craig.).

ist ein Zug, den Shakespeare nicht kennt: bei Otway ist die Liebe halb Gottesdienst, halb Wahnsinn, unvergleichlich schön und unheilbar krank zugleich. Ob Shakespeare Liebe darstellt in zarter Reinheit, wie im „Tempest", ob in flammender Leidenschaft, wie in „Romeo and Juliet", oder in verzehrender Qual, wie im „Othello", sie lebt immer doch in der Wirklichkeit, ihre Lust und Trauer ist Freude und Leid des menschlichen Daseins. Nicht so Otway: Leben und Liebe sind für ihn Gegensätze; Liebe gewinnen heißt das Leben von sich werfen; seine Liebenden sind Märtyrer, und nichts kommt dem ekstatischen Triumph seiner größten Liebesszenen näher als die Legenden von der göttlichen Verzückung gefolterter Heiliger. So ist der Tod der Königin und des Prinzen im „Don Carlos", so auch das Ende des jungen Marius. Er hat den Gifttrank zu sich genommen; er küßt Lavinia im Sarge. Sie erwacht und kennt den Geliebten. Ihm ist alles eine wunderbare Vision, die nichts mit dem Leben gemein hat, aber um so viel herrlicher ist. Dies sind seine letzten Worte:

> „Ill fate no more, Lavinia, now shall part us,
> Nor cruel parents, nor oppressing laws.
> Did not Heav'n's pow'rs all wonder at our ioves?
> And when thou told'st the tale of thy disasters,
> Was there not sadness and a gloom amongst 'em?
> I know there was; and they in pity sent thee,
> Thus to redeem me from this vale of torments,
> And bear me with thee to those hills of joys.
> This world's gross air grows burthensome already.
> I'm all a god; such heav'nly joys transport me,
> That mortal sense grows sick, and faints with lasting."

Er stirbt; Lavinia muß auch den Tod ihres Vaters mitansehen; halb im Irrsinn durchsticht sie sich mit dem Schwert des Caius Marius:

> „This sword, yet reeking with my father's gore,
> Plunge it into my breast: plunge, plunge it thus.
> And now let rage, distraction and despair
> Seize all mankind, 'till they grow mad as I am."

In beinahe mutwilliger Weise setzt Otway sich im „Marius" über die Regeln des französischen Dramas weg. Die Forderung der Einheiten ist nicht bloß vernachlässigt, sondern so absichtlich gebrochen, daß es dem Werk zum Vorwurf wird. Der Ort wechselt zwischen dem Forum, dem Haus des Metellus, dem Garten, einer ländlichen Gegend, dem Lager Cinnas vor Rom und dem Kirchhof; einzig im ersten Akt findet kein Szenenwechsel statt. Die Zeit umfaßt mehrere Tage, und dabei ist selbst innerhalb der Akte (besonders des vierten) eine längere Frist als verstrichen vorauszusetzen. Vor allem aber verläuft die Handlung in zwei gleichberechtigten Entwicklungen, die notdürftig und unbefriedigend miteinander verknüpft sind. Die Romantik der Liebesszenen will in das waffenklirrende Römerdrama sich ungern fügen; ja, es stört schon wie ein Mißklang den süßen Zauber von Shakespeares liebeatmenden Versen, wenn für Romeo und Juliet die Namen Marius und Lavinia uns begegnen. Dabei ist die Titelhandlung an sich keineswegs unbedeutend; wenn wir die Liebesepisode ausscheiden, so bleibt uns der großgedachte Entwurf einer Römertragödie, der in der Ausführung zwar vielfach zu kurz gekommen, aber selbst so mehr als flüchtigen Eindruck macht. Eine vollendete und kraftvolle Charakterstudie schenkt Otway in der Gestalt des Caius Marius: „inexplebilis honorum Marii fames".[1]) Die übrigen Gestalten, mit Ausnahme des Sulpitius, sind nicht über flüchtige Skizzierung hinaus gediehen. Anklänge an „Julius Caesar", an „Coriolanus", nehmen dem Drama seine selbständige Bedeutung nicht; dieser Teil des Werkes ist mehr als ein bloßer Cento aus Shakespeare, wofür das Ganze zu Unrecht oft gehalten wird.[2])

Damit, daß Otway die Hälfte seines Spiels Vers um Vers aus Shakespeare entlehnte, war auch die metrische Form des Ganzen von vornherein gegeben, wenn nicht eine unerquickliche Mischgattung zustande kommen sollte: „Caius Marius" ist durchgehends in Blankversen geschrieben.[3]) Noch zeigt sich der Dichter dem Metrum nicht ganz gewachsen; wenn er mit fünf Hebungen den Vers nicht fertig bringt, setzt er ohne Bedenken eine sechste zu:

„Then Caius Marius shall not have the Consulship!"
oder: „My fortune, I 'll confirm on him, to crush the pride . . .".

Das heroische Reimpaar hat seine Rolle als Versmaß der Tragödie ausgespielt; schon vor Otway haben Lee und Dryden den Weg zum Blankvers zurückgefunden. Das Verdienst gebührt ohne Zweifel John Dryden: er ist unter den Dramatikern seiner Zeit der einzige, der wiederholt in gründlicher und gescheidter Art mit den Forderungen der Tragödie sich theoretisch auseinandergesetzt hat. Seinem kritischen Scharfblick war es vorbehalten, je und je die Bahnen vorzuzeichnen, die das Drama seiner Epoche mit der größten Sicherheit beschreiten durfte. Es liegt in diesen Verhältnissen selber eine gewisse Tragik für den Poeta Laureatus: sein klarer und feiner Verstand wies die Ziele, die sein bedingtes Talent nur unvollkommen verwirklichen konnte, und auf dem Wege überholte ihn mühelos wieder und wieder Otways glückliches Genie. Dryden hatte das heroische Reimpaar zum Vers der englischen Tra-

---

[1]) Florus, II. 21.

[2]) Die Ansicht, daß Otway einfach Shakespeare ausgeschrieben habe, ist sehr früh schon die herrschende. Recht interessant dafür ist die Ankündigung für eine Aufführung vom 12. Mai 1712 in Drury-Lane: „For Mrs. Bradshaw's benefit will be revived, the History and Fall of Caius Marius, written by Shakespeare and altered by Otway."

[3]) Abgesehen von vereinzelten Prosaszenen, die Otway nach Shakespeares Muster einflicht; durch Reimverse werden, ebenfalls nach Shakespeares Vorgang, Akt- und Szenen-Schlüsse betont.

gödie geschaffen: der große Erfolg und das bleibende Werk in dieser Form war Otways „Don Carlos". Dryden fand den Anschluß an das Maß des nationalen Dramas wieder: die unvergängliche Blankvers-Tragödie der Restoration wurde Otways „Venice Preserved".

Wenn wir mit möglicher Knappheit die Lebenslinie des „heroic couplet" im englischen Drama verfolgen wollen, können wir das kaum besser tun, als daß wir Drydens Verhältnis zu ihm von 1664 bis 1678 in seiner Entwicklung begleiten. Da ist vor allem dem Irrtum zu begegnen, als hätte der Reimvers mit der Rückkehr der Stuart als etwas Selbstverständliches die Herrschaft in der dramatischen Dichtung angetreten. Dryden ist es, der ihm von 1664 an seine gebietende Stellung sichert, indem er mit seiner Tragi-Komödie „The Rival Ladies" sich zu ihm bekennt und zugleich ihn theoretisch rechtfertigt. Das Stück selber ist noch in Blankversen abgefaßt, aber es bringt schon einzelne Szenen in Reim, welch letztere in der ersten Ausgabe durch kursiven Druck herausgehoben sind. In der Zueignung an Roger, Earl of Orrery, lesen wir: „But I fear . . . I shall be accus' d for following the new way, I mean, of writing scenes in verse: [1]) though, to speak properly, 'tis not so much a new way amongst us, as an old way new reviv' d . . . But supposing our country- men had not receiv' d this writing till of late; shall we oppose our selves to the most polish' d and civiliz' d nations of Europe? Shall we with the same singularity oppose the world in this, as most of us do in pronouncing Latin? . . . All the Spanish and Italian tragedies I have yet seen, are writ in rhyme: For the French, I do not name them, because it is the fate of our country- men to admit little of theirs among us, but the basest of their men, the extravagances of their fashions, and the frippery of their merchandise . . . I should judge him to have little command of English, whom the necessity of a rhyme should force upon this rock [nämlich unnatürliche Wortstellung]; though sometimes it cannot easily be avoided: And indeed this is the only inconvenience with which rhyme can be charged. . . . But the excellence and dignity of it, were never fully known till Mr. Waller taught it . . . But if we owe the invention of it to Mr. Waller, we are acknowledging for the noblest use of it to Sir William D'avenant; who at once brought it upon the stage, and made it perfect, in the Siege of Rhodes. The advantages which rhyme has over blanck verse, are so many, that it were lost time to name them . . . But as the best medicines may lose their virtue, by being ill applied, so is it with verse, if a fit subject be not chosen for it. Neither must the argument alone, but the characters, and persons be great and noble[2]) . . . The scenes, which, in my opinion, most

---

[1]) Unter „verse" versteht Dryden in der Regel den Reimvers.

[2]) Dryden gibt damit die Definition des „Heroic Play", das nicht durchaus mit dem Begriff des Dramas in „heroic couplets" zusammenfällt. Auch die Blankversdramen Drydens sind z. B. „Heroic Plays".

commend it, are those of argumentation and discourse, on the result of which the doing or not doing some considerable action should depend." Im Jahre 1667 ist die Vorherrschaft des Reims bereits unbestritten; Dryden kann in der Widmung des „Indian Emperour" an die Gattin des Herzogs von Monmouth mit Genugtuung feststellen: „The favour which Heroick Plays have lately found upon our theatres, has been wholly deriv' d to them from the countenance and approbation they have receiv' d at Court. The most eminent persons for wit and honour in the royal circle having so far owned them, that they have judg' d no way so fit as verse to entertain a noble audience, or to express a noble passion" (12. Oktober 1667). Im Prolog zu „Secret Love", ebenfalls 1667, rühmt er sich:

„He who writ this, not without pains and thought,
From French and English theatres has brought
Th' exactest rules by which a play is wrought:
The unities of action, place, and time;
The scenes unbroken; and a mingled chime
Of Jonson' s humour with Corneille' s rime."

Mit kecker Dreistigkeit behauptet er in der Vorrede zum „Mock Astrologer" (1668): „. . . in what we may justly claim precedence of Skakespear and Fletcher, namely in Heroick Plays." Und in dem Essay „On Heroick Plays", den er seinem „Conquest of Granada" (1670) voranstellt, spricht er davon, wie der Reim ausschließlichen Besitz von der Bühne ergriffen hat: „Whether heroick verse ought to be admitted into serious plays, is not now to be disputed; 'tis already in possession of the stage, and I dare confidently affirm, that very few tragedies in this age shall be receiv'd without it; . . . it was only custom which couzen' d us so long: We thought, because Shakespear and Fletcher went no farther, that there the pillars of poetry were to be erected. That, because they excellently describ' d passion without rhime, therefore rhime was not capable of describing it. But time has now convinc' d most men of that error." Dann erfolgt mählich die Wandlung seiner ästhetischen Ansichten; und im Jahr 1675 bekennt er in dem schönen Prolog zum „Aureng-Zebe" sich zu einem neuen Standpunkt:

„Our author by experience finds it true,
' Tis much more hard to please himself than you;
And, out of no feigned modesty, this day
Damns his laborious trifle of a play;
Not that it 's worse than what before he writ,
But he has now another taste of wit;
And, to confess a truth, though out of time,
Grows weary of his long-lov' d mistress, Rhyme.
Passion 's too fierce to be in fetters bound,
And Nature flies him like enchanted ground:
What verse can do he has perform' d in this,

Which he presumes the most correct of his;
But spite of all his pride, a secret shame
Invades his breast at Shakespear's sacred name . . ."

Es ist gewiß nicht undenkbar, daß das Gefühl, durch den „Don Carlos" auf seinem eigensten Gebiet überflügelt worden zu sein, in diesem Entschluß ihn bekräftigte; doch ist zu betonen, daß die genannten Verse geschrieben und gesprochen waren zu einer Zeit, da von Otway noch nichts als der „Alcibiades" vorlag, der mit Drydens besseren Dramen nicht entfernt sich messen konnte. Es verstrichen mehr als zwei Jahre, bis Dryden mit einem neuen Stück auf den Plan trat, welches das im „Aureng-Zebe" angedeutete neue Programm in Tat umsetzte. Es ist seine Kleopatra-Tragödie „All for Love, or the World well Lost", zugleich sein dramatisches Meisterwerk.[1]) Doch spricht Dryden in diesem Blankversdrama schon nicht mehr mit derselben Entschiedenheit von seiner Rückkehr zur alten Form: „. . . the fabrick of the play is regular enough, as to the inferiour parts of it; and the unities of time, place and action, more exactly observ'd, than, perhaps, the English theatre requires. . . . In my stile I have profess'd to imitate the divine Shakespear; which that I might perform more freely, I have disincumber'd my self from rhyme. Not that I condemn my former way, but that this is more proper to my present purpose." Wer weiß, ob Dryden nicht doch zu seinem geliebten Reim zurückgekehrt wäre, hätte er sich dem Strom der von ihm selber angebahnten Entwicklung entziehen können. Aber die Losung war gegeben und ein Zurück nicht mehr denkbar. Was nach 1678 auf dem Gebiet des ernsten Dramas erschien, ist in Blankvers abgefaßt. Ob Otway auch ohne Drydens Vorgang sich zu dieser Form gefunden hätte, ist schwer zu sagen. Saintsbury verneint es: „Had it not been for this, it is almost certain that Venice Preserved would have been in rhyme, that is to say that it would have been spoilt."[2]) Ich stimme dieser Ansicht nicht unbedingt zu; doch kann es sich um mehr als Meinungsverschiedenheit hier nicht handeln.

In der ältern Otway-Biographie herrschte Unsicherheit inbezug auf die chronologische Reihenfolge, in der „Caius Marius" und die „Orphan" einzuordnen waren. Mosen hat aus guten innern Gründen die Priorität des „Caius Marius" nachgewiesen; doch steht sie schon seit Thornton außer jedem Zweifel. Nach den gleichzeitigen Verleger-Katalogen erschien „Caius Marius" zu Michaeli 1679, wie üblich auf 1680 vorausdatiert, die „Orphan" zu Ostern 1680. Merkwürdig genug hat Sidney Lee neuerdings ohne ersicht-

---

[1]) Im Jahr vorher schon war Lees großes Trauerspiel: „The Rival Queens, or the Death of Alexander the Great" erschienen, das zum größten Teil in Blankversen geschrieben ist. Aber Lee beabsichtigt keinen Bruch mit der überlieferten Form; seine zuchtlos genialische Art liebt solche Vermengung der Metra; unvermittelt kommen wieder längere Stücke in Reim. Auch ist der Einfluß Drydens zu bedenken.

[2]) p. 58 seiner Dryden-Biographie in „English Men of Letters".

lichen Grund die Reihenfolge umgekehrt, vielleicht einfach in Anlehnung an Genest. Zur Aufführung ist das Stück wohl schon im
Herbst 1679 gelangt.[1]) Otway hoffte von ihm eine Erleichterung
seiner finanziellen Lage, und er sah sich in dieser Erwartung auch
nicht ganz getäuscht. „Caius Marius" gefiel, zwar mehr wohl um
der komischen Szenen als um seines tragischen Gehalts willen. Von
Betterton war in der Titelrolle gewiß eine hervorragende Leistung
zu gewärtigen; Smith spielte den jungen Marius, Elizabeth Barry
die Lavinia. Vor allem jedoch ergötzten Underhill als Sulpitius
und Nokes in seinem grotesk-komischen Spiel als Amme.[2]) Im
Epilog nennt Otway die beiden ausdrücklich. Den Beinamen „Nurse
Nokes" dürfte der Darsteller allerdings nicht erst auf Grund dieser
Rolle erhalten haben, wie Thornton annimmt; Genest merkt zu
dem 1672 aufgeführten Stück „The Fatal Jealousy" an: „. . . the
Nurse is a character of importance, and no doubt contributed to
obtain Nokes the appellation of Nurse Nokes, which he evidently
had before he played the Nurse in Romeo and Juliet as altered to
Caius Marius."

Manches Persönliche erfahren wir aus Otways Epilog: er
sagt uns deutlich, daß das Drama bald nach des Dichters Heimkehr
von der Armee zur Darstellung kam. Halb scherzend und doch im
Grunde wohl in bitterem Ernst bietet Otway sein Recht auf den
Erlös des dritten Abends als Pfand gegen einen Vorschuß von fünfzig Pfund. Er fordert einen Gönner auf, ihm die Anweisung auf
seinen rückständigen Sold gegen bares Geld auszulösen:

> „But which amongst you is there to be found,
> Will take his third day's pawn for fifty pound?
> Or, now he is cashier'd, will fairly venture
> To give him ready money for 's debenture?
> Therefore when he receiv'd that fatal doom,
> This play came forth, in hopes his friends would come
> To help a poor disbanded soldier home."

Eine charakteristische Stelle begegnen wir im Drama selbst;
Cinna spricht: „They always hated me, because a soldier"; und
Marius entgegnet ihm:

> „Base natures ever grudge at things above 'em,
> And hate a pow'r they are too much oblig'd to.
> When fears are on them, then their kindest wishes
> And best rewards attend the gallant warriour:
> But dangers vanish'd, infamous neglect,
> Ill- usage and reproach are all his portion;

---

[1]) Unmittelbar nach Shadwells „Woman Captain", in welchem Mrs.
Barry die Hauptrolle gespielt hatte, worauf Otways Epilog, ebenfalls von ihr
gesprochen, anspielt: „For t' other day I was a Captain too."

[2]) In spätern Ausgaben (so 1722) erscheint er im Personenverzeichnis
als Mrs. Nokes!

Or at the best he 's wedded to hard wants,
Robb' d of that little hire he toil' d and bled for."

Solche Aeußerungen und die unverkennbare Sympathie, mit
der Otway in seinen spätern Werken den Soldaten zeichnet,[1] lassen
doch schließen, daß er diesem Stande mit rechter Liebe ange-
hört hat.

Noch eine Einzelheit verlangt Beachtung; im vierten Akt
bringt des Marius zweiter Sohn, Granius, dem verfolgten Helden
Wein und Speise, und Marius, freudig überrascht, ruft aus:

„Sure Comus, the god of feasting, haunts these woods,
And means to entertain us as his guests."

Hat Otway hier die abgelegene mythologische Figur im
Auge? Kaum; viel näher ist doch die Beziehung auf Miltons unver-
gleichliches Maskenspiel. Und wenn wir genau hinsehen, so will
uns scheinen, als ob noch etwas mehr als der bloße Name von
dieser ländlichen Szene Otways zu Miltons Dichtung hinführe:
Stimmung und Ausdruck sind verwandt, und halten wir gegen-
wärtig, daß an andern Stellen Erinnerungen an Miltons größte
Schöpfung leise aufklingen,[2] so wird uns fast zur Gewißheit, daß
Otway mit Miltons Werk ebenso vertraut war wie er die andern
Meister, Shakespeare, Spenser und Butler kannte und liebte.

„Caius Marius" blieb auf Jahrzehnte hinaus im Repertoire;
mit Vorliebe scheint er für Benefiz-Vorstellungen gewählt worden
zu sein: von Wilks (1707), von Norris (1710), von Elrington
(1710), Mrs. Bradshaw (1712), Boman (1713) und andern. Zwischen 1710 und 1724 ging er fast Jahr für Jahr über die Bretter;
später wurden die Aufführungen seltener, und seit dem 11. September 1744 trat Shakespeares Tragödie, nach einer Zwischenzeit
von hundert Jahren, wieder in ihr Recht ein; allerdings noch
immer nicht ganz unverfälscht, sondern in einer Anpassung durch
Theophilus Cibber, in die manches von Otway, namentlich der ab-
geänderte Schluß, mit herüberkam.[3] Mrs. Inchbald urteilt:
„Shakespeare has produced, from this „Tragical History", one of
his most admirable plays: Yet, had the subject fallen to Otway' s
pen, though he would have treated it less excellently, he would have
rendered it more affecting."

---

[1] vgl. die Rollen des jungen Chamont, Pierres und selbst des Captain
Beaugard in der Komödie.

[2] Thornton verweist gelegentlich darauf; vgl. seine Anmerkung zu der
zweiten Szene im ersten Akt des „Alcibiades".

[3] vgl. zum einzelnen Genest IV. 167 ff.

SECHSTES KAPITEL

„Die Waise"

Seit im Oktober 1678 die Enthüllungen des Titus Oates über eine angebliche papistische Verschwörung das Parlament und die Nation in fieberische Erregung versetzt hatten,[1]) stand jede Aeußerung des öffentlichen Lebens unter dem Zeichen parteipolitischer Hetze. Die Person des Herzogs von York war das Ziel erbitterter Angriffe, die ihren entschiedenen Ausdruck in dem Vorschlag einer „Bill of Exclusion" fanden. Jakob sah keinen andern Weg, als durch freiwillige Verbannung dem drohenden Sturm zu weichen. Auf seinen eigenen Wunsch gab der König diesem Entschluß durch einen formellen Befehl Gewicht. Anfangs März 1679 verließen der Herzog und seine Gattin England,[2]) um sich nach Holland, dann nach Brüssel zu begeben. Thomas Otway scheint Augenzeuge ihres Abschieds gewesen zu sein:

„I saw them ready for departure stand . . ."

Es ist nicht unwahrscheinlich: der Dichter stand damals noch immer in seinem militärischen Verhältnis; da mochte es wohl sein, daß der Lieutenant Otway, der ein persönlicher Bekannter des Herzogs und von bewährter Gesinnungstreue war, mit irgend einer Funktion beim Sicherheitsdienst betraut wurde. Daß er, der Dichter und treu ergebene Anhänger der Stuart, diese Szene mit ganz anderem Blicke schaute, als der prüfende Historiker, ist nur natürlich; und es kann nicht befremden, wenn nach seiner Darstellung die Trennung der königlichen Brüder von herzlicher Trauer zeugt, wovon die Geschichte nicht so sehr viel meldet.[3])

Das Ereignis machte tiefen Eindruck auf Otway und ward der Anstoß zu einer eigenartigen Dichtung, die früh 1680 erschien, aber in der Hauptsache wohl einige Monate zuvor schon geschrieben war: „The Poet's Complaint of his Muse; or, a Satyr against Libells. A Poem." Das Gedicht ist in mehr als einer Hin-

---

[1]) vgl. Evelyns Tagebuch, 1. Oktober 1678.

[2]) „Poems on Affairs of State", I. p. 216; Evelyn, 24. April 1679.

[3]) vgl. Burnets Darstellung: „The Duke hereupon parted with the King, who seemed not a great deal concerned, with much regret and many tears. . .".

91

sicht beachtenswert, einmal als Otways bedeutendster poetischer Versuch auf nichtdramatischem Gebiet, mehr aber noch als das umfangreichste autobiographische Dokument, das wir von ihm besitzen. Es wäre uns wertvoll schon darum, weil Otway darin mit einem Vers in überraschender Klarheit die Grundlinien seines Wesens gezogen hat: „Helpless, friendless, very proud, and poor"; in den Worten liegt die Tragödie seines Lebens. R. Noel erledigt Otways lyrische Produktion sehr obenhin mit der Bemerkung: „All Otway' s poems are bad, except the Epistle to Duke, his friend. The blunted insipidity of his conventional diction is worthy of Pope' s followers." Gosse sieht schärfer; er findet namentlich in „The Poet' s Complaint" dichterische Werte. Die unbefangene Würdigung dieses Werkes wird durch seine äußere Form etwas erschwert, die Thornton nicht zu Unrecht als „barbarisch" bezeichnet. Es sind jene regellos gebauten, strophenartigen Versgruppen, in denen man das metrische Prinzip des Pindar nachzuschaffen meinte. Das berühmteste und bei weitem beste Gedicht in dieser Art ist Drydens Ode „Alexander' s Feast; or, the Power of Music". Bei andern, die Drydens Formbeherrschung nicht besaßen, wurde daraus ein ödes Versgeklapper ohne Rhythmus und Charakter. Brown spottet einmal recht launig über das Metrum: „But the merriest thing of all, is their Pindaric poetry. Wou' d you know what sort of versification it is? I will tell you then: Why, first of all, here is one huge line as long as my arm or longer; then there come one, two, or three short lines, like a pigmy behind a giant; very pretty, begar! then another long line, and then a short one, and another short; and another long, and so on to the end of the stanza. I was told that the English poets borrow' d this fancy from the faggot-makers; for these fellows will first of all put you down a long stick, and then a short one, and after this manner binding the sticks together, when they have done, call it a faggot, as the authors call the other a Pindaric ode." Ganz auf dieser Stufe steht Otways Pindarischer Vers denn doch nicht. Zwar die Sicherheit und Eleganz mangelt, mit der Dryden jedes Maß meistert; aber mit der gewissen Schwere und Rauheit stimmt die Energie und Wucht der Gedanken wohl zusammen, so daß gerade das Unbehauene der Form dem Eindruck der Dichtung zugute kommt. Am deutlichsten scheint mir der erste Abschnitt das zu zeigen, der überhaupt wohl der künstlerisch wertvollste ist. Gosse nennt den Eingang des Gedichtes „vigorous and picturesque, like a roughly- etched bit of a barren landscape".

Deutlich gliedern sich die einundzwanzig ungleich langen Abschnitte des Ganzen in drei Gruppen: die ersten acht sind ausgesprochen persönlicher Natur; vom neunten bis zum sechzehnten erweitert sich die Satire zur Streitschrift für die Sache des Königshauses, um in den fünf letzten in einen begeisterten Panegyrikus auf den Herzog auszuklingen. Zum Verständnis im einzelnen bedarf fast jeder Vers der Erklärung; Thornton hat in seinen reichen Anmerkungen einen sehr brauchbaren Kommentar gegeben. Nur der Gedankengang des Gedichtes sei hier in Kürze verfolgt. Wo Otway sein Innerstes dem Blicke öffnet, da spricht er nicht in eigener Person zu uns: er hat durch den Mund seiner dramatischen Gestalten dem Leid seines Lebens Worte geliehen; er entwirft in "The Poet's Complaint" unter dem fingierten Charakter eines befreundeten Dichters die Geschichte des eigenen Daseins. Sein leibliches und sein seelisches Ich treten als zwei Wesen sich gegenüber; doch vergißt Otway im Fortgang der Dichtung mehr und mehr diese Scheidung, und gegen Ende ist die Situation des Beginns völlig verloren: wir werden unmittelbar an das ganz ähnliche Verhältnis im „Childe Harold" erinnert. Der Anfang mit seiner wirksamen Einheit von Bild und Stimmung verdient als Ganzes aufgenommen zu werden:

> „To a high hill, where never yet stood tree,
> Where only heath, course fern, and furzes grow,
> Where, nipt by piercing air,
> The flocks in tatter'd fleeces hardly graze,
>> Led by uncouth thoughts and care,
>> Which did too much his pensive mind amaze,
>> A wand'ring bard, whose Muse was crazy grown,
>> Cloy'd with the nauseous follies of the buzzing town,
>> Came, look'd about him, sigh'd, and laid him down.
>>> 'Twas far from any path, but where the earth
>>> Was bare, and naked all as at her birth,
>>> When by the word it first was made,
>>> E're God had said,
> Let grass and herbs and every green thing grow,
> With fruitful trees after their kind; and it was so.
>> The whistling winds blew fiercely round his head,
>> Cold was his lodging, hard his bed;
>> Aloft his eyes on the wide Heav'ns he cast,
>> Where we are told peace only's found at last:
>> And as he did its hopeless distance see,
>> Sigh'd deep, and cry'd, How far is peace from me!"

Otway kommt an die Stelle; er findet den trauernden Dichter und erkennt in ihm einen teuren Freund. Auf seine teilnehmende Zurede eröffnet der andere die Ursache seines Grams. Was er berichtet, ist Otways eigenes Erleben. Er erzählt von glücklicher Kindheit und mutigen Hoffnungen, vom Tod eines Freundes und von mancher jugendlichen Irrung. Aber größer als jedes war die Liebe zu seiner Muse, die ihm über alle andern herrlich schien:

> „Lofty she seem'd, and on her front sat a majestick air,
>> Awful, yet kind: severe, yet fair;
> Upon her head a crown she bore
> Of laurel, which she told me should be mine.

And round her ivory neck she wore
A rope of largest pearl . . ."

Und da, als sein Glück das Höchste versprach, ließ ihn die
Treulose allein; mehr noch, sie hielt mit jedem Schurken und
Narren Gemeinschaft: da war jener, „der von dem faulen Verse
stank, in dem er seine Sodom-Farce schrieb". Man hat dieses
schmutzige Produkt einem obskuren Poeten, John Fishbourne, zu-
geschoben; der wahre Verfasser ist ziemlich sicher in der Person
Rochesters zu finden.[1]) Ich glaube, daß Otway auch wirklich ihn
im Auge hat. Dem scheint allerdings zu widersprechen, daß gleich
an nächster Stelle der Dichter einer „Session of the Poets" genannt ist, in dem man seit Thornton allgemein Rochester zu erkennen meinte. Aber bei genauer Betrachtung passen diese Verse
merkwürdig schlecht auf den Earl:

> „Next him appear' d that blundering sot
> Who a late Session of the Poets wrote.
> Nature has mark' d him for a heavy fool;
> By 's flat broad face you 'll know the owl . . ."

Die erhaltenen Bildnisse Rochesters zeigen ein schmales, etwas
kränkliches, aber nicht unschönes Gesicht. Ebensowenig stimmt
der Rest der Schilderung:

> „The other birds have hooted him from light;
> Much buffeting has made him love the night,
> And only in the dark he strays;
> Still wretch enough to live, with worse fools spends his days,
> And for old shoes and scraps repeats dull plays."

Wen Otway in diesen Versen angreift, ist mir nicht bekannt;[2])
sicher scheint mir, daß er nicht hier, sondern in dem satirischen
Ausfall gegen den Verfasser des „Sodom" seine Rache an Rochester
nahm. Es ist nicht überflüssig, zu betonen, daß der Earl um diese
Zeit noch am Leben war; Otway hat seinen Zorn nie an Toten
ausgelassen. Wenn wir daran denken, daß Dryden auf die gemeinste
Kränkung vonseiten Rochesters keine Entgegnung wagte, so ist es
für Otways männliche Art ein gutes Zeugnis, daß er dem gefürchteten
Literatur-Despoten offen Haß mit Haß vergalt. Andere noch sind,
denen er hier seine Verachtung zu verstehen gibt: unter ihnen
finden wir den City-Poet Elkanah Settle. Damit endet der persönliche Teil des Gedichtes; es folgt die Erzählung von dem Unge-
heuer Libell, der ärgsten Verirrung der treulosen Muse. Es ist nicht
ganz eindeutig festzustellen, was Otway unter dem Begriff „Libell"
zusammenfaßt; Thornton umschreibt ihn mit „faction and sedition".
In den allegorischen Bildern von der Heimat und Erziehung des

---

[1]) vgl. den Artikel „John Wilmot" im „Dictionary of National Biography".
[2]) „Sessions of the Poets" sind seit John Suckling zahlreich genug;
vgl. z. B. „Poems on Affairs of State", I. 206 ff. MS. Add. 21094, bl. 49 a.

Scheusals ist der Einfluß Spensers fühlbar. Die Katastrophen von 1665 und 1666, die Pest und das große Feuer, sind mit beachtenswerter Realistik geschildert:

> „. . . Till in th' untrodden streets unwholesome grass
> Grew of great stalk, its colour gross,
> And melancholick pois'nous green;
> Like those course sickly weeds on an old dunghill seen,
> Where some murrain-murther'd hog,
> Poison'd cat, or strangled dog,
> In rottenness had long unburied laid,
> And the cold soil productive made."

Otway vergleicht das Untier Libell mit dem erbarmungslosen Drachen des alten Märchens, der des Königs einzige Tochter als Tribut forderte:

> „A royal daughter needs must suffer then, a Royal Brother now."

Damit hat er das Thema angetönt, das seinem Herzen am nächsten liegt. Ohne unwürdige Kriecherei, aber mit warmer Liebe wird ein Bild vom Wesen und Handeln des Herzogs entworfen, das mit seinem historischen Charakter nicht im Widerspruch steht. Mit der sympathischen, echt empfundenen Abschiedsszene schließt das Gedicht in unaufdringlicher, schlichter Art:

> „Straight forth they launch into the high swoln Thames,
> The well-struck oars lave up the yielding streams.
> All fixt their longing eyes, and wishing stood,
> ' Till they were got into the wider flood;
> ' Till lessen'd out of sight, and seen no more:
> Then sigh'd, and turn'd into the hated shore."[1]

---

[1] Für den polemischen Teil von „The Poet's Complaint" ist zur Kommentierung vor allem auch das Tagebuch des Narcissus Luttrell: „A Brief Historical Relation of State Affairs" (ed. Oxford 1857) zu Rate zu ziehen. Ein gedrängter Auszug des Wesentlichsten mag hier folgen, zugleich als Ergänzung zu Thorntons Anmerkungen:

„July 1679: About this time many libells and seditious books fly about.
October 1679: About this [time] came out two or three seditious pamphlets; the Appeal from the Country to the Citty . . .
December 1679: The 5 th at night, being gunpowder treason, there were many bonfires and burning of popes as has ever been seen on the like occasion.
Sir William Waller hath lately seized some priest habits and severall popish books in Holborn.
On the 17 th, being queen Elizabeth's birth day, at night were severall bonfires, and particulary a very great one at Temple gate, where was a pope burnt in pontificalibus that cost above 100 L.
February 1680: The 5 th, in the afternoon, at Guild-hall, Benjamin Harris, bookseller, came to his tryall for publishing a scandalous and seditious pamphlet called the Appeal from the Country to the Citty, and was found guilty of the same.

Der Quarto-Ausgabe seiner Dichtung stellte Otway Ovids selbstbewußtes „Si quid habent veri vatum praesagia, vivam" (Metamorphosen, XV. 879) als Motto voran. Doch ist es augenscheinlich, daß er dem Werk mehr seines Gegenstandes als seiner künstlerischen Werte wegen Fortdauer verheißt. Die Zueignung (sie fehlt in den meisten spätern Drucken) ist an Thomas, Earl of Ossory, gerichtet. Otway hatte den trefflichen Mann vielleicht während seiner militärischen Laufbahn genauer kennen gelernt: Ossory hatte eine Kommandostelle in der Armee in Flandern inne und war bei der Aktion vor Mons mit dabei. Sein Vater, James Butler, zwölfter Earl und erster Duke of Ormonde, zählt zu den wenigen würdigen Persönlichkeiten der Epoche; eine achtenswerte, mannhafte Erscheinung. Er soll das Urbild für den Charakter des Acasto in der „Orphan" gewesen sein; und das wird uns um so wahrscheinlicher, wenn wir berücksichtigen, wie gerade zur gleichen Zeit freundliche Beziehungen den Dichter mit seinem Sohne verbinden. „My Lord", so schreibt Otway in der Widmung seiner Satire, „I have great need of protection; for the best of my heart I have here published in some measure the truth, and I would have it thought honestly too (a practice never more out of countenance than now): yet truth and honour are things your Lordship must needs be kind to, because they are relations to your nature, and never left you." Den Schutz und die Förderung, auf welche Otway hoffte, konnte ihm allerdings Ossory nicht mehr lange geben: er ist wenige Monate nach dem Erscheinen des Gedichtes, am 30. Juli 1680, im Alter von sechsundvierzig Jahren gestorben.[1])

Otway hatte einen zweiten Teil der Satire in Aussicht gestellt; der Tod seines Gönners mag ihm die Stimmung dazu genommen haben. Auch fühlte er selber wohl, daß sein bestes Können nicht auf diesem Gebiete lag; sein Herz nahm zu regen Anteil an seinem Dichten, als daß er mit kühler Ueberlegenheit den Feind hätte verderben können. Ganz unvermerkt geht seine Satire immer wieder in den Ton der Elegie über: es ist viel mehr wohllautende Klage über erlittene Unbill in ihr als Schimpf für den Gegner. Das war nicht der Weg, einer satirischen Dichtung zum Erfolg zu verhelfen, am wenigsten in jener Zeit, wo die Durchschlagskraft einzig nach der Härte und Frechheit des Angriffs sich richtete. So finden wir keine kenntliche Spur einer Nachwirkung von „The Poet's Complaint"; weder von freundlicher noch von gegnerischer Seite

---

The 17th, Benjamin Harris, bookseller, stood for an hour in the pillory over against the old Exchange, according to sentence against him, for printing a seditious libell call'd the Appeal from the Citty to the Country [!]: he and his party hollowed and whooped, and would permitt nothing to be thrown at him.
February 11th 1680: About this time many libells are thrown about to disaffect the King and his people, and turn all to 41."

[1]) Narcissus Luttrell, am 30. Juli 1680: „. . . at night, the right honourable Thomas earl of Ossory, son and heir to the duke of Ormond, died at Whitehall of a violent fever, and is generally lamented."

wird des Werks Erwähnung getan. Einzig Giles Jacob [1]) behauptet: „This piece . . . was very famous at the time it was wrote." Ich finde für diese Angabe indes nirgends einen Anhaltspunkt. Auf jeden Fall war es das erste und einzige Mal, daß Otway unmittelbar in den Kampf des Tages eingriff: und als wenig später die erbitterte politisch-literarische Polemik zum Ausbruch kam, die in „Mac Flecknoe" ihr bleibendes Denkmal fand, da hielt der Dichter sich ferne, einerseits aus dem Gefühl, daß die weichliche Reizbarkeit seines Wesens den rohen Forderungen einer solchen Fehde nicht gewachsen war, vielleicht auch in einem gewissen Widerstreit der Gefühle zwischen politischer und persönlicher Sympathie und Antipathie, und vor allem darum, weil größere Schöpfungen sein Herz bewegten. Denn sein Genie ging einer herrlichen Reife entgegen; und daß es echter Vollendung nahe war, bewies Otway zu eben der Zeit, da er seine Bekenntnisdichtung in die Welt schickte: kurz nach ihr, zu Ostern 1680, erschien das Trauerspiel „The Orphan: or, the Unhappy Marriage".

„Die Waise" ist Otways meist umstrittenes Werk; von mehr als einem berufenen Kenner für seine gediegenste Leistung erklärt, von andern unbedingt verworfen, selbst mit dem Fluch der Lächerlichkeit belegt. Daß manches dieser Urteile auf den Kritiker selber vernichtend zurückfallen kann, ist verständlich, wenn wir bedenken, daß wir eine Tragödie vor uns haben, welche ein Jahrhundert lang die englische Bühne beherrschte und mit Shakespeares Meisterwerken in einem Atem genannt wurde.

Ehe wir auf diese Kontroversen eingehen, bleibt uns die Quellenfrage zu erörtern. Neuere Darsteller haben ihr fälschlich ein kompliziertes Aussehen gegeben, indem sie unterschiedslos die Quelle mit Dichtungen verwandten Motivs zusammenstellten, so daß dem Fernerstehenden eine Scheidung fast unmöglich wurde. [2]) Es ist darum nicht überflüssig, hervorzuheben: Otway geht bei der Wahl seines Stoffes für die „Orphan" nach genau gleichen Grundsätzen vor, wie er es für den „Don Carlos" getan hat, und wie wir für „Venice Preserved" es wiederfinden; das heißt, er entnimmt die Handlung im Umriß und in Einzelheiten einer literarischen Vorlage, die er mit souveräner Freiheit für seine Zwecke umwertet. [3]) Im Bewußtsein seiner künstlerischen Meisterschaft schreckt er auch vor genauen Anklängen nicht zurück. Neben dem einen grundlegenden Werk ist von einer zweiten Quelle nicht zu sprechen: Anlehnungen und Reminiszenzen lassen

---

[1]) „The Poetical Register: or, the Lives and Characters of all the English Poets, with an Account of their Writings . . ."; 1719—20.

[2]) vgl. z. B. R. Noels recht ungeschicktes Vorwort zu dem Stück; p. 86 seiner Ausgabe. Auch „Cambridge History of English Litterature"; VIII. p. 182.

[3]) Es fällt auf, daß er dabei immer zeitlich wie örtlich naheliegende Werke benutzt; Otway hat nie nach Quellen gesucht, sondern aus dem, was der Zufall ihm zeigte, das Brauchbare unbedenklich ergriffen.

sich zahlreich nachweisen; doch sind sie stets nebensächlicher Art und greifen in keiner Weise bestimmend ein. Eine Ausnahme macht die Quelle der „Orphan" nur insofern gegenüber der jeder andern Tragödie Otways, daß sie nicht in einem Werk historischen Charakters, sondern in einer romanhaften Erzählung sich findet; die Art der Behandlung aber ist durchaus dieselbe. Man begegnet zuweilen noch dem Irrtum, Thornton hätte zuerst auf diese Quelle hingewiesen. Sie war von jeher bekannt; Langbaine nennt sie im „Momus Triumphans" sowohl, wie in seinen „Dramatick Poets". Es ist die Novelle „English Adventures", die 1676 in London anonym erschien. Nach Thorntons Vermutung wäre der Verfasser in der Person des Roger Boyle, Earl of Orrery, zu suchen. [1]

Das Werklein erzählt ein romantisches Liebesabenteuer, das Heinrich dem Achten bald nach seiner Thronbesteigung begegnet sein soll. [2] Der König lag in einem seiner Forste der Hirschjagd ob und verlor im Eifer des Sports seine Begleiter aus dem Gesicht. Der Zufall führte ihn an eine Stelle, wo er zwei Personen, einen jungen Herrn und eine Dame, von einem wütenden Hirsch bedroht sah. Der Herr machte sich aus dem Staube. [3] Ein Unbekannter, der in diesem Augenblick an den Ort kam, beschützte die wehrlose Dame und ward selber verwundet. Nun sprang der König dem Fremden, der sich Charles Brandon nannte, zu Hilfe, und gemeinsam erlegten sie das Tier. Die beiden Männer verliebten sich auf den ersten Blick in die Dame, deren Name Izabella war; auf ihre Bitte aber schlossen sie Freundschaft. Der König wahrte sein Incognito und nannte sich kurzweg Tudor. Auf die Aufforderung Izabellas erzählte Brandon, wenn auch mit Widerstreben, seine Erlebnisse. Diese „History of Brandon" (p. 17—42 der Novelle) ist die Quelle zu Otways „Orphan". Ihr Inhalt ist folgender:

Der Vater Brandons hat sich vom Hof auf sein Schloß in Gloucestershire zurückgezogen; er vermählt sich und wird Vater von zwei Knaben, die in der innigsten Freundschaft miteinander aufwachsen. Ihre Mutter nimmt die verwaiste Tochter einer Freundin zu sich ins Haus, deren Schönheit die Liebe der beiden Jünglinge entflammt. Brandon, der jüngere, muß aber bald erkennen, daß seine Werbung ihr unwillkommen ist; doch glaubt er, daß sie auch gegen den Bruder sich unempfindlich zeige. Durch einen Zufall jedoch wird er Zeuge eines Gesprächs der beiden, und er belauscht eine Verabredung, wonach der ältere Bruder des nachts vor Victorias Tür ein Zeichen geben soll, um von ihr ein-

---

[1] Der volle Titel des äußerst seltenen Bändchens lautet: „English / Adventures. / — / By a Person of Honour. / — / Licensed May 12th, 1676. / Roger L'Estrange. / = / In the Savoy: / Printed by T. Newcomb, for H. Herringman, / at the Anchor, on the Lower Walk of / the New Exchange. 1676. /" II. & 130 Seiten, 8. (Brit. Mus. G. 17716.)

[2] vgl. auch Charlotte E. Morgan: „The Rise of the Novel of Manners"; New York, 1911. (besonders p. 58 und 74.)

[3] Es scheint übrigens eine verkleidete Dame gewesen zu sein.

gelassen zu werden. Zorn und enttäuschte Liebe bewegen Brandon dazu, den Bruder zu überlisten und sich selber in den Besitz Victorias zu bringen. Der folgende Morgen klärt alles auf: Victoria hatte sich am vergangenen Tag mit dem Bruder Brandons heimlich vermählt. Das Verbrechen Brandons treibt sie in den Tod; sie siecht langsam hin. In ihrer letzten Stunde verzeiht sie dem Betrüger. Ihrem Gatten verschweigt sie aus Schonung die Wahrheit. Er folgt ihr bald im Tode nach; auch die Eltern überleben das Unglück nur kurze Zeit. Brandon flieht in die Welt und kehrt nach Jahren erst in die Heimat zurück.[1])

[1]) Der Rest des Buches hat mit Otways Tragödie nichts zu schaffen; bloß daß vielleicht in Kleinigkeiten sich etwa Anklänge nachweisen ließen. Wir lesen z. B. auf Seite 54: „you may find, that the greatest generals, as the wisest lovers, should be storming, and not besieging, what they would take." Daran erinnert eine Sentenz im dritten Akt der „Orphan":

„Onsets in love seem best like those in war,
Fierce, resolute, and done with all the force."

Eine kurze Inhaltsangabe des Ganzen mag immerhin wünschenswert sein: der König und Brandon begleiten die Dame nach dem Schloß Charleton, wo sie zu Gast ist. Heinrich lehnt eine Einladung zum Bleiben ab, während Brandon, den eine Ohnmacht befällt, zur Pflege dort verweilt. Die Gesellschaft belustigt sich in Diskussionen über das Wesen der Liebe und Galanterie. Unverhofft wird jedoch Izabella durch ihren Vater nach Hause gerufen und verheiratet sich auf sein Antreiben gegen ihre Neigung mit einem gewissen Goodman. Die Kunde davon ist ein harter Schlag für Brandon. Der König, welcher inzwischen die Regierungsgeschäfte angetreten hat, beordert seinen Vertrauten, Howard, Izabella für ihn zu gewinnen. Dieser intriguiert aber zu seinen eigenen Gunsten. Er weiß das Vertrauen Goodmans zu erwerben; damit hat er freien Zutritt zu Izabella, und ihre Liebe, bald auch ihre Person, wird ihm zuteil. Um sich nicht zu verraten, sucht Howard den König von dem vorgeblich fruchtlosen Unterfangen abzuschrecken. Dieser gelangt aber durch einen zweiten Abgesandten, Denny, zum erhofften Ziel. Bei Anlaß einer Maskerade ist Izabella seinen Wünschen gefügig. Howard kommt nichtsahnend dazu; er weiß sich aber aus der Verlegenheit zu ziehen und die Gunst des Herrschers sich zu erhalten. Das Haus gerät in Brand; Denny rettet den König und dessen Geliebte. Heinrich läßt ausgeben, daß Izabella beim Brand den Tod gefunden, und bringt sie heimlich nach einem seiner Schlösser, wo sie der Obhut Howards (es ist der Vater des Earl of Surrey) anvertraut. Dieser nimmt sich vor, in Zukunft ehrlich an seinem König zu handeln. Goodman betrauert sein Weib als tot, tröstet sich aber mit Alkohol. Howard müht sich nun, die Liebe des Königs zu Izabella zu ersticken, damit nicht doch einmal sein früheres falsches Spiel zutage komme. Er gibt ihr zu diesem Zwecke ein verkleidetes schönes Mädchen unter dem Namen Horatio als Pagen, und sie verliebt sich auch richtig in ihn. Howard entdeckt dem König das Verhältnis. Zu ihrem Glück erfährt Izabella jedoch im kritischen Moment Horatios wahres Geschlecht. Nun beherrscht sie die Situation und kann sich dem zürnenden König gegenüber unbefangen stellen. Er ist zerknirscht und fleht um Verzeihung, die ihm auch zögernd gewährt wird. Die Geschichte will jetzt zu Brandon zurückkehren; hier aber endet der erste und aller Wahrscheinlichkeit nach einzig erschienene Teil. Die künstlerischen Qualitäten der Novelle sind gering; die Geschichte ist ebenso langweilig als frivol. Von den auftretenden Personen weckt, mit Ausnahme Brandons, keine einzige sympathisches Interesse. Die „History of Brandon" allein bietet den Keim wenigstens zu Bedeutenderem; und aus diesen Ansätzen hat Otway denn auch tiefste tragische Wirkung entwickelt. Die „English Adventures" sind als Ganzes nie wieder gedruckt wor-

Der erste Blick läßt in dieser Erzählung die Fabel der „Orphan" erkennen: die allgemeinen Vorbedingungen, die Hauptpersonen, viele Einzelzüge und, wie noch zu zeigen ist, selbst wörtliche Entlehnungen entstammen der Quelle. Der Vater Brandons trägt unverkennbar die Züge Acastos: „My father having spent much of his time and blood in our late sad and intestine wars, abhorring the necessary cruelties in them, and loathing the vicissitudes of a court-life, retired for ever to a castle of his own . . ." (p. 18). Das ist Zug für Zug das Bild, wie es von Acasto entworfen wird:

> „. . . thrice has he led
> An army against the rebels . . ." und wieder:
> „To hate the court where he was bred and liv' d . . ."

Auch hier ist die Rede von „our late and civil discords". Wenn es weiter heißt, daß Acasto seinen Söhnen nicht erlauben wollte

> „To launch for fortune in th' uncertain world,
> But warnes to avoid both courts and camps . . ."

so hören wir dasselbe aus dem Munde Brandons: „We were never admitted to see a court or an army; and my father who had taken a surfet of both, gave our earlier years such ill impressions of them. . ." (p. 19). Im Gegensatz zu diesem bisher so würdig gehaltenen Charakter steht nun aber die niedrige Motivierung, mit der die Heimlichkeit der Vermählung seines Sohnes mit Victoria begründet wird: „. . . for he [Brandon's brother] knew he could never have obtain' d my father's consent to do it, since her beauty and virtue was all her portion." (p. 35).[1] Durch einen derart gemeinen Zug konnte Otway seinen prächtigen Acasto, der Würde des Alters und jugendliches Feuer so eigen in sich vereint, unmöglich entstellen. Er ließ jenes Motiv weg; aber dabei übersah er, es durch ein geeigneteres zu ersetzen, und so finden wir eine recht merkliche Lücke in der Exposition der Tragödie: das ängstliche Heimlichtun Castalios gegenüber seinem Vater ist ohne jeden ersichtlichen Grund. Daß er den Bruder, dessen Gefühle für Monimia

---

den. Thornton hat im Anhang seiner Otway-Ausgabe (vol. III. p. 323—340) die Brandon-Episode in genauem Abdruck beigegeben; am besten zugänglich ist sie jetzt in Mc Clumphas Textausgabe der „Orphan" in der Belles-Lettres Series.

[1] Das erscheint um so unsinniger als kurz vorher seine vorurteilsfreie Gesinnung rühmend betont wird: „My father, who knew that happiness has its solid throne only in the mind, and that wealth is an excess, which may often be more dangerous than useful . . ."; und aus dieser Ueberzeugung heraus hat er selber seine Gattin geheiratet, although „the calamities of the civil wars had ruin'd her parents' fortune, as they were unable to give her a portion, in the least answerable to her birth and merit" (p. 19). In den gleichen Verhältnissen wie hier Brandons Mutter befindet sich die Monimia der „Orphan":

> „Chamont's estate
> Was ruin' d in our late and civil discords;
> Therefore unable to advance her fortune,
> He left his daughter to our master's care . . ."

er kennt, möglichst lange verschonen will, leuchtet ein; aber eine
Unterredung mit Acasto wäre nur natürlich. Wir wissen, wie
sehr der Greis an seinen Söhnen hängt, wie innig er Monimia
zugetan ist. Seine Denkart, sein Verhalten zu der Werbung des
jungen Chamont um seine Tochter Serina, lassen mit Sicherheit
schließen, daß ihm eine Verbindung Castalios mit seiner Schutz-
befohlenen willkommen sein dürfte. Vielleicht ist der Grund dieses
Widerspruchs in Castalios impulsiver, willensschwacher Natur zu
suchen, für welche jede energische Entscheidung etwas Peinliches
bedeutet. Doch glaube ich nicht, daß Otway daran gedacht hat;
mir ist, wie gesagt, ganz einfach ein Versehen des Dichters das
wahrscheinlichste.

Die Freundschaft zwischen Brandon und seinem Bruder ist
dieselbe, welche Castalio und Polydore verbindet: „. . . possibly
never any friendship was greater than that between my brother
and I; we seem' d to have but one soul, which actuated both our
bodies; and we were dearer to each other, by the tyes of friendship, than by those of blood." Im ersten Akt der „Orphan" lesen
wir:

> „Neither has any thing he calls his own,
> But of each other's joys as griefs partaking;
> So very honestly, so well they love,
> As they were only for each other born."

Wie Castalio und Polydore mit Vorliebe der Jagd obliegen,
so auch die zwei Brüder in der Novelle: „. . . we joyfully dedicated
the hours of our vacancy to no other pleasures, but those of
hunting and hawking, and such harmless divertisements of a
country life" (p. 20). Von der Liebe der Beiden zum selben Mädchen erzählt Brandon: „My brother never told me of his passion,
neither did I acquaint him with mine; which was the first and
onely secret we kept in reserve from one another." (p. 21). Dies
ist im wesentlichen die Situation der „Orphan"; mit einem tief-
gehenden Unterschied jedoch: nur einen der Brüder, nur Castalio,
trifft hier die Schuld des verhängnisvollen Schweigens. Damit
rückt das Verhältnis in ein neues Licht; die Grundlagen zur tragischen Entwicklung sind erst jetzt geschaffen, da Polydore nicht
der skrupellose Intrigant bloß ist, sondern der Gekränkte zugleich
und Mißachtete. Fast mit denselben Worten erfolgt dann die Verabredung wegen des nächtlichen Zusammentreffens. Victoria sagt:
„This night at midnight, and three soft strokes at the upper part
of [the] chamber door, [shall] be, the sign for admittance"; und
sie fügt bei: „Forget not, sir, there is nothing but a painted
wainscot between your mother's beds- head and mine, and therefore if you speak one word, it may be over- heard, and I shall be
ruin' d." (p. 24). Monimia äußert sich mit diesen Worten:

> „Just three soft stroaks upon the chamber- door;
> And at that signal you shall gain admittance:

> But speak not the least word; for if you should,
> 'Tis surely heard, and all will be betray'd."

Der Page Polydores, diese unerquicklichste Gestalt in Otways Drama, ein widriger Zwitter von Kind und Kuppler, findet sich in Brandons Erzählung bereits vorgezeichnet. Wir lesen dort: „While things were in this posture, one morning he [Brandon's brother] went out very early a hunting, my page, who was fond of that recreation, very officiously waked me, to give me notice of it; hoping I would be a sharer in it, and consequently he, who usually attended me." (p. 22).[1]) Für die wilden Verwünschungen, mit denen der um seine Hoffnung betrogene Castalio am Ende des dritten Aktes dem ganzen weiblichen Geschlechte flucht, ist der Keim ebenfalls in der Erzählung zu finden: „. . . finding no single object on which to vent my despair, I was so criminal . . . as to curse the whole sex", erzählt Brandon (p. 25). Genau entsprechend ist in beiden Werken die Frage, mit der am folgenden Morgen das Mädchen den Geliebten begrüßt: „Now I may hope you 're satisfy'd —", spricht Monimia Castalio an: „I hope, sir, you are now satisfied —", sagt Victoria. Und auch die zürnende Antwort des erbitterten Mannes stimmt überein: „I am

Well satisfy'd, that thou art — Oh! —",

sind die Worte Castalios. In der Novelle wird der bei Otway so wirksam abgerissene Gedanke ausgesprochen: „Yes I am satisfied; — But 'tis, that you are the falsest of women, and ere long, you shall be satisfied my resentment shall be as great as my affront." (p. 28). Der Augenblick, in welchem der Betrogenen die plötzliche Ahnung des an ihr begangenen Frevels aufsteigt, ist sehr ähnlich geschildert. Brandon berichtet: „She onely answer'd me with a deep sigh; at which I smil'd, and acquainted her I had heard all that had past between her and my brother. She knew I had too much concernment for her, not to be sensible of her then condition, and therefore having a-while reflected on my smiling, on a sudden she cast her eyes towards me, and fixing them stedfastly on me, she told me, „I conjure you, Brandon, to tell me, and truly too, where you lay last night." I instantly answer'd, „With the greatest beauty of the world" . . .". Die entsprechende Szene der „Orphan" im vierten Akt lautet:

„Polydore: What mean these sighs? And why thus beats thy heart?
. . . I am no stranger to your dearest secret;
I know your heart was never meant for me,
That jewel 's for an elder brother's[2]) price . . .

---

[1]) vgl. die Worte des Pagen im dritten Akt der „Orphan":
„Indeed, my lord, 't will be a lovely morning;
Pray let us hunt."

[2]) Hier wie sonst gelegentlich nennt Otway Castalio als den ältern Bruder, während er zu Anfang ausdrücklich hervorhebt, daß die beiden Zwillinge sind. Die leichte Inkonsequenz erklärt sich aus der Quelle, wo Brandon wirklich der jüngere der beiden Brüder ist.

102

Monimia: I fear you 're on a rock will wreck your quiet,
                And drown your soul in wretchedness for ever;
                A thousand horrid thoughts crowd on my memory.
                Will you be kind and answer me one question? . . .
                Nay, I 'll conjure you by the gods, and angels,
                By the honour of your name, that 's most concern' d,
                To tell me, Polydore, and tell me truly,
                Where did you rest last night?
Polydore: Within thy arms
                I triumph' d: rest had been my foe."

Die Enthüllung, daß sie das Weib des Bruders ist, gibt Victoria mit diesen Worten: „Ah, Brandon, you have ruin' d your brother, and me, and your self, if at least the friendship you have hitherto paid him, be not a fiction; for I am your brother's wife . . ." (p. 31). Monimia wiederholt dies fast wörtlich:

      „Oh, Polydore, if all
      The friendship e 'er you vow' d to good Castalio
      Be not a falshood, if you ever lov' d
      Your brother, you 've undone your self and me . . .
      Oh! I 'm his wife."

Die genaueren Umstände der heimlichen Vermählung sind hier wie dort dieselben: die Liebenden treffen sich in einem Hain, wo der Priester ihnen den Segen erteilt.

Von da weg aber verläßt Otway seine Quelle; ganz aus Eigenem hat er den Schluß gestaltet. Die halbe, unfreie Lösung der Novelle konnte ihm nichts geben: seine Kunst verlangte eine schrankenlose Steigerung aller Leidenschaften, eine seelische Spannung, für welche die furchtbarste Katastrophe noch Erlösung bedeuten mußte. Dies ist in Kürze die Handlung seines fünften Aufzugs: Castalio will die Geliebte nicht wiedersehen; er glaubt, daß sie ein frevles Spiel mit ihm getrieben. Doch als ihr Mädchen mit lauter Klage berichtet, daß die Herrin, halb von Sinnen, nach ihm verlange, da schwinden Stolz und Härte, und die Liebenden finden in unendlicher Zärtlichkeit sich wieder. Einen Augenblick nur; denn Monimia weiß, daß es ein Abschiednehmen für immer ist; aber die Kraft zum Geständnis gebricht ihr. Castalio kann das alles sich nicht deuten: er fühlt nur, daß etwas Ungeheures droht. In Polydore wütet die Reue über seine Tat; er will von der Hand des Bruders die Strafe empfangen. Durch verstellten Hohn und Haß bringt er ihn in Zorn. Sie fechten: Polydore wirft den Degen weg und stürzt sich in die Waffe Castalios. Sterbend beichtet er sein Verbrechen. Auch Monimia sagt dem Geliebten Lebewohl; sie stirbt an Gift, das sie genommen. Castalio sehnt sich nach der Ruhe, die der Tod allein gibt:

      „. . . curst to the degree
      That I am now, ' tis this must give me patience:
      Thus I find rest, and shall complain no more. —"

Er ersticht sich; sein letzter Wunsch ist ein gemeinsames Grab mit Monimia.

In Kleinigkeiten nur lassen diese letzten Szenen noch die Quelle erkennen. Den Vorschlag, dem hintergangenen Bruder durch Vertuschung des Vorgefallenen das Elend zu ersparen, macht auch Polydore einen Augenblick; aber er überzeugt sich sofort von der Unmöglichkeit einer befreienden Lösung. In der Erzählung kommt dieser Episode ein breiter Raum zu, da Victoria stillschweigend auf den Vorschlag eingeht; allerdings ist die Begründung, die dem Bruder alles in schonenderem Lichte zeigen soll, plump genug: „She had locked him out of her chamber one night, meerly to try his temper . . ." (p. 32—33). Wenn wir zu Beginn des letzten Aktes Castalio sehen, wie er im Garten qualerschöpft auf der Erde liegt, so findet auch Brandon den Bruder „in a grove of the park, lying his full length, near a brook, and in troubles almost as great as mine" (p. 33). Und endlich hat die Bitte des sterbenden Castalio in der Erzählung ihren Ursprung, wo Brandon von seinem Bruder berichtet: „that by his repeated desires, he was buried in the same grave with her."

Das Hauptmotiv der „Orphan", daß der Mann sich in den Besitz des geliebten Weibes bringt, indem er die Gestalt des begünstigten Nebenbuhlers vorzutäuschen versteht, ist ein Thema, das in unendlichen Variationen durch die gesamte Weltliteratur sich verfolgen läßt. Aus dieser Tatsache erklären die widersprechenden Ansichten über Otways Quelle sich zur Genüge. Wenn wir nachstehend die bekanntesten Fassungen zum Vergleich herausheben, soll namentlich betont werden, wie Uebereinstimmungen in Inhalt oder Ausdruck sich aus dem verwandten Motiv ergeben, ohne daß wir an gegenseitige Abhängigkeit zu denken haben. Es wird sich damit auch zeigen, daß keines dieser Werke zu Otways Trauerspiel in engere Beziehung zu bringen ist.

Seine früheste literarische Gestaltung erhält das Motiv als mythologische Anekdote: es sind Götter, welche mit übernatürlicher Kunst jenen Trug bewirken. So zeigt es uns die Komödie: „Amphitruo" führt von Plautus über Rotrou und Molière bis zu Kleists mißlungener Erneuerung. Einige Jahre nach Otways Tod hat auch Dryden das Thema in einem Lustspiel behandelt: „Amphitryon, or the two Sosias". Herodot erzählt im sechsten Buch (Kap. 68, 69) eine ähnliche Geschichte: die Gemahlin des Ariston wird zu nächtlicher Zeit von einer Erscheinung besucht, welche die Gestalt ihres Gatten trägt; es stellt sich später heraus, daß es ein Gott war. Ohne göttliches Mitwirken und dunkle Kunst geht dagegen die Täuschung vor sich in der zweiten Novelle des dritten Tages bei Boccaccio: „Il pallafreniere della regina Teudelinga." Hier findet der Stallknecht des Langobardenkönigs nachts Einlaß in das Gemach der Fürstin, indem er sich, wie er es von Agilulf gesehen hat, in einen weiten Mantel vermummt.[1]) Der König kommt ihm zwar auf die Spur; doch weiß er sich durch Schlauheit zu retten.[2]) Eine Hauptrolle spielt die verhängnisvolle Verwechslung vor allem dann in den verschiedenen Bearbeitungen der Don Juan-Sage. Gleich das älteste dieser Dramen, des Tirso de Molina (Gabriel Tellez) „Burlador de Sevilla y Convidado de piedra" hebt mit dieser Szene an: Don Juan hat Einlaß in das Gemach der Herzogin Isabela gefunden; sie hält ihn für ihren Verlobten Octavio. Die Stunde des Abschieds ist gekommen; Isabela spricht:

„Quiero sacar / Una luz.

Don Juan: Pues; para qué?
Isabela: Para que el alma dé fe / Del bien que llego a gozar.
Don Juan: Mataréte la luz yo.
Isabela: Ah cielo! Quién eres, hombre?
Don Juan: Quién soy? Un hombre sin nombre.
Isabela: Que no eres el Duque?
Don Juan: No."

Italienische Dichter (Gilberti, Cicognini) und französische (Dorimond, Molière) griffen den Stoff auf. Näher als alle diese Bearbeitungen mußte Otway diejenige seines Freundes Shadwell stehen, die einzige, die es in englischer Sprache damals gab. Der „Libertine", ein abstoßend rohes Stück, war 1676 erschienen; Otway hat ihn ganz ohne Zweifel gekannt. Eine Szene des ersten Aktes ruft die „Orphan" wenigstens flüchtig in Erinnerung: Don Juan bringt Maria ein Ständchen; sie hält ihn in der Dunkelheit für ihren Geliebten Octavio, und fordert ihn schriftlich zum geheimen Stelldichein auf. Octavio, der ebenfalls zur Stelle kommt, wird von Juan im Zweikampf erschlagen. Dieser gibt an der Gartenpforte das verabredete Zeichen; das Kammermädchen öffnet ihm und führt ihn zu ihrer Herrin. Sie müssen sorgfältige Stille wahren, um nicht den Verdacht eines eifersüchtigen Bruders zu erregen. In den „English Adventures" ist von einer Dienerin, die von den Liebenden ins Vertrauen gezogen wird, nicht die Rede; wohl aber in ganz gleicher Weise bei Shadwell und Otway. Ueberdies trägt das Mädchen in beiden Stücken denselben Namen: Flora nennt sie Shadwell, Otway Florella. Es ist denkbar, daß er diese Nebenrolle und zugleich den Namen bei Shadwell entlehnt

---

[1]) Die Stelle, wo der Knecht den König bei seinem nächtlichen Besuche belauscht, erinnert einigermaßen an die entsprechende Szene der „Orphan": „. . . si nascose; et in tra l'altre una notte vide il re uscire della sua camera inviluppato in un gran mantello, et aver dall' una mano un torchietto acceso, e dall' altra una bacchetta, et andare alla camera della reina, e senza dire alcuna cosa percuotere una volta o due l'uscio della camera con quella bacchetta, et incontanente essergli aperto, e toltogli di mano il torchietto . . ."

[2]) Dieser zweite Teil gemahnt an die Streiche des listigen Diebs im „Schatz des Rhampsinit" (Herodot, II. 121).

hat. Ihr kurzes Zwiegespräch mit dem Einlaß heischenden Betrüger klingt in beiden Szenen recht ähnlich; bei Shadwell:

„Flora: Octavio?
Don John: The same.
Flora: Heaven be prais'd! my lady thought you had
           been kill'd."

bei Otway:
„Florella: My lord Castalio?
Polydore: The same. / How does my love, my dear Monimia?
Florella: Oh! / She wonders much at your unkind delay . . .".

Eine unabhängige Ausgestaltung hat das Motiv im Kreis der Artus-Sage gewonnen. Uther Pendragon gewinnt die Liebe Igernes, indem er durch Merlins Zauber die Gestalt ihres Gatten Gorlois annimmt; er wird so der Vater des Artus. Gottfried von Monmouth erzählt dies im neunzehnten Kapitel des achten Buches; in genauem Anschluß an ihn Robert of Gloucester in seiner Reimchronik (v. 3281 ff.). Robert de Borron gibt in seinem „Merlin" die Episode gleichfalls nach Geoffrey, mit Abweichungen jedoch, die Gaston Paris auf Wace zurückführt. Der französische Prosaroman bringt eine ausführliche Darstellung, worin auch das Mittel, das die Verwandlung bewirkt, eigens beschrieben ist.[1]) Ganz vereinzelt endlich bildet ein ähnliches Ereignis den Vorwurf der Ballade „Glasgerion" in Percys „Reliques" (Series the Third, Book I. No. 7). Der Herausgeber schickt die Notiz voraus: „An ingenious friend[2]) thinks that the following old ditty . . . may possibly have given birth to the tragedy of „The Orphan", in which Polidore intercepts Monimia's intended favours to Castalio." Die Führung der Handlung weist namentlich im tragischen Ausgang eine

---

[1]) „Merlin. Roman en Prose du XIII. Siècle, publié par Gaston Paris et Jacob Ulrich." Paris 1886. p. 98 ff. (besonders 110 f.).

[2]) Dieser Freund ist Horace Walpole, wie aus einem Brief hervorgeht, den er am 5. Februar 1765 an Th. Percy schreibt: „. . . as the ditty of Glasgerion seems evidently to have given birth to the tragedy of The Orphan, in which Polidore profits of Monimia's intended favours to Castalio." Eine ganz andere Version über die Fabel der „Orphan" gibt Walpole in einem Brief an George Montagu, am 8. Oktober 1751: „I came yesterday from Woburn, where I have been a week . . . They showed me two heads, who, according to the tradition of the family, were the originals of Castalio and Polidore — they were sons to the second Earl of Bedford, and the elder, if not both, died before their father. The eldest has vipers in his hand, and in the distant landscape appears a maze, with these words, Fata viam invenient. The other has a woman behind him, sitting near the sea, with strange monsters surrounding her . . ." (Für eine ausführlichere, etwas abweichende Schilderung der Gemälde vgl. Toynbees „Supplement to the Letters of Horace Walpole", II. 92). Vierzig Jahre später kommt Walpole noch einmal auf die Bilder zu sprechen, in einem Brief vom 30. September 1791 an die Countess of Upper Ossory: „I remember two curious pictures . . . which the first time I was at Woburn the Duchess of Bedford told me were two sons of the second Earl, and that from their story the subject of „The Orphan" was taken . . . Did you ever hear of that anecdote, Madam, and can you tell me more of it?"

gewisse Verwandtschaft mit Otways Tragödie auf; doch ist an eine unmittelbare Beziehung nicht zu denken. Glasgerion ist ein Königssohn und Minnesänger. Die Prinzessin von der Normandie will ihm zur Nacht Einlaß in ihr Gemach gewähren. Indes er schläft, macht sein Knappe aber von der Gelegenheit Gebrauch. Wie Glasgerion dann selber zur Prinzessin kommt, erkennt diese den Betrug. Sie gibt sich mit eigener Hand den Tod; Glasgerion tötet den Knappen und dann sich selber.

Ein Drama bleibt noch etwas genauer zu besehen, das wiederholt als Vorlage der „Orphan" genannt worden ist: Robert Tailors „Comedy": „The Hogge hath lost his Pearle." [1]) Es ist ein fünfaktiges Doppelspiel, dessen zwei Handlungen unter sich ganz dürftig und rein äußerlich nur verbunden sind. Sie wechseln automatisch Szene für Szene miteinander ab. Die eine stellt ein derbes Possenspiel dar, in welchem ein alter Wucherer von zwei jungen Gesellen mit Hilfe seiner Tochter Rebecca um seine Schätze geprellt wird und zuguterletzt sich zum ehrlichen Manne bekehrt. Von ihm hat das ganze Stück den Titel. Für uns kommt diese in der Hauptsache in Prosa gehaltene Episode weiter nicht in Betracht. [2]) Die dazu parallel laufende Handlung soll offenbar das vornehmere Gegenstück zu den mehr niedrig komischen Prosaszenen darstellen; sie ist größtenteils in Blankversen, allerdings oft recht ungelenken, gehalten. Ihre Entwicklung, in der Unwahrscheinlichkeiten massenhaft mitlaufen, scheint auf einen tragischen Ausgang geradezu hinzudrängen, und der befriedigende Schluß wirkt erzwungen und unwahr. Der Gang der Ereignisse ist folgender: Der Edelmann Carracus will mit der Hilfe eines Freundes, Albert, seine Geliebte Maria, die Tochter des Lord Wealthy, entführen. Albert findet sich zuerst unter ihrem Fenster ein; Maria hält ihn in der Dunkelheit für Carracus und winkt ihm zu. Er widersteht der Lockung nicht und steigt auf der Strickleiter zu ihr empor. Beim Eintreten löscht er das Licht. Dem später kommenden Carracus gegenüber weiß er sich unbefangen zu geben. Nichts ahnend treten die Liebenden ihre Flucht an. Einen Monat später (!) bemerkt Carracus an der Hand Marias einen Ring, den er als Eigentum Alberts erkennt. Sie erklärt, daß er in jener ersten Nacht ihn in ihrem Gemach verloren. Da erst enthüllt sich das Verbrechen des

---

[1]) Der volle Titel der Original-Ausgabe in Quarto lautet: „The / Hogge / Hath Lost / His Pearle. / — / A Comedy. / — / Divers Times / Publikely acted, by certaine / London Prentices. / — / By Robert Tailor. / — / [Vignette] / London, / Printed for Richard Redmer, and are to / be solde at the West-dore of Paules / at the signe of the Starre. / 1614. / " Als Quelle Otways nennt z. B. H. W. Singer das Stück in seiner Arbeit über „das bürgerliche Trauerspiel in England" (Leipzig 1892): „Diese Handlung scheint zweifellos das Vorbild zu Otway's bekanntem „The Orphan" gewesen zu sein."

[2]) Die Aehnlichkeit mit einzelnen Szenen in Shakespeares „Merchant" verdient Beachtung; vgl. dazu Köppel: „Shakespeare's Einfluß auf zeitgenössische Dramatiker" (p. 77); auch Wards Dram. Lit. III. 157.

Freundes. Maria wird ohnmächtig weggetragen, und bald erhält Carracus Nachricht, daß sie gestorben. In Wirklichkeit will sie sich auf immer verbannen und flieht in Pagentracht in die Wälder. Carracus wird irrsinnig. Albert lebt als Büßender in eben dem Walde, in welchem Maria Zuflucht sucht. Da sie ermattet zusammenbricht, naht er in der Tracht eines Einsiedlers und ruft sie ins Leben zurück. Carracus wird von seinen verstörten Sinnen an den gleichen Ort geführt. Durch einen Trunk aus einer wundertätigen Quelle schafft Albert ihm den Verstand wieder. Carracus und Maria finden sich aufs neue; Albert, der sich zu erkennen gibt, erlangt volle Verzeihung. Versöhnt kehren die Drei aus der Einöde zurück, und alles löst sich in Wohlgefallen:

> „Come my Maria and repentant friend,
> Wee three haue tasted worst of misery,
> Which now adde ioy to our felicity."

Mit Otways „Orphan" hat das Stück nichts gemeinsam als das Motiv jener unheilvollen Verwechslung und des daraus entspringenden Frevels. Daß wir aus diesem Zusammentreffen eine Abhängigkeit noch lange nicht konstruieren dürfen, hat der Ueberblick auf die verschiedenen Behandlungen des Themas wohl hinlänglich gezeigt. [1]) Wörtliche oder gedankliche Anklänge führen keine von Tailor zu Otway; wir haben keinen Anhaltspunkt, daß dieser das ältere Stück auch nur gekannt hat. „The Hogge hath lost his Pearle" ist ebensowenig die Vorlage der „Orphan" als irgend eine andere unter all den Bearbeitungen des nämlichen Motivs. Otways Quelle ist einzig die Geschichte Brandons in den „English Adventures". [2])

Von allen Angriffen, welche die „Orphan" erfahren hat, kehrt keiner mit größerer Regelmäßigkeit wieder als der, daß sie in ihren Voraussetzungen und ihrer Entwicklung gegen die Sittlichkeit verstoße. Wollte ein Kritiker heute mit sittenrichterlichem Eifer über Wedekinds „Lulu" oder meinetwegen auch nur Strindbergs „Fräulein Julie" aburteilen, es würde niemand ihn ernst nehmen: doch ist zum Beispiel gerade in diesen zwei Stücken die schwüle Hauptsituation der „Orphan" mit größerer Realistik zur Darstellung gebracht. Wir wissen endlich, daß der moralische

---

[1]) Um noch ein Beispiel zu geben, wo direkte Beziehung ausgeschlossen ist, sei auf eine Uebereinstimmung des Dramas Tailors mit Lenaus „Don Juan" hingewiesen: wie der Betrüger bei der Geliebten eintritt, gibt Tailor die szenische Anmerkung: „Albert ascends, and being on the top of the ladder, puts out the candle", worauf Maria ausruft: „Oh, love, why do you so?" Entsprechend steht bei Lenau: „Herzogin Isabella sitzt lesend bei einer Lampe; Don Juan tritt leise ein und wirft sein Barett in die Lampe, daß sie erlischt." (Bei Tirso wird das Licht erst beim Abschied gelöscht, als Isabela es anzündet, um das Antlitz des Geliebten zu schauen.)

[2]) Eine Rezension der „Orphan" im „Gentleman's Magazine" von 1748 (unterzeichnet N. S.) weist darauf hin, daß Otway bei Castalio und Polydore vielleicht an Guiderius und Arviragus (P o l y d o r e und C a d w a l) im „Cymbeline" gedacht hat.

Standpunkt in der Poesie eine Anmaßung und ein Unrecht gegenüber dem Dichter bedeutet. Wir „rufen nicht mehr nach Philipp von Makedonien", wie Spitteler es ausdrückt; unser Urteil formt sich nicht danach, wie des Dichters sittliche Anschauungen den unsern entsprechen, wir werten nach dem Grad ästhetischer Befriedigung, den das Kunstwerk uns schafft. Soviel Unbefangenheit bringen wir für die Kritik auf, wenn es um zeitgenössische Dichter sich handelt;[1]) wenn wir Schöpfungen früherer Epochen betrachten, fallen wir oft genug kläglich in den alten Dünkel zurück. So können wir denn den Vorwurf der Unmoral gegenüber Otways „Orphan" bis in unsere Zeit herein verfolgen, besonders natürlich in der englischen Literaturbetrachtung: auch Gosse ist darin engherzig.[2]) Als krasses Beispiel dieser Art von Kritik mag ein Auszug aus dem „Dramatic Censor" von 1770 hier stehen: „In this tragedy we meet with many strokes of peculiar sensibility; the story affords great opportunity for such, and yet the plot not only abounds with improbable irregularities, but is originally founded upon a most gross and offensive principle; every idea of delicacy is cast aside, and licentiousness made the vehicle of melting impressions; the stage is so incumbered with blood and death, that it becomes a spectacle of real horror; the characters give us in general a very unfavourable idea of human nature; however, they are well supported, according to the principles on which each appears to be founded . . . After admitting much of the pathos in this tragedy, so much as even to render it a good acting piece, we are again to complain of gross licentiousness, without the shadow of a moral; wherefore we deem it highly censurable, and sincerely lamenting such a vile prostitution of Otway's masterly talents, most sincerely wish it banished by general consent, both from the closet and the stage." Und wenn wir nach solchen verdammenden Urteilen an das Stück selber herantreten, wartet uns freudige Ueberraschung: einen heiklen, spröden Stoff behandelt Otway hier mit einem künstlerischen Ernst und einer tragischen Würde, die den Menschen und Dichter gleichermaßen ehren. Nur einem wahrhaft Großen konnte es gelingen, diese Fabel in die Höhe vollkommener Schönheit zu heben, sie mit einem Hauch seelischer Reinheit zu adeln. Daß eine Tragödie, die der Pulsschlag flammender Leidenschaft durchbebt, nicht mit dem konventionellen Wortschatz des flachen Rührstücks auskommen kann, ist selbstverständlich: die starken, wild sinnlichen Ausbrüche, die man Otway zum Vorwurf gemacht hat, sind dichterische Notwendigkeit.

Ganz und gar nicht in Abrede zu stellen ist, daß der Komposition der Tragödie eine Menge schwerwiegender Mängel an-

---

[1]) Oder dann bei solchen, über welche bereits die literarhistorische Unfehlbarkeitserklärung ausgesprochen: wie würde die ganze Zunft Zeter schreien, wenn einer mit moralischen Bedenken an die „Römischen Elegien" heranträte!

[2]) Das Albernste leistet allerdings wohl Eduard Engel.

haften. Auf einzelne habe ich schon hingewiesen: Castalios uner-
·klärliches Verhalten gegen seinen Vater; die widernatürliche Rolle
des Pagen. Besonders aber war von jeher die Art, wie die Täuschung Monimias durch Polydore motiviert wird, Gegenstand leb-
hafter Kritik. Es ist in der Tat die schwache Stelle in der sonst so
streng geschlossenen Kette des Geschehens. Einzig hier tritt an
die Stelle der innern Notwendigkeit ein rein zufälliger Faktor; der
Dichter muß zu einem äußerlichen Hilfsmittel greifen. Es ist ohne
weiteres zuzugeben, daß gerade diese Aeußerlichkeit der Begründung im Hauptmoment der Handlung dem Stück zum schweren
Nachteil gereicht. Nur darf man das Geschick, mit dem die Täuschung glaubhaft gemacht wird, nicht unterschätzen. Der oft
wiederholte Witz: „Oh! what an infinite deal of mischief would a
farthing rush-light have prevented", ist billig, aber er trifft nicht.
Der Umstand, daß das Gemach des alten Acasto unmittelbar an das
Monimias anstößt, erklärt das verabredete Schweigen und das
Fehlen eines Lichtes gut genug; und dann soll man nicht vergessen,
daß die Beiden die Wonne ihres jungen Glückes genießen wollen:
für ihre süße Heimlichkeit brauchen sie ein Licht wahrlich am
allerwenigsten. Als einen „groben technischen Fehler" bezeichnet
es Mosen, daß das Mädchen Monimias den Einlaß heischenden
Polydore nicht an der Stimme erkennt. Der Vorwurf ist nur zum
kleinen Teil berechtigt. Einmal spricht Polydore im ganzen kaum
zwei und einen halben Vers, [1]) dazu mit sehr gedämpfter Stimme.
Die Situation ist derart, daß eine besondere Klangfarbe schon aus
der erregten Stimmung heraus unverdächtig erscheinen dürfte.
Dazu sind die Beiden Zwillingsbrüder; also möchten ihre Stimmen
ganz wohl schon eine gewisse natürliche Aehnlichkeit haben. Das
alles läßt die Täuschung nicht unmöglich, auch nicht einmal unwahrscheinlich vorkommen. Man kann allerdings entgegenhalten,
daß ja gleich darauf Castalio längere Zeit mit dem Kammermädchen
spricht. Doch ist nicht zu vergessen, daß diese im festen Glauben
ist, Polydore vor sich zu sehen, der durch solche Verstellung sich
Einlaß erlisten wolle; und die täuschend echte Nachahmung der
Stimme eines andern ist schließlich nichts Unerhörtes.

Auf eine wirkliche Unbeholfenheit im technischen Aufbau hat
Gildon schon aufmerksam gemacht:[2]) „Otway, in the first scene
of his Orphan, has endeavour'd to avoid this fault of soliloquy,
by introducing Ernesto and Paulino; but it is done so aukwardly,
that it is evident that they only repeat to one another things known
to them both, meerly to tell them us; for that scene has nothing to
do with the rest of the play, and has many years been cut out in
the representation, without the least maim to the action."

---

[1]) Die Zofe redet nicht, wie H. W. Singer behauptet, „eine lange Zeit
mit ihm"; das allerdings wäre „unmöglich und unnatürlich".

[2]) „The Laws of Poetry, as laid down by the Duke of Buckinghamshire . . . By the Earl of Roscommon . . . and by the Lord Lansdowne . . .";
London 1721.

Können wir jedoch mit diesen strittigen Voraussetzungen uns einmal abfinden, so ist alles übrige schlechthin vollendet. Der Bau der Tragödie ist von einer gewaltigen Geschlossenheit, einer mächtigen, fieberischen Spannung. Die Einheit von Zeit und Ort ist ungezwungen, aber höchst wirksam gewahrt. Zwischen dem Abend des ersten und dem Morgen des zweiten Tages jagen sich die Ereignisse Schlag auf Schlag. Die Szene wechselt nur zwischen Haus und Garten; bloß in den letzten zwei Aufzügen erfolgt auch innerhalb des Aktes ein einmaliger Szenenwechsel. Durch die Eröffnung Polydores gegen seinen Bruder wird gleich nach der einleitenden Dienerszene das Thema der Tragödie angeschlagen, und mit unerbittlicher Folgesicherheit nimmt das Verhängnis seinen Fortgang. Nur scheinbar bringt das Auftreten Chamonts ein retardierendes Moment hinein; in Wirklichkeit beschleunigt es nur die Katastrophe. Keine, auch noch so unbedeutende, Nebenhandlung lenkt für Augenblicke das Interesse auf sich; die Liebe Chamonts und Serinas ist nur mit flüchtigen Worten erwähnt. Keine komische Szene, wie wir in „Venice Preserved" sie finden, steht zu der mitleidlosen Härte des Geschehens in linderndem Kontrast. „The Orphan" ist ein Trauerspiel von reinster Tragik. Wundervoll ist die mächtige Steigerung des Affekts, als lebte der Dichter mit wachsender Heftigkeit die Leidenschaften seiner Geschöpfe mit bis zum vernichtenden und darum versöhnenden Ende. Der Tragiker Otway kennt keine Kompromisse; am Schluß seiner Trauerspiele steht der Tod. Aber nicht als Popanz, um das Stück nachdrücklich als Tragödie zu dokumentieren. Wir empfinden sein Kommen als Notwendigkeit; jede andere Lösung ist unmöglich. Und gerade dieses Unausweichliche nimmt dem Ende das Schreckhafte; es zerstört, aber es löst und sühnt auch. Und nicht einzig auf Vernichtung läuft es hinaus; die Schuldigen haben gebüßt, aber ein reineres Geschlecht bleibt zurück, das mit ernstem Mute neuen Hoffnungen entgegengeht:

> „'Tis thus that Heav'n its empire does maintain;
> It may afflict, but man must not complain."

Beachtung verdient der Umstand, daß der Dichter sich nicht im geringsten bemüht, seinem Stück irgend welche Lokalfarbe zu geben. Böhmen wird zwar als Schauplatz genannt; diese Angabe ist ganz äußerlich: kein Wort im Stück selber weist darauf hin. Die Namen sind mit einer offenkundigen Rücksicht auf Wohlklang gewählt; sie sind poetisch, ohne reale Beziehungen. Der Grund zu diesem liegt nicht in einem Unvermögen des Dichters: es ist ein ernstes und großes Streben darin, das Tragische in seiner reinen Gewalt darzustellen, losgelöst von zeitlichen und örtlichen Beschränkungen, im vereinzelten Geschehen Ewiges zum Ausdruck zu bringen. Weder ein historisches noch ein bürgerliches Trauerspiel will Otway schreiben, sondern eine Tragödie allgemein menschlicher Leidenschaften in allgemein gültiger Form. Doch lag es natürlich nahe, in der „Orphan" etwas wie eine bürgerliche Tragödie zu erblicken, und ein ungenannter Verfasser hat 1704 sogar den Versuch gemacht, sie regelrecht zu einer solchen umzumodeln. Dieses Drama, „A Fatal Secret, or the Rival Brothers", ist ein interessantes Beispiel dafür, wie die ängstliche Sorgfalt des Dilettanten in Kleinigkeiten dem Dichter nachzubessern versteht, wenn sie dem Werk in seiner Größe nicht Schritt zu halten weiß. „The Rival Brothers" ist ein dürftiger Abklatsch der „Orphan"; aber in Einzelheiten ist die Motivierung korrekter. Selbständigen Wert kann man dem Werk nicht zusprechen. Wie der Verfasser die Verse Otways zusammenstückt und mißhandelt, mögen ein paar Beispiele dartun:

„Orphan":   „Distrust and heaviness sits round my heart,
                  And apprehension shocks my timorous soul."

„Rival Brothers": „A heavy dread sits close about my heart,
                  Which checks my perfect satisfaction."

„Orphan":   „He left his daughter to our master's care;
                  To such a care as she scarce lost a father."

„Rival Brothers": „My sons have scarce perceiv'd they have no father,
                  So generously have you discharg'd the care."

Castalios letzte Worte: „Now all I beg, is, lay me in one grave
                      Thus with my love. Farewel, I now am —
                      nothing",

sind folgendermaßen verballhornt:

        „Madam farewel, and you my lord adieu —
        Let one grave hold us both. —"

Monimias wundervolle Abschiedsworte schrumpfen zu diesem kläglichen Rest zusammen:

        „I truly feel your grief, and may your next —
        May your next choice give you the happiness,
        Which my misfortunes have depriv'd you of."

Und am Ende kommt die Moral:

        „What dreadful conflagrations have proceeded
        From only some unheeded spark at first!
        A secret proves as fatal many times
        Amongst true friends: for some cannot be just,
        But where there is good reason for distrust."

Viel amüsanter als diese schülerhafte Nachahmung der „Orphan" ist aber ein Vergleich, den Hans Wolfgang Singer in der schon genannten Abhandlung zwischen den „Rival Brothers" und Otways Trauerspiel zieht, und der an rührender Verständnisschwäche alles überbietet, was auf diesem Gebiet etwa geleistet wurde. Einige Stellen sollen zur Erheiterung hier folgen: „Unser Stück spielt auf einem Englischen Landgute, was uns genügend eingeprägt wird. Der Besitzer ist Vater des Mädchens; die übrigen Handelnden sind seine Gäste. Diese führt er in seinem Besitztum umher, zeigt ihnen den Park, die Wasserkünste, erklärt ihnen die Bilder in seiner Gallerie; bei dem Mahl hören wir die zufälligen Zwischenreden neben den wichtigen, ganz so wie es in der Wirklichkeit zugeht. Das alles fehlt bei Otway. Alle seine Gestalten sprechen nur mit Beziehung auf die Haupthandlung. Kein Wort ermöglicht uns, die Vorgeschichte der Auftretenden näher kennen zu lernen; kein Wort deckt irgend welche Beziehung zum praktischen alltäglichen Leben auf. Es sind alles Theaterfiguren . . . Diese zwei Behandlungen desselben Vorwurfs zeigen den Unterschied zwischen den beiden Gattungen der dramatischen Dichtkunst. In „The Orphan" ist das wesentliche ein Zuspitzen auf unmögliche Kontraste. In „The Rival Brothers" wird streng mit der praktischen Möglichkeit abgerechnet." (p. 82 f.) Billig ist es, nach diesen tiefgründigen Darlegungen des Herrn H. W. Singer über den Geist der Tragödie, auch der gegenteiligen Ansicht eines Andern zu gedenken, der gleichfalls einiges vom Wesen dramatischer Kunst verstand:

> „O, die Natur, die zeigt auf unsern Bühnen sich wieder
>   Splitternackend, daß man jegliche Rippe ihr zählt . . .
> Aber, ich bitte dich, Freund, was kann denn dieser Misere
>   Großes begegnen, was kann Großes denn durch sie
>   geschehn? —
> Was? Sie machen Kabale, sie leihen auf Pfänder, sie stecken
>   Silberne Löffel ein, wagen den Pranger und mehr.
> Woher nehmt ihr denn aber das große gigantische Schicksal,
>   Welches den Menschen erhebt, wenn es den Menschen
>   zermalmt? —
> Das sind Grillen! Uns selbst und unsre guten Bekannten,
>   Unsern Jammer und Noth suchen und finden wir hier."

Um die Gestalten des Dichters in dem Sinne zu würdigen, wie er selber sie faßte, müssen wir den Zeitumständen Rechnung tragen. Unumgänglich ist das namentlich, wenn wir dem Charakter des Brüderpaares gerecht sein wollen. Uns berührt ihr Wesen fremd, das Polydores sogar abstoßend: aber es ist kein Zweifel, daß Otway sie mit Sympathie zeichnete, und daß seine Hörer sie auch in dem Sinn aufnahmen. Castalio und Polydore geben uns ein Bild davon, wie die trefflichsten Naturen jener Epoche eigenartig das angeborene Edle mit der Verwilderung der Mitwelt durchsetzten. Ueberzartes Feingefühl und rohe Raserei, innige Hingabe und verstockte Unvernunft widerstreiten sich in Castalio. Härter noch, für uns unvereinbar, ist der Gegensatz von Gut und Böse in Polydore. Wie sein ungezähmtes, herrisches Temperament in den ersten Akten sich Ausdruck schafft, kann die Wirkung auf uns nicht anders als verletzend sein; sie war es nicht zu Otways Zeit: ihr erschien Polydore als das liebenswürdige Muster des selbstbewußten, lebenserfahrenen Edelmanns; und jene uns so unfein berührenden Züge standen in vollkommenem Einklang dazu. Für das richtige Erfassen seines Wesens gibt die „Biographia Dramatica" einen recht guten Hinweis, der von besserem Eingehen in die Absicht des Dichters zeugt als manches spätere Urteil: [1] „Nor can we avoid remarking, that the compassion of the audience has commonly appeared misplaced; it lighting in general on the whining, irresolute Castalio, instead of falling, where it ought to do, on the more spirited and open-hearted Polydore, who, in consequence of concealments on the side of his brother, which he could not have any reason to expect, and by which he is really injured, is tempted in his love and resentment to an act which involves him in greater horror and distress than any of the other characters can undergo, from the more bloody effects it produces." Polydore ahnt nichts von der heimlichen Ehe seines Bruders; er glaubt, daß Castalio so unehrlich an der Geliebten handelt, wie er gegen ihn selber getan hat: da ist es nach seiner Ueberzeugung und nach den Ansichten seiner Zeit „cortesia lui esser villano". Daß Polydore als bedeutender Charakter gedacht ist, zeigt sein Zusammenbrechen vor der Erkenntnis des unwissentlich begangenen Frevels.

Wenn aber diese Gestalten doch immer volle Befriedigung uns vermissen lassen, vor der Heldin der Tragödie, der lieblichen Monimia, muß nüchterne Kritik verstummen. Dem Schönsten, was je ein Dichter geschaut und ihm Wirklichkeit geschenkt, ist dieses Wesen ebenbürtig. Gerade in der Charakterzeichnung Monimias läßt sich verfolgen, wie Otway erst in der Darstellung stürmischer Leidenschaft seine volle Größe zur Geltung bringt. Dämmerzustände der Seele, Stimmungen, aus denen der Keim des Tragischen sprießt, werden zwar angetönt; aber alle Kraft und Schönheit konzentriert sich erst auf den Ausbruch, auf die Katastrophe. Monimia kommt in den ersten zwei Akten uns nicht sehr nahe; im dritten erst nimmt sie das Interesse mächtiger gefangen, und in den beiden letzten Aufzügen tritt alles andere vor ihr zurück. Nichts Ueberragendes, nichts Ungewöhnliches ist in ihrem Wesen: ihre Größe und ihr Leid ist Liebe. Das sind alle die edlen Frauen Otways: Heldinnen oder Märtyrerinnen der Liebe, gewöhnlich beides zugleich. Und so liegt auch in Monimias Liebe zu Castalio schon ihr ganzes Wesen ausgesprochen und auch ihr Verderben: „Oh, but I love him: there 's the rock will wreck me!" [2]

Es ist wiederholt, von Mosen z. B., darauf hingewiesen worden, wie in Otways dramatischen Charakteren eine gewisse Eintönigkeit herrscht. Wir können mit leichter Mühe einzelne Typen durch sein ganzes Werk verfolgen, die in genialen Variationen, aber mit unverkennbarer Familienähnlichkeit, immer wiederkehren.

---

[1] „Biographia Dramatica; or, a Companion to the Playhouse . . ." (London 1812, besonders vcl. III. p. 105).
[2] Vgl. Herders Brief an Caroline Flachsland, vom 1. Mai 1771.

Die Gestalt der Heldin vor allem: denn immer ist sie es, die das Stück beherrscht, um die das tragische Geschehen sich entwickelt und der Katastrophe zustürzt. Jedes seiner Trauerspiele dürfte einen Frauennamen zum Titel tragen: Elisabeth, Monimia, Belvidera. Das Urbild fand Otway im Leben; mit solcher Schönheit schmückte sein Herz die Geliebte, trotz allem herben Einspruch des nüchternen Verstandes vielleicht. „I love, I doat, I am mad, and know no measure; nothing but extreams can give me ease: the kindest love, or most provoking scorn", schrieb er an sie und wenn wir in den Frauen seiner Dramen das ideale Bild schauen, das er in ihr anbetete, werden diese seltsam wilden Ergüsse uns verständlicher. Zwei männliche Charaktere stellt er der Heldin zur Seite: Carlos und Don Juan, Castalio und Polydore, Jaffeir und Pierre; Otway selber im einen wiedergebildet, sein Gegenstück und seine heimliche Sehnsucht im andern. Maßlosigkeit in Glück und Elend kennzeichnet seine Helden wie ihn selber: Segen oder Fluch, nur nichts Alltägliches, Vernünftelndes. Alles und jedes in ihnen ist Gefühl; Wille und Handeln geht ihnen verloren, das Denken sogar verkümmert in der Treibhaushitze eines unnatürlich gesteigerten Gemütslebens. Die Liebe ist diesen Naturen Krankheit, Raserei, eine unentrinnbare Qual. „Love reigns a very tyrant in my heart", sagt Castalio; und so redet Otway die Geliebte selbst an: „my tyrant!", „o thou tormentor!". Oft ist uns, als hörten wir aus diesen Briefen Otways die Stimme Castalios, oft auch, als klage in dessen heftigen Ausbrüchen der Dichter über sein eigenes unentwirrbares Geschick. Es klingt wie das Motto zu Otways Liebesbriefen, wenn Castalio ausruft: „For I must love thee, though it prove my ruin." Fast wie eine Erklärung für die übertriebene Heimlichkeit Castalios gegen seinen Bruder mutet es an, wenn wir in einem der Briefe lesen: „. . . but love, the sum, the total of all misfortunes, must be endur'd with silence; no friend so dear to trust with such a secret . . .". Und es ist zugleich die denkbar beste Charakteristik seines Helden, wenn Otway vom eigenen Wesen klagt: „I have consulted too my very self, and find how careless Nature was in framing me; season'd me hastily with all the most violent inclinations and desires, but omitted the ornaments that should make those qualities become me"; und wenn er an anderer Stelle bekennt: „. . . Nature dispos'd me from my creation to love . . .". In wirksamem Kontrast dazu nun steht der zweite männliche Charakter, Entschluß statt Empfindung, Wille für Gefühl: lieber mit Entschiedenheit zum Bösen als selbstquälerisch schwanken zwischen Gut und Schlimm. Otway hat diese Gestalten mit großer Liebe gezeichnet, Don Juan und Pierre ganz besonders, aber auch Polydore. Er gibt ihnen jene Eigenschaften alle, die ihm fehlten, um sein eigenes Leben stark zu gestalten: der Dichter träumte, was dem Menschen versagt blieb.

Es ist im Einklang mit Otways Streben nach straffer Konzentration, daß neben diesen Hauptpersonen alle andern weit zurücktreten. Selbständige Geltung haben in der „Orphan" nur noch Acasto und Chamont. In flüchtigen Zügen überaus lieblich angedeutet ist Serina. Ohne jede Berechtigung will man oft in Monimias rauhem, ehrenfesten Bruder den vorlauten, lärmenden Bramarbas erkennen. Das schiefe Urteil datiert wohl seit der berüchtigten Kritik Voltaires über die „Orphan".[1]) Es würde sich nicht lohnen, über dieses schmutzige Beispiel literarischen Strauchrittertums ein Wort zu verlieren, würden nicht gelegentlich noch sonderbare Ansichten darüber zur Sprache gebracht. So schwingt sich Mc Clumpha allen Ernstes zu der Behauptung auf: „Voltaire's . . . condemnation of „le tendre et élégant Otway" . . . seems altogether in accord with modern criticism." Die moderne Kritik dürfte sich dafür bedanken, daß schamlose Entstellung des Wahren und krasse Unwissenheit ihre Merkzeichen sein sollten. Voltaire beginnt mit einer witzig sein wollenden Analyse des „Hamlet"; sie ist bornierter als was je ein Rymer über Shakespeare gefaselt. Er schließt: „Si Shakespeare l'emporte . . . sur Corneille, nous avouerons que Racine est bien peu de chose en comparaison du tendre et élégant Otwai." Und dann folgt der Anfall auf Otways Trauerspiel: „Si celle d'Hamlet commence par deux sentinelles, celle de l'Orpheline commence par deux valets de chambre; car il faut bien imiter les grands hommes." Wage es niemand, in der ersten Szene einer Tragödie zwei Personen gleichen Standes auftreten zu lassen, wenn er nicht an Shakespeare ein Plagiat begehen will! Aus der Inhaltsangabe genügt eine Stelle: „Castalio, l'un des deux frères qui est aimé, permet à son cher Polidore de coucher, s'il peut, avec Monime; pourvû que lui, Castalio, puisse aussi avoir le même droit, il est content . . .". Und erhebend ist am Schluß die sittliche Entrüstung des Mannes, der die infame „Pucelle d'Orléans" schrieb: „Si un tel sujet, de tels discours, et de telles moeurs, révoltent les gens de goût dans toute l'Europe, ils doivent pardonner à l'auteur. Il ne se doutait pas qu'il eût rien fait de monstrueux."

Nach Dryden und Lee trat nun auch Otway mit einem großen Blankversdrama auf den Plan. Der Erfolg der „Orphan" hielt ihrem innern Wert die Wage. Die erste Aufführung erfolgte in den letzten Tagen des Februar (oder anfangs März) 1680, bald nach der Heimkehr des Herzogspaares aus Schottland.[2]) Die Rollen-

---

[1]) „Appel à toutes les nations de l'Europe, des jugemens d'un écrivain Anglais; ou manifeste au sujet des honneurs du pavillon entre les théâtres de Londres et de Paris. M. D. CC. LXI." In abweichender Fassung (namentlich am Schluß) steht die Kritik in den „Contes de Guillaume Vadé" (1764), unter dem Titel: „Du Théâtre Anglais, par Jérome Carré" (besonders p. 177—185). vgl. auch: „Oeuvres Complètes de Voltaire", vol. 24. Paris 1879. p. 204—208.

[2]) Im August 1679 hatte eine Erkrankung des Königs den Herzog vorübergehend nach England zurückgerufen; im Oktober holte er seine Gattin in Brüssel ab, und sie reisten am 27. des Monats nach Schottland ab. Am 24. Februar 1680 trafen sie wieder in London ein; doch sah sich der Herzog

besetzung war eine vorzügliche: Betterton selber spielte Castalio, Williams den Polydore; Chamont fand in Smith einen berufenen Interpreten. Die Rolle Monimias gab Mrs. Barry, die einzige, die hier den tiefsten Sinn des Dichters fassen konnte. Das „kleine Mädchen", das als Page auftrat, war die später berühmte Mrs. Bracegirdle; sie zählte damals kaum sechs Jahre. Unendlicher, begeisterter Beifall lohnte den Darstellern und dem Dichter. Nur zwei Stücke jener ganzen Epoche fanden eine ähnliche Aufnahme, „Venice Preserved" und Southernes „Fatal Marriage". Mrs. Barry schuf auch in ihnen die Rolle der Heldin. Downes berichtet: „These three parts, gain' d her the name of Famous Mrs. Barry, both at court and city; for when ever she acted any of those three parts, she forc' d tears from the eyes of her auditory, especially those who have any sense of pity for the distress' t." Aber auch sie selber lebte sich mit leidenschaftlichem Anteil in ihre Rollen ein, und sie gestand Betterton, daß sie jenen verzweifelten Aufschrei Monimias: „Ah, poor Castalio!" nie ohne Tränen sprechen könne.

Manches trug bei, die Stimmung des Dichters zuversichtlich zu gestalten: der Erfolg der „Orphan" war auch nach seiner finanziellen Seite befriedigend; der Ertrag des dritten Abends brachte Otway hundert Pfund ein. In der Person des Herzogs war sein vornehmster Gönner ihm wieder nahe gekommen, und er durfte hoffen, daß seine unentwegte Treue nicht vergessen bliebe. Sein Todfeind Rochester war unschädlich: er siechte an den Folgen seiner Laster hin. Vielleicht durfte jetzt sein jahrelanges, selbstvergessenes Dienen um die Geliebte sich Erhörung versprechen: seinem Werk hatte sie es zu danken, wenn jetzt ihr Ruhm glänzend aufstieg. Ungetrübt war die Freude freilich nicht; Otway sah gut genug, daß seine Lage nur für den Augenblick gefestigt war, und daß die Schuld zu sehr am Ganzen lag, als daß er eine rettende Wendung erwarten durfte. Darum wählte er jene bittern Verse des Petron zum Motto seiner Tragödie:

„Qui pelago credit, magno se foenore tollit,
Qui pugnas et castra petit, praecingitur auro;
Vilis adulator picto iacet ebrius ostro;
Et qui sollicitat nuptas, ad praemia peccat:
Sola pruinosis horret facundia pannis
Atque inopi lingua desertas invocat artes." —

Die Buchausgabe der „Orphan" hat Otway der Gattin seines fürstlichen Gönners zugeeignet. James hatte sich 1673 in zweiter Ehe mit Maria Beatrix Eleonora d'Este vermählt.[1]) Ihr widmete

---

schon im Herbst (Oktober) neuerdings genötigt, auf längere Zeit seinen Aufenthalt in Schottland zu nehmen.

[1]) vgl. Evelyns Tagebuch, 5. November 1673: „This night the youths of the citty burnt the Pope in effigie, after they had made procession with it in greate triumph, they being displeas' d at the Duke for altering his religion and marrying an Italian lady."

Dryden 1677 seine dramatische Bearbeitung von Miltons Epos, „The State of Innocence"; und Otway hatte jedenfalls bei der Zueignung der „Orphan" jene Dedication Drydens vor Augen. Der Poeta Laureatus brachte der Fürstin eine etwas unglückliche Huldigung dar, indem er von den Verdiensten ihres Hauses um die italienische Dichtung sprach: „. . . the family of Este to which Ariosto and Tasso have ow' d their patronage; and to which the world has ow' d their poems . . .". Otway folgt seinem Vorgang: „. . . . Tasso, and Ariosto, some of the best, have made their names eternal, by transmitting to after-ages the glory of your ancestors . . ." [1]) Unter allem Firnis höfischer Schmeichelei glauben wir doch auch in diesem Zueignungsschreiben etwas von jener Herzenswärme zu spüren, mit der Otway stets von und zu seinem Herrscherhause spricht, die am reinsten im Gedicht von seiner Muse sich offenbart. [2])

---

[1]) Auch im Ausdruck berührt sich Otways Zueignung gelegentlich und wohl nicht ganz zufällig mit der Drydens. Dieser redet z. B. die Herzogin an: „You are join' d to a prince who only could deserve you." Otway gibt demselben Gedanken Ausdruck: „Your love too, as none but that great hero, who has it, could deserve it . . ."

[2]) Voltaires naive Unverschämtheit illustriert sich am besten in seiner Bemerkung über diese Widmung der „Orphan": „Il dédie sa pièce à la duchesse de Cleveland, avec la même naïveté qu'il a écrit sa tragédie; il félicite cette dame d'avoir eu deux enfants de Charles second." („naïveté", wahrhaftig! aber diesmal nicht auf Otways Seite.)

Die Dedicationsepistel fehlt übrigens keineswegs im ersten Quarto von 1680, ebensowenig wie Prolog und Personenverzeichnis. Mc Clumpha, der in seiner sonst zuverlässigen Ausgabe die irrige Behauptung aufstellt, muß ein unvollständiges Exemplar zur Hand gehabt haben.

SIEBENTES KAPITEL

Die Lustspiele Otways

Es war als wollte Otway in diesem Jahr 1680 mit einer einzigen gewaltigen Anstrengung den Sieg erzwingen über das Verhängnis seiner freudlosen Lage, deren Dumpfheit ihn zu erdrücken drohte. Wenige Monate nach dem „Marius" hatte er die „Orphan" auf die Bretter gebracht; mit ihr gleichzeitig erschien sein Gedicht von der Klage des Dichters über seine Muse. Und das Jahr war noch nicht abgelaufen, so trat eine neue dramatische Schöpfung ans Licht, eine Komödie diesmal: „The Soldier's Fortune". Sie erschien zu Michaeli 1680, wie üblich im Druck vorausdatiert 1681, und war im Theater des Herzogs mit lebhaftem Beifall aufgenommen worden. [1] Dabei hatte Otway noch immer Zeit, zwischenhinein auf Bestellung kleine Gelegenheitsgedichte zu liefern, die freilich mehr von seinem rastlosen Fleiß und von dem unausgesetzten Kampf um das tägliche Brot als von seiner künstlerischen Größe Zeugnis geben. Unter ihnen findet sich ein Epilog, der in keine Ausgabe von Otways Werken (auch in die Thorntons nicht) Aufnahme gefunden hat. Er mag zur Vervollständigung hier eine Stelle finden, so wenig er auf poetischen Wert Anspruch erheben kann. Daß Otway der Verfasser dieser geistlosen und rohen Reimerei ist, läßt sich kaum bezweifeln. Nach dem Eingang zu schließen, dürften die Verse als Epilog zu einem der zahlreichen Kleopatra-Dramen gedient haben. Sie stehen in der Sammlung „Miscellaneous Works, Written by His Grace, George, Late Duke of Buckingham . . . Also State Poems on the Late Times, by Mr. Dryden, . . . Mr. Congreve, Mr. Otway . . . Never before Printed . . . London: . . . 1704"; p. 96—98: „Epilogue / At The / Theatre / In / Drury- Lane. 1680. / — / By Mr. Otway. / — /

> When Cleopatra did her Tony take,
> She was no Virgin, she was dowdy Black,

---

[1] Wegen den zahlreichen Beziehungen auf Otways militärisches Leben glaubten verschiedene Kritiker (so Gosse) die Aufführung bereits ins Jahr 1679 ansetzen zu müssen. Es spricht nichts für diese Annahme: das unmittelbare Produkt von Otways Dienstzeit war der „Caius Marius". Das „Soldatenglück" ist ganz ohne Zweifel im Herbst 1680, unmittelbar vor dem Druck, aufgeführt worden.

And thirty Years she had upon her Back.
True, she could hop, and dance, and sing, and leer
And had a Trick, they say, I know not where.
No more such Cleopatras now are seen,
Our Whores are laid in pickle at eighteen;
And Ladies of the Age of twenty one,
Must Stick to their dull Lords, or lye alone.
Sure there is some decay in Lovers Hearts,
For ye, fair Ladies, seldom fail your Parts.
Brave Boys we had that could Love's Cause maintain
Till English Ale was routed by Champaign:
Ragous and Kickshaws bring us poor Relief,
Our lusty Grandsiers put their trust in Beef,
Defi'd our Grandames in their native Brawn,
And shot twelve score in long Bows stifly drawn.
Our limber Age falls short of their high Play,
Yet we can slander twice as well as they.
And he who gets a Harlot in his Clutches,
Can take his Oath he has enjoy'd a Dutchess.
The Man means well that bid so high for Vice,
A hundred Guineys is a Ladies Price.
Truth is, —
Since Pence grow scarce and Claps are fall'n of late,
Wise Men would get them at a cheaper Rate.
But Times are coming, Heav'n have Mercy on ye,
When Toyes will not be had for Love nor Money.
The Brethren will monopolize the Game,
And th' ablest Holder-forth shall win the Dame.
They will not whore according to the Letter,
But in a Corner mumble Sister better.
This House will handsell the new Reformation,
You only dam us for your own Recreation,
But there 's no Damning like Predestination.
Then will the Whigs be hang'd upon a String,
For they hate Poets as they hate a King.
Lastly I speak it with a heavy Heart,
We and our faithful Yoke-fellows must part,
For in some leaky Vessels they will lade us,
Virginia we shall plant, and they Barbadoes."

Wertvoller ist ein Beitrag Otways zu einer im selben Jahr erschienenen Uebersetzung von Ovids „Heroides". Die Sammlung, zu der Dryden, Tate, Aphra Behn, Duke, Settle, Butler und andere beisteuerten, kam im Verlag Jacob Tonsons heraus, mit einem Vorwort aus Drydens Feder. Es ist wohl mehr als Zufall, daß der Tragiker Otway, der Dichter des „Don Carlos", gerade den Brief Phaedras an Hippolytus zur Uebersetzung wählte. In treuem Anschluß an den Text bringt er die ungestüme Leidenschaft dieses Brie-

fes zu starkem Ausdruck. Seine Arbeit[1]) dürfte unter allen, welche in
dem Band vereinigt sind, den ersten Platz beanspruchen. Die Form
ist, wie in all diesen Uebertragungen, das heroische Reimpaar.
In der Kürzung einiger Stellen beweist Otway einen sicheren
Geschmack; so läßt er das unschöne Distichon v. 165 f. weg. Als
Probe dieser gefälligen und frischen Uebersetzung mag der Schluß
hier folgen:

> „Millions of tears to these my pray'rs I join,
> Which as thou read'st with those dear eyes of thine
> Think that thou see'st the streams that flow from mine."[2])

Unter den Komödien Otways verrät keine so viel von der Persönlichkeit des Dichters wie „The Soldier's Fortune". Aber vor
andern wert ist sie uns darum, weil eine leise, aber nicht ganz
äußerliche Beziehung hinüberdeutet auf das schönste Lustspiel
deutscher Sprache: „Minna von Barnhelm, oder das Soldatenglück".[3]) Die Verwicklung ist nicht ungeschickt und unterhaltend
genug: Captain Beaugard und sein Freund Courtine sind mittellos
und in dürftigem Aufzug von der Armee in Flandern heimgekehrt.
Für Beaugard bietet sich indes bald Gelegenheit, ihre Verhältnisse
besser zu gestalten: Lady Dunce, die an den alten, widerlichen Sir
Davy Dunce verheiratet ist, hat ihre einstige Liebe zu Beaugard
nicht vergessen, während ihre Verwandte Sylvia eine uneinge-
standene Neigung für Courtine faßt. Durch Vermittlung eines Zu-
hälters, Sir Jolly Jumble, erbittet Lady Dunce sich Beaugards Bild
und läßt ihm eine Summe Geldes zukommen. Ein Rendez-vous wird
verabredet, zu dem Sir Jolly behülflich sein kann, da sein Haus
unmittelbar an das der Dame anstößt. Lady Dunce ist verschlagen
genug, den eigenen eifersüchtigen Gatten als Zwischengänger zu
benutzen: sie gibt ihm einen Ring für Beaugard, indem sie ihm
glaubhaft macht, es sei ein Geschenk, das der Captain ihr habe zu-
stellen wollen. Der Alte bringt es lange nicht über sich, den Ring
zurückzugeben; so empfängt Beaugard von ihm nur sein Bild
wieder. Er glaubt sich betrogen und will von der ganzen Sache
nichts mehr wissen. Eine Begegnung endet mit der Entzweiung der
Liebenden. Unterdes wird bei Sir Davy doch die Schadenfreude
über die Habsucht Meister; er überbringt Beaugard den Ring.
Diesem wird nun der Zusammenhang verständlich, und er wünscht

---

[1]) Gildon erwähnt sie rühmend unter andern guten Uebertragungen der
„Heldenbriefe", p. 97 seiner „Laws of Poetry".

[2]) Das entsprechende Distichon Ovids lautet:
> „Addimus his lacrimas precibus quoque: verba precantis
> Perlegis, et lacrimas finge videre meas."

[3]) Erich Schmidt ist in seinem „Lessing" (I. 467 der 3. Aufl.) ungerecht
gegen Otway, wenn er schreibt: „Schon der Name Bloody Bones kündigt
den komischen Eisenfresser an." Das läßt doch den Fernerstehenden ohne
weiteres annehmen, daß der Held des Stückes diesen Charakter trage und
er somit Otways Soldatentypus überhaupt sei. Wie grundfalsch das ist, wie
sympathisch nahe Otways Auffassung des Soldatenstandes gerade derjenigen
Lessings steht, dürfte sich aus meiner Darstellung ergeben.

wieder gut zu machen. Sylvia und Courtine leben inzwischen ständig auf Kriegsfuß miteinander: um ihn weidlicher zu necken, heißt sie ihn nachts zwischen Elf und Zwölf unter ihr Fenster kommen. Lady Dunce, die mit Beaugard versöhnt ist, spielt die Komödie mit ihrem Gatten weiter und übergibt ihm einen Brief, den Beaugard angeblich an sie geschrieben, der in Wirklichkeit ein Billett ihrerseits an ihn ist. Sir Davy eilt, den Captain damit zu beglücken. In der Zwischenzeit verabredet seine Frau mit Sir Jolly, der gut Freund mit ihrem Gatten ist, auf den Abend eine Zusammenkunft mit Beaugard in ihrem eigenen Hause. Sir Davy wird durch eine fingierte Einladung des Lord Mayors fortgelockt; er hat aber etwas vergessen und kommt unversehens zurück. So überrascht er das Paar bei ihrem Tête-à-Tête. Beaugard macht sich davon; Lady Dunce aber weiß sich auf die gekränkte Unschuld hinauszuspielen. Sir Davy wirbt nun einen Kehlabschneider, namens Bloody-Bones, den Beaugards Diener, Fourbin, ihm zuführt, um den Captain zu beseitigen oder zum mindesten rechtschaffen durchzuprügeln. Das paßt der Gegenpartei vortrefflich ins Spiel: am Abend findet Sir Davy den Captain als Leiche in seinem Hause aufgebahrt. Er fleht seine Frau an, alles zu versuchen, daß er ins Leben zurückkomme, während er selber für guten Erfolg beten geht. Courtine wird inzwischen von seiner Liebsten höchst schnöde behandelt: sie läßt ihn an einem Strick zu sich emporziehen, dann aber auf halbem Wege eine geraume Weile baumeln. Am Ende findet er sich gefesselt in ihrer Kammer. Aber nach allem kommt das Abenteuer mit einem förmlichen Heiratsversprechen doch zum vergnüglichen Abschluß. Sir Davy jedoch hat eine bange Nacht; ihm stehen die Folgen des begangenen Mordes in schreckhaftester Gestalt vor Augen. Um ihn vollends in Entsetzen zu jagen, spielt der Captain gar den Geist. Sir Jolly macht das großmütige Anerbieten, den Leichnam in sein eigenes Haus zu schaffen; freudestrahlend geht Sir Davy darauf ein, und auch der Vorschlag, daß seine Frau der Sicherheit halber sich ebenfalls für den Augenblick in Jolly Jumbles Haus aufhalten soll, findet seinen Beifall. Nun er sich außer Gefahr weiß, kommt ihm ein geriebener Einfall, seinem Nachbarn einen bösen Streich zu spielen. Er läßt die Wache rufen und bedeutet ihr, daß in Sir Jollys Hause sich ein Ermordeter befinde. Sie dringen ein, und Sir Davy findet den vermeinten Toten in sehr lebendiger Unterhaltung mit seiner Frau. Will er sich selber aber leidlich aus der Sache ziehen, so bleibt ihm nichts übrig als zum bösen Spiel gute Miene zu machen. Courtine und Sylvia treten ein, und stellen sich als Verlobte vor. Sir Davy bringt so viel Galgenhumor auf, dem Bräutigam seinen Segen zu geben.

> „Here take thy bride; like man and wife agree,
> And may she prove as true — as mine to me." [1]

---

[1] Die erste Besetzung der Hauptrollen war folgende: Beaugard — Betterton; Courtine — Smith; Sir Davy — Nokes; Sir Jolly — Leigh; Lady Dunce — Mrs. Barry; Sylvia — Mrs. Price.

Otway hat drei Jahre später dem Lustspiel einen zweiten Teil nachfolgen lassen: „The Atheist; or, the second Part of the Soldier's Fortune"; es war das letzte seiner dramatischen Werke, das er vollendete. Der „Atheist" teilt das Schicksal so vieler Fortsetzungen, daß er hinter dem ursprünglichen Teil erheblich zurückbleibt. Courtine hat das eheliche Leben zum Ueberdruß satt und kehrt fluchtartig nach London zurück, um mit seinem alten Freund Beaugard verliebten Abenteuern nachzugehen. Eine junge Witwe, Porcia, die von den Verwandten ihres verstorbenen Gatten in strenger Obhut gehalten ist, hat sich in den Captain verliebt und bittet ihn, sich ihrer Sache anzunehmen. Nach anfänglichen Fehlversuchen stürmt Beaugard das Haus regelrecht mit seinen Getreuen und gewinnt die Witwe, deren Anmut selbst über seine Ehescheu obsiegt. Diese recht dürftige Haupthandlung ist von einer ganzen Anzahl ziemlich unabhängiger Episoden überwuchert: Sylvia reist heimlich ihrem Manne nach und findet ihn im Haus ihrer Cousine Porcia. Er stellt sich krank und sendet sie nach Medizin aus, um inzwischen sich anderweitig zu amüsieren. Das schlägt ihm aber schlecht an, insofern er sich plötzlich zum Vater eines Neugebornen gestempelt sieht. Lucretia, die von Beaugard zu Porcias Gunsten verschmäht ward, rächt sich, indem sie ihn mit Courtines Frau zusammenbringt, die er im Dunkeln für Porcia hält. Beaugards Vater ist ein alter Spieler und Trunkenbold, der regelmäßig seine ganze Barschaft durchbringt und dann dem Sohn weitere Subsidien abknöpft. Er hat einen würdigen Freund in der Person Daredevils, eines passionierten Atheisten, der bei einem Raufhandel leicht verwundet wird und sich dem Tode nahe glaubt: er betet und beichtet, wobei Beaugards Vater, als Prediger vermummt, ihm zur Seite steht. Von ihm hat das Stück, ohne viel Berechtigung, den Namen. Von den Personen des ersten Teils kommt außer den drei genannten nur noch Beaugards Diener Fourbin gelegentlich zur Erscheinung.

Für einige der verwendeten Motive lagen dem Dichter literarische Quellen vor, die er nach seiner Art ungescheut genutzt hat. Der Plagiat-Schnüffler Langbaine gibt eine ganze Musterlese zum Besten. Namentlich sieht die unterhaltende Episode des „Soldatenglücks", wo Lady Dunce den eigenen Gatten als Liebesboten mit Briefen und Geschenken an ihren Kavalier sendet, auf eine lange Entwicklung zurück. Sie bildet das Thema der dritten Novelle des dritten Tages bei Boccaccio; nur daß es dort ein Mönch ist, den die verheiratete Dame zum unwillentlichen Ueberbringer ihrer Anträge an den Geliebten macht, indem sie über dessen vorgebliche Zudringlichkeit sich beschwert. Dorimont hat die Erzählung einem kleinen Lustspiel zugrunde gelegt: „La Femme Industrieuse . . . a Paris . . . M. D. LXI. [Druckfehler für 1661]". An Stelle des Mönchs tritt bei ihm der Praeceptor Leandres; Isabelle ist an einen „Capitan" verheiratet. Bekannter ist Molières Behandlung des Motivs in seiner „Ecole des Maris" (1661). Die Rolle des unfreiwilligen Zwischengängers übernimmt hier Sganarelle, der Vormund Isabelles; sie sendet ihn nacheinander mit Botschaft, Brief und Geschenken an ihren Valère (2. Akt). Vielleicht haben diese Szenen Otway die Anregung gegeben; doch ist seine Fassung in ihrer launigen Keckheit etwas Eigenes und unter den Bearbeitungen des nämlichen Themas entschieden die lustigste.[1])

Anders steht es mit der Schlußszene des dritten Aktes in „The Soldier's Fortune", in welcher Sir Davy sein Weib mit Beaugard zusammen ertappt. Hier hat Langbaine recht, wenn er von einer Entlehnung spricht: Otway fand die Geschichte in einer 1676 erschienenen Uebersetzung von Scarrons „Roman Comique": „Scarron's Comical Romance . . . turn'd into English", p. 228—250. Sie ist betitelt: „The Novel of Millamant, or the Rampant Lady, as read by Ragotin". Langbaine macht aufmerksam, daß diese Erzählung nicht im Original steht, sondern Zutat des englischen Uebersetzers ist, der sie in den „Amours des Dames Illustres de notre Siècle" gefunden hat.[2]) In der Darstellung dieser Episode folgt Otway eng, zum Teil wörtlich, der Novelle; er mildert nur nach bestem Können ihre abstoßende Roheit. Die Szene ist so dargestellt: Millamant gibt Cleander ein Rendez-vous, da sie ihren Gatten Schelicon abwesend glaubt. „One day that Cleander was come to see Millamant, she carried him into a parlour, in one end of which was her husbands closet: she knockt two or three times at the door, to know if he was in it or no; and having called him as often, and he not answering, she took it for granted that he was abroad . . .". Auf einmal kommt Schelicon doch aus dem Kabinett; Cleander entflieht und läßt sein Schwert zurück. „Millamant strangely surprised at the sight of her husband, and seeing Cleander's sword, she seised it; and having drawn it forth, presented it to Schelicon upon her knees, accompanying her actions with these words: Pierce, without more delay, this innocent body of mine,

---

[1]) vgl. z. B. auch Lopes „Discreta enamorada". Uebrigens weist das englische Theater schon vor Otway verwandte Szenen auf. In John Marstons „Parasitaster, or the Fawne" (1606) gibt Dulcimel, die Tochter des Herzogs Gonzago von Urbino, auf solche Art dem Tiberio, Sohn des Herzogs Hercules von Ferrara, ihre Liebe zu verstehen: „I will so stalke on the blind side of my all knowing fathers wit, that do what his wisedome can, hee shall bee my onely mediator, my onely messenger, my onely honourable spokesman, hee shall carrie my fauours, hee shall amplifie my affection, nay he shal direct the Prince the meanes the very way to my bed, hee and onely he . . ." Auf diese Weise übermittelt sie Tiberio eine Schärpe und Briefe. Aehnliches begegnet im zweiten Akt von Ben Jonsons „The Devil is an Ass". 1670 erschien ein anonymes Stück „Flora's Vagaries", als dessen Verfasser Benjamin Rhodes vermutet wird; darin benutzt Otrante einen Mönch als Boten an Lodovico, genau nach Boccaccio. (Die Titelrolle in dieser Komödie spielte Nell Gwyn.)

[2]) In der Ausgabe der „Amours" von 1680 (Cologne) steht diese Novelle an erster Stelle, p. 7—62. Sie ist hier überschrieben: „Alosie. Ou les Amours de Madame de M. T. P." Die Millamant der englischen Uebersetzung heißt im Original Lupanie. Die „Amours des Dames", die auch unter dem Titel „La France Galante" gedruckt sind, stehen in einigen Ausgaben als Fortsetzung von Roger de Rabutins „Histoire amoureuse des Gaules".

which another's crime hath endeavoured to defile, and spare not
a miserable creature, whom the indignation of Heaven hath chosen
to be the object of the most infamous brutality that ever man was
guilty of. I deserve a thousand deaths, since my fatal beauty and
my looks, though full of innocency, have been capable of inspiring
any one with so unworthy a design; and my blood is not enough
to wash away that vile man's crime. But if before I dye, I may have
liberty to say something in my own justification; know that if your
wife be unfortunate yet she is innocent . . . I ran to your door and
knocked at it, and called you too . . ." („Comical Romance",
p. 235 f.) [1]).

Von geringerem Belang sind sonstige Anklänge: die Fenster-
szene zwischen Sylvia und Courtine erinnert flüchtig an eine ähnliche in Fletchers „Monsieur Thomas". [2]) Auffallender ist die Uebereinstimmung im Charakter des Bloody-Bones mit dem des Bravo
in Shakerley Marmions „Antiquary" (1641). Wenn Bloody-Bones,
über Mord und Todschlag befragt, zur Antwort gibt: „ 'tis my
livelihood", so gemahnt das lebhaft an den Bravo, der auf die nämliche Frage entgegnet: „ 'tis my vocation." Unabweisbar wird die
Beziehung, wenn wir die genau gleich gegebene fingierte Tobsucht
der beiden beachten; auch der Uebergang von Prosa zu rhyth-
mischem Maß in diesen verrückten Tiraden ist ganz entsprechend. [3])

Wie zum „Soldatenglück", so hat Otway auch zum „Atheist"
das umfänglichste Anleihen bei Scarron gemacht: jene ganze Zwi-
schenepisode nämlich, wo Porcia (auch der Name stammt aus dem
„Roman Comique") die Treue ihres Liebsten auf eine harte Probe
stellt, indem sie von einer Bande Bewaffneter ihn entführen läßt
und als Unbekannte selber mit Liebesanträgen an ihn herantritt,

---

[1]) Bei Otway: „Lady Dunce: „. . . he, I'm satisfy'd, is far enough off by
this time. . . . But to convince you, you shall see now: Sir Davy, Sir Davy,
Sir Davy" (knocking at the closet-door) . . . Enter Sir Davy from his closet . . .
Beaugard gets up and runs away . . . Lady Dunce catches up Beaugard's
sword, which he had left behind him in the hurry, and presents it to Sir
Davy . . . Lady Dunce: „Pierce, pierce this wretched heart, hard to the
hilts, dye this in the deepest crimson of my blood; spare not a miserable
woman's life, whom Heav'n design'd to be the unhappy object of the most
horrid usage man e'er acted . . . Curse on my fatal beauty! blasted ever
be these two baneful eyes, that cou'd inspire a barbarous villain to attempt
such crimes as all my blood's too little to atone for: Nay, you shall hear
me — . . . Yes, and before I die too, I'll be justify'd . . . I . . ran to your
closet-door, knock'd and implor'd your aid, call'd on your name; but all
in vain . . ." — ".

[2]) 1639 von Richard Brome herausgegeben; das Stück erfuhr gerade zu
Otways Zeit eine etwas magere Wiederbelebung, indem Thomas Durfey es
einer Bearbeitung unterzog in seinem „Trick for Trick: or, the Debauch'd
Hypocrite" (1678).

[3]) Der Bravo (er ist eigentlich der Vater Aurelios in Verkleidung)
deklamiert z. B.: „Do not stare so, / I can look big too; all I did unto
thee, / 'Twas by another's instigation: / There be some that are as deep in
as myself, / Go and fright them too. /" vgl. Otway, 4. Akt: „. . . don't
chatter so, and grin at me . . . take him, this tempter . . .".

die er jedoch entschieden zurückweist und damit sie vollends gewinnt. Diesen Szenen liegt die „History of the Invisible Lover" zugrunde,[1]) wo sie folgendermaßen erzählt sind: Don Carlos hat in der Kirche eine maskierte Dame kennen gelernt und ein Verhältnis mit ihr angesponnen. Von einer Unbekannten wird er gewarnt: „. . . your night- adventures are not so closely managed, but they lye open to discovery." Sie fährt dann fort, ihm selber eine Liebeserklärung zu machen: „. . . since I have adventured to make this declaration of mine own weakness, I shall take the confidence to adde this to it; I am resolved to defeat all her ambushes, and gain the victory, which is more my due, since I am not inferiour to her, either in Beauty, Birth, or Fortune, nor any other quality that carries ought of an honest temptation with it; Therefore if you have that ingenuity the world reports, make the best use of this my present counsel." [2]) Beim nächsten Rendez-vous wird Don Carlos dann von vier Männern überfallen und gefesselt fortgebracht. Er findet sich schließlich in prächtigen Räumen wieder, wo er mit allen Annehmlichkeiten bedacht wird. Ein Zwerg ist zu seiner persönlichen Bedienung da. Die Einzelheiten entsprechen genau denen der letzten Szene im dritten Aufzug bei Otway. Die Dame des Schlosses dringt in Don Carlos, ihre Liebe statt der seiner Unbekannten anzunehmen: „Perhaps my rival by her wiles, and the good fortune of having attempted you first, is already in full possession of that fort, your heart, to which I now lay siege: But know, a Woman will not be put off at first denial; and if my fortune, which is not to be despised, and all that may be had with me, is but too weak a motive to induce you to love me, yet know that I have this self- satisfaction, that I did not obscure my self either out of shame or policy; rather chusing to run the hazard of being denied for my imperfection, than to have won your love by artifice." [3])

---

[1]) „Le Romant Comique, de Mr. Scarron, Première Partie. A Paris, MDCLXXVIII."; chap. IX. p. 33—56: „Histoire de l'Amante Invisible." Ich zitiere durchwegs nach der schon genannten englischen Uebersetzung von 1676, da aus dem Wortlaut mit ziemlicher Sicherheit hervorgeht, daß sie Otway vorgelegen hat; in ihr steht „The History of the Invisible Lover" p. 18—31. (vgl. auch „Scarron's Novels, . . . done into English, . . . By J. D. Esquire."; 4 th ed. 1720. p. 320—365.)

[2]) Beaugard macht die erste Bekanntschaft mit Porcia gleichfalls in der Kirche. Die Warnung wird ihm vonseiten Lucretias zuteil: „. . . your love-intreagues are not so closely manag'd, but that they will shortly grow the subject of all the satyr and contempt in Town . . . since I have confest my weakness, know from this hour I'll defeat all her ambushes, all the false baits she lays to ensnare your heart, 'till I obtain the victory of it my self, much more my due, in that I'm not beneath her in Beauty, Birth, or Fortune, or indeed any thing but her Years [der Zusatz ist von Otway!]; . . . therefore if you have that merit the world reports of you, make the best use of this present advice . . ."

[3]) Otway, 4. Akt. „Lady: I know my rival . . . She, by her arts, and the good fortune to have first attempted it, I know, 's possess'd already of your heart. But know too, I'm a woman loath refusal, . . . or, if my fortune, which is not despicable, prove too weak an argument to tell you

Don Carlos bleibt standhaft: „I am sensible that I refuse the most beautiful person in the world . . . But, Madam, could you have thought me worthy of your affection, if you had found me capable of infidelity? . . . Pity me therefore, Madam, rather than accuse me." [1]) Nach dieser Probe erfährt Carlos dann, daß seine unbekannte Geliebte und die „Princess Porcia" ein und dieselbe Person ist. [2])

Die neuere Kritik ist ziemlich einmütig in ihrem Verdammungsurteil über Otways Komödien. Nur R. Noel wagt den Versuch einer Verteidigung. Gosse dagegen weist sie ohne Einschränkung ab. Früher lauteten die Ansichten wesentlich günstiger. Die „Biographia Dramatica" hält zwischen Lob und Tadel die Mitte: „Both these plays [„Soldier's Fortune" und „Atheist"] have wit and a great deal of busy and intricate intrigue; but are so very licentious in respect to sentiment and moral, that they are now entirely laid aside." Genest kommt zu dem Schluß: „Otway's merit as a comic writer has not, of late years, been sufficiently attended to." Eschenburg rühmt: „In seinen Lustspielen ist Witz und Laune genug." [3]) Langbaine tadelt zwar: „His genius in comedy lay a little too much to libertinism", findet aber doch „Friendship in Fashion" „very diverting". Dennis nennt Otway unter den acht Dramatikern der Zeit, „who have writ good and diverting comedies". Sicher ist, daß Otways Komödien bei ihrem Erscheinen einen Erfolg bedeuteten, und daß die Aufnahme in Beifall und Widerspruch eine lebhafte war. Beaugard und Courtine gewannen sogar eine gewisse Volkstümlichkeit und kehren mehr denn einmal als typische Figuren in der Tagesliteratur wieder. [4]) Es ist darum schon ihrer literarhistorischen Bedeutung wegen unangebracht, sich ein Eingehen auf

---

I deserve you; yet I have this to boast, I ne'er conceal'd my self, either for shame or ends; but rather chose to run the risque of being deny'd your love, than win it by base artifice and practices."

[1]) Otway: „Beaugard: I'm sensible that you are the loveliest creature my eyes e'er gaz'd on; but . . . I'm sure you'd your self scorn, nor think me worth your heart, could I be faithless, could I be unconstant. Pity me, fair one . . .".

[2]) Davies bemerkt in den „Dramatic Miscellanies" (vol. III. p. 232): „Beaugard's father seems to be copied from Dryden's Father Aldo, in his Limberham" („The Kind Keeper; or, Mr. Limberham", 1680). Die Vermutung ist aus der Luft gegriffen, und schon Thornton hat sie zurückgewiesen. (Einleitung zum „Atheist".)

[3]) „Beispielsammlung zur Theorie und Literatur der schönen Wissenschaften"; 7. Band, p. 244 f. und 539 ff.

[4]) In den „Miscellany Poems upon several Occasions", 1692 von Gildon herausgegeben, findet sich p. 47—53 ein Dialog zwischen Beaugard und Courtine unter dem Titel: „The Repenting Husband: Or a Satyr upon Marriage: By Mr. S. W." vgl. ferner „Familiar Letters of Love, Gallantry, and several Occasions", 1718, vol. II. p. 321 ff.: „The Cornuted Beaux: Or, a Satyr upon Marriage". vgl. ferner: „Term Catalogues", Hilary 1702: „Dialogues of the Living and the Dead . . .; 5. Charon and the Atheist in The Soldier's Fortune."

diese Komödien zu ersparen mit der billigen Begründung, daß sie in Gegenstand und Ausdruck mit den Forderungen eines gebildeten Geschmacks unvereinbar seien. Ganz abgesehen davon, daß von diesem Standpunkt aus eine Beschäftigung mit der gesamten Lustspiel-Literatur der Restoration verpönt sein müßte. Wer die hergebrachten Kritiken über Otways Komödien liest, kommt notwendig zu dem Schluß, als hätte sich der Dichter mehr als jeder seiner Zeitgenossen in der Darstellung undelikater Situationen gefallen. Die Ansicht wäre so falsch wie nur möglich: Otway nimmt sich genau die Freiheiten, welche jeder Lustspieldichter der Restoration nehmen mußte, wenn er mit dem geringsten Anspruch auf Erfolg hervortreten wollte. Thornton drückt es bündig und klar aus: „. . . in Otway's time, indecency, so far from being in disrepute, was an indispensable quality in a comedy: none, in short, succeeded without it." Bei dem flüchtigsten Ueberblick schon zeigt sich, daß Otways Komödie ziemlich die Mitte hält: es finden sich einige Stücke, zumal diejenigen Ethereges, die von feinerem Geschmack zeugen; eine große Zahl ist maßlos roher und obszöner. Auch ist nicht zu vergessen, daß, als Congreve, Vanbrugh und Farquhar erschienen, die Hochflut der eigentlichen Restorations-Komödie schon verebbt war: und wie sehr vieles ist auch bei ihnen noch zu treffen, das mit unsern Begriffen von Schicklichkeit sich nicht vereint. [1]) Von den gleichzeitig lebenden Lustspieldichtern sind nur Etherege und Wycherley Otway entschieden überlegen. Wenn uns auch Shadwells plumper Humor behaglicher anmutet, so liegt der Grund darin, daß Otway Humor überhaupt vermissen läßt. Viel Schärfe und Witz ist in seinen Stücken; aber es fehlt jene fröhliche Laune, jene heitere Unbefangenheit, die etwa Congreve so reizend ansteht. Dieser Mangel ist es, der alles bei ihm viel härter und schroffer hervortreten läßt, daß Szenen bei ihm beleidigend wirken, die, mit Congreves schalkhaftem Humor oder Wycherleys offenherzigem Behagen erzählt, unverfänglich wirkten. Ein reines Lustspiel zu schreiben war dem Tragiker Otway nicht gegeben; er hat auch nie den Versuch dazu gemacht. Seine Komödien sind dramatische Satiren. Dieser Umstand ist zu wenig beachtet worden; er ist von hoher Bedeutung, wenn wir den Menschen Otway nicht mißkennen wollen: wo er widerliche Fäule und Gemeinheit zur Darstellung bringt, ist es nicht aus Freude daran, sondern aus Haß und Zorn. Diese Stücke sind aus demselben Geist heraus entstanden, aus dem Swift seine Szenen „Of Genteel and Ingenious Conversation" schrieb. Nur ist allerdings immer im Auge zu behalten, daß die sittliche Einstellung des Dichters zu einem gewissen Grade bedingt ist von den Anschauungen der Umwelt, daß manches ihm selbstverständlich ist, was uns zum mindesten zweifelhaft vorkommt,

---

[1]) Man lese nur das schönste dieser Stücke, Congreves „Love for Love"; von ihm läßt sich auf die andern schließen. Ist doch darin z. B. die nämliche Situation, welche man „Friendship in Fashion" zum schwersten Vorwurf gemacht hat.

daß er ein „integer vitae scelerisque purus" in guten Treuen viel weiter faßt als uns erlaubt dünkt. Diesem müssen wir Rechnung tragen, dann vermögen wir selbst im Unerquicklichen die gesunde Absicht zu erkennen. Wenn Otway von seinen Komödien schreibt, nennt er sie stets als satirische Dichtungen: nur gegen den Vorwurf persönlich-gehässiger Invektive nimmt er sie energisch in Schutz. Aber die Berechtigung und Notwendigkeit kräftiger Satire ist ihm vollkommen bewußt:

> „Satyr 's th' effect of Poetry's disease,
> Which, sick of a lewd age, she vents for ease."

Und das Motto zu „Friendship in Fashion" läßt die Stimmung, aus der das Stück hervorging, deutlich erkennen: „Archilochum rabies armavit iambo." Aeußere Gründe spielten mit, Otway auf dieses Gebiet zu weisen: eine flüchtig hingeworfene Komödie brachte dem Dichter den nämlichen, vielleicht einen höhern Gewinn als das vollendetste Trauerspiel; und Otway mußte von diesen Einnahmen sein Leben fristen. Aber auch seinem Geiste war es eine Entspannung, wenn er zu Zeiten aus der beängstigenden Glut der Leidenschaften in die kühlere Atmosphäre witziger Satire und ironischer Selbstbetrachtung sich flüchten konnte. Der Epilog zum „Soldatenglück" scheint das anzudeuten:

> „With the discharge of passions much opprest,
> Disturb'd in brain, and pensive in his breast,
> Full of those thoughts which make th' unhappy sad,
> And by imagination half grown mad,
> The Poet led abroad his mourning muse,
> And let her range, to see what sport she 'd chuse."

Für die Kenntnis der Persönlichkeit Otways sind die Komödien eine unschätzbare Ergänzung zu den Trauerspielen; er verleugnet auch in ihnen seine ausgesprochene Subjektivität nicht. Oft fällt er aus der Rolle und spricht unmittelbar zu uns durch den Mund seiner Geschöpfe: von eigenen Wünschen und Neigungen, von Erfahrungen froher und unerquicklicher Art. Es ist von hohem Interesse, zu verfolgen, wie er eine unverletzliche Grenze zieht zwischen dem einen großen Erleben, das in den Tragödien, und einzig in ihnen, zum Ausdruck kommt, und allem übrigen, was das Dasein an Lust und Leid ihm brachte: für dieses sind die Komödien der Ort. Da klingen Erinnerungen auf an das flandrische Abenteuer, das so stark in sein Leben eingriff: „. . . a cold wet march over the mountains, your men tir'd, your baggage not come up, but at night a dirty watry plain to encamp upon and nothing to shelter you, but an old leaguer cloak as tatter'd as your colours . . .". Und stets kommt dabei Otways Liebe für den soldatischen Stand zum Durchbruch, und die Empörung, mit welcher er der Behandlung gedenkt, die der Armee widerfuhr, ist mehr als ein Beklagen persönlich erlittener Kränkung: „. . . a soldier, nay a disbanded

soldier too, a fellow with the mark of Cain upon him, which every
body knows him by, and is ready to throw stones at him for."
Aber sein Beaugard erklärt, daß Jammern dem Soldaten nicht ansteht: „times may mend, and an honest soldier be in fashion again";
und er tut den männlichen Ausspruch, den Lessing würdig fand,
in sein herrliches Soldatenstück einzufügen: „I would as soon chuse
to hear a soldier brag, as complain." Wenn wir ebenfalls aus
seinem Munde die herbe Bemerkung hören: „I tell thee, loyalty and
starving are all one", erinnern wir uns einer plumpen Satire, in
welcher die Worte auf den Dichter selbst ihre Anwendung finden:

> „. . . Otway who long (leane loyalty preserving)
> Has showne a wonder and grown fat wth starving. . .". [1])

Das persönliche Moment in diesen Komödien ist nicht durchgehends gleich stark. Wie Otway in Polydore und Pierre sein Ideal-
bild des tragischen Helden entworfen hat, so gibt er uns auch im
Lustspiel Charaktere zu schauen, die nach seinem Herzen geschaffen sind. Unter veränderten Bedingungen finden wir die gleichen Grundzüge: Menschen von raschen Leidenschaften, fest und
beharrlich im Entschluß, für Edles empfänglich, die aber „eher als
zu zahm etwas Frevel ertragen". Diese Lustspielhelden Otways
sind Truman und vor allem dann Beaugard: in ihren Reden vernehmen wir fast stets des Dichters eigentliche und unverhüllte
Meinung. Otway hat diese Gestalten mit unverkennbarer Liebe
gezeichnet: er gibt ihnen jene Eigenschaften, die er über allen
schätzte, unentwegte Freundestreue und den Zorn gegen das Klein-
liche und Gemeine. Daß sie daneben auch Züge weisen, die wir
mit Bedauern in Otway selber wiederfinden, kann nicht verwundern: sorglosen Leichtsinn, den Hang zum wilden Leben. Truman
ist ein interessantes Gegenstück zu Polydore: genau wie jener durch
die Kränkung, welche Castalio seiner Freundschaft antut, zu dem
verhängnisvollen Schritt sich gedrängt sieht, so wird Truman
durch das schmutzige Spiel des falschen Freundes zu der Intrigue
mit dessen Frau veranlaßt. Auch dem Verhältnis Beaugards zu
Lady Dunce sucht Otway nach Möglichkeit alles Anstößige zu
nehmen, namentlich dem Verhalten Beaugards die Sympathie des
Zuschauers zu wahren: Lady Dunce spinnt die ganze Sache an;
sie ist wider ihren Willen an Sir Davy verheiratet worden, während
ihre Liebe von jeher Beaugard gehörte. Zu allem ist der Gatte ein
solcher Ausbund von Niedrigkeit, daß der Betrug an ihm fast harmlos erscheint, es zum mindesten bei den durchaus relativen Sittlich-
keitsbegriffen der Zeit sein mußte. Es macht den Eindruck, als habe
Otway den zweiten Teil des „Soldatenglücks" einzig darum geschrieben, seinen Liebling Beaugard noch einmal zum Leben er-
stehen lassen.

---

[1]) Brit. Mus. MS. Harl. 6913—14: Eine Sammlung satirischer Gedichte;
darin p. 227 ff. „A Supplement. To the late Heroick Poem. Ille ego qui
Quondam. or The same Hand again." Die oben zitierte Stelle p. 230.

Auf die Entwicklung der Fabel legt der Dichter in diesen Komödien sichtlich wenig Gewicht: sie bewegt sich durchaus in hergebrachten Motiven und ist in „Friendship in Fashion" wie im
„Atheist" verworren und ohne eigentliche Steigerung des Interesses. Die Bedeutung liegt in ihrem satirischen Gehalt, in den Charakteren und in vereinzelten Situationen. Wir finden Szenen, die
nicht das geringste mit der Handlung zu tun haben, satirische Dialoge, die ganz wohl für sich allein stehen könnten. Ein Beispiel
dafür ist das Gespräch Beaugards mit Courtine im zweiten Akt von
„The Soldier's Fortune". Sie geben ihre Kritik über vorbeigehende
Persönlichkeiten ab. Da geht einer über die Bühne, „a clumsy fellow . . . drest like an officer". Von ihm weiß Courtine zu berichten:
„The rascal was a retailer of ale but yesterday, and now he is
an officer and be hang' d; 'tis a dainty sight in a morning to see
him with his toes turn' d in, drawing his legs after him, at the
head of a hundred lusty fellows. Some honest gentleman or other
stays now, because that dog had money to bribe some corrupt colonel withal." Ein anderer tritt auf: der hat vom Lakai sich zu Amt
und Würden emporgeschmeichelt und -gelogen; wieder einer: der
hat die traurigen Zustände des Landes zu seinem eigenen Vorteil
zu nutzen verstanden. Mit ihm geht ein Winkeladvokat, der Kerzen-
gießer und Käskrämer aufklärt, wie weit sie kraft der Magna Charta
sich über die Autorität des Königs wegsetzen dürfen. Jede Fäulnis der Zeit wird so gebrandmarkt; tiefe Empörung bebt aus
manchem dieser bittern Sprüche. Das eine und andere Mal steht
unsere Auffassung freilich der des Dichters entgegen; aber es ist
nicht anders denkbar als daß Otway, der treue Diener seines Herr-
scherhauses, alles im trübsten Lichte sieht, was mit der Revolution
und der Republik im Zuammenhang steht. Eine Szene in „Friendship in Fashion" ist literarischer Satire gewidmet; aber hier herrscht
launige Ironie an Stelle harter Schärfe. Wie könnte ein Trauerspiel
je von Wirkung sein, in dem weder ein Lied noch ein Ballett eingelegt wäre! Und dann muß ja ein Dichter, der nicht bei Hofe heimisch ist, schreckliche Unschicklichkeiten in der Führung der Intrigue begehen. Das ärgste aber sind die modernen Komödien:
„filthiest things, full of bawdy and nauseous doings, which they
mistake for raillery and intrigue . . . fough — I am asham' d any
one should pretend to write a comedy, that does not know the nicer
rules of the court, and all the intrigues and gallantries that
pass . . .". Im „Atheist" sind es wieder Beaugard und Courtine,
welche die Gesellschaft scharf durchnehmen: „There 's cheating and
hypocrisie still in the city; riot and murder in the suburbs; grin-
ning, lying, fawning, flattery, and false- promising at court; assigna-
tions at Covent- Garden Church; cuckolds, whores, pimps, panders,
bawds, and all their diseases, all over the town . . .". Und unter
allen Narren und Gecken, welche die Stadt herbergt, ist der selbst-
gefällige Atheist der armseligste: „the most insufferable stinkard
living; one that has doubts enow to turn to all religions, and yet

would fain pretend to be of none: in short a cheat, that would have you of opinion that he believes neither Heaven nor Hell, and yet never feels so much as an ague- fit, but he 's afraid of being damn' d." Diese Gattung wird uns auch gleich in einem Muster-exemplar vorgeführt: Daredevil, dessen Religion das Gesetz ist, der zwar den Teufel nicht fürchtet, aber vor einer blanken Waffe heil-lose Angst kriegt, und in der kleinsten Bedrängnis nach geistlichem Zuspruch schreit. Wenn Otway seine Helden, Truman und Beau-gard, zu Vertretern seines ernstgemeinten, persönlichen Stand-punkts wählt, so spricht sich dagegen in den Figuren, die ihr Da-sein satirischer Absicht danken, sein komisches, etwas zur Gro-teske neigendes Talent am entschiedensten aus. Die Menschen-klasse, welche er mit seinem besondern Haß beehrt, sind die so-genannten „Wits"[1]), die Schöngeister, welche mit wenig Hirn und viel Mund sich Autorität in allen Fragen feinen Geschmacks an-maßen und in sämtlichen freien Künsten dilettieren. Er hat sie in der Dedication zu „Titus and Berenice" schon gekennzeichnet: „Wit, which was the mistress of former ages, is become the scandal of ours: either the old satire, to let us understand what he has known, damns and decries all poetry but the old; or else the young affected fool, that is impudent beyond correction, and ignorant above instruction, will be censuring the present, tho' he misplace his wit, as he generally does his courage, and ever makes use of it on the wrong occasion." Im Prolog zum selben Stück werden sie noch einmal hergenommen:

> „You wags, that judge by rote, and damn by rule,
> Taking your measures from some neighbour fool
> Who 'as impudence, a coxcomb's useful tool;
> That always are severe, you know not why,
> And would be thought great criticks by the by;
> With very much ill- nature, and no wit . . .".[2])

Aber am galligsten sind sie im „Atheist" gebrandmarkt: „. . . we are over- run with a race of vermin they call wits, a gene-ration of insects that are always making a noise, and buzzing about your ears, concerning poets, plays, lampoons, libels, songs, tunes, soft scenes, love, ladies, peruques, and crevat- strings, French con-quests, duels, religion, snuff- boxes, points, garnitures, mill' d stockings, Foubert's Academy, politicks, parliament- speeches, and every thing else which they do not understand, or would have the world think they did . . . I never knew one of these wits in my life, that did not deserve to be pillory' d . . . One of 'em told me one day, he thought Plutarch well- done would make the best English

---

[1]) Dieses Modewort der Restoration ist von Hause aus ohne ver-ächtlichen Nebensinn. Uns mutet es freilich seltsam an, wenn Dryden z. B. den Sophokles „not only the greatest wit, but one of the greatest men in Athens" nennt (Preface zum „Oedipus").
[2]) vgl. auch den Epilog zu „The Soldier's Fortune".

heroick poem in the world."[1]) Von dieser Sorte führt er uns in „Friendship in Fashion" zwei Stück in Lebensgröße vor: Saunter, den Salonsänger, und Caper, den eleganten Tänzer. „Here is Mr. Saunter sings the French manner better than ever I heard any English gentleman in my life: besides, he pronounces his English in singing with a French kind of a tone or accent, that gives it a strange beauty . . .".[2]) Und Caper zieht selber die Summe seiner Vorzüge: „Dance, sir? and so I think I can, sir, and fence, and play at tennis, and make love, and fold up a billet- doux . . .". Ihnen schließt Malagene sich würdig an, der mimisches Talent entwickelt und seine Hauptstärke darin hat, Skandalgeschichten in Kurs zu setzen. All die lieblichen Eigenschaften der Drei haben ihr weibliches Gegenstück in Person der Lady Squeamish, einem Prachtexemplar von affektierter Prüderie und ausschweifender Lüsternheit. Auch sie gibt sich als Autorität in Kunstfragen: „Oh the English comedians are nothing, not comparable to the French or Italian: besides, we want poets"; und über ihre Geschmacksrichtung bleiben wir nicht im Unklaren: „. . . a spark is the dearest thing to me in the world . . . one of 'em that you know was a sweet person: Oh he danc' d, and sung, and drest to a miracle, and then he spoke French as if he had been bred all his life time at Paris, and admir' d every thing that was French." Mit gutmeinendem Spott ist Sir Noble Clumsey gezeichnet, der unbeholfene, dickfellige Edelmann vom Lande, der nach London kommt, um feinere Lebensart sich einrichtern zu lassen; nur daß seine Schwäche für Geistiges ihm dabei gelegentliche Possen spielt. Uebrigens ist er auch Dichter: „I have written three acts of a play, and have nam' d it already. ' Tis to be a tragedy." Das Stück ist so rührend, daß es ihn jedesmal selber lachen macht, wenn er es liest; es soll den Titel tragen: „The merry Conceits of Love; or the Life and Death of the Emperor Charles the Fifth, with the Humours of his Dog Bobadillo". Das

---

[1]) Eine ähnliche Darstellung erfahren diese Wits schon in einer kleinen Flugschrift von 1673: „The Character of a Coffee-House, with the Symptomes of a Town- Wit". Da lesen wir unter anderm von dem Town- Wit: „The two poles whereon all his discourses turn are atheism and bawdry." Mit Otways Malagene namentlich stimmt die Figur überein, die uns entworfen wird in dem Pamphlet „The Character of a Town- Gallant; Exposing the Extravagant Fopperies of some vain Self conceited Pretenders to Gentility and good Breeding" (London 1675): „A town- gallant is a bundle of vanity, composed of ignorance, and pride, folly, and debauchery; a silly huffing thing, three parts fop, and the rest hector: a kind of walking mercers shop . . . He is so bitter an enemy to marriage, that one would suspect him born out of lawful wedlock . . . — The devil has taught him chymistry, whereby he can extract bawdry out of the most modest language . . . And when he is going to take a run with a common crack in the park, swears he has an assignation from a lady of extraordinary quality . . ."

[2]) Es ist nicht die einzige Stelle, wo Otway über die Nachäffung französischer Art und Mode höhnt und die Vernachlässigung nationalen Eigengutes bedauert. Und dabei soll er sich ohne Einschränkung der französischen Schule angeschlossen haben!

klingt zwar eher nach Komödie; er hat sich aber dahin entschieden, es ein Trauerspiel zu nennen, weil der Hund Bobadillo im Lauf der Handlung ums Leben kommt. Otway schont auch sich selber nicht, wo er um äußern Zwangs willen sich zu Konzessionen herbeiläßt; die Grußformel, welche Sir Noble Clumsey am Ende einer Dedicationsepistel aufgeschnappt hat, stimmt bedenklich nahe überein mit den vom Dichter sonst gebrauchten Wendungen: „I am your most humble, most obliged, and most devoted servant. — That I learn'd at the end of an Epistle Dedicatory."[1]) Der bombastische Unsinn, den Bloody-Bones in Blankversen zum besten gibt, ist vielleicht als parodistische Satire auf die beliebten Blut- und Greuel-Tragödien gedacht, denen Otway selber im „Alcibiades" seinen Tribut entrichtet:

„Have I for this dissolv'd Circean charms?
Broke iron durance, whilst from these firm legs
The well-fil'd useless fetters dropp'd away,
And left me master of my native freedom? . . .
Touch me not yet; I 've yet ten thousand murders
To act before I'm thine: with all those sins
I 'll come with full damnation to thy caverns
Of endless pain, and howl with thee for ever!"[2])

Einzelne Charaktere machen es ihrer abstoßenden Häßlichkeit wegen uns schwer, sie unbefangen zu würdigen: da ist namentlich Sir Jolly Jumble im „Soldier's Fortune" virtuos wiedergegeben, aber in seiner perversen Scheußlichkeit schlechthin unerträglich. Auffallend ist, daß Otway, der so wunderbare tragische Frauengestalten schuf, sie im Lustspiel merkwürdig farblos und schablonenhaft herausarbeitet. Von Lady Squeamish abgesehen, tritt keine so recht ins Leben: am ehesten noch gewinnen wir von Lady Dunce ein fest umrissenes Bild. Der Dialog ist in all diesen Komödien unterhaltend und geistreich, und auch wo er roh wird nicht ohne Witz. In manchem kräftigen oder heitern Wort gibt Otway einer Lebenserfahrung, einer Ueberzeugung Ausdruck: „Patience; that is the English man's virtue: . . . ask a cowardly rascal satisfaction for a sordid injury done you; he shall cry, alas-a-day, sir, you are the strangest man living, you won't have patience to hear one speak." Ein andermal: „. . . . there is no more pleasure in living at stint, than there is in living alone. I would have it in my power (when he needed, me) to serve and assist my friend; I would to my ability deal handsomely too by the woman that pleas'd me . . . I would

---

[1]) Zum „Don Carlos": „I am Your Royal Highness's most humble, most faithful and most obedient servant"; vgl. „Titus and Berenice", „Friendshyp in Fashion".

[2]) vgl. etwa den Schluß des ersten Aktes im „Alcibiades":
„Envy and Malice, from your mansions fly,
Resign your horror and your snakes to me:
For I 'll act mischiefs yet to you unknown;
Nay, you shall all be saints when I come down."

not be forc'd neither at any time to avoid a gentleman that had oblig'd me, for want of money to pay him a debt contracted in our old acquaintance: it turns my stomach to wheedle with the rogue I scorn, when he uses me scurvily, because he has my name in his shop-book." Und wieder: „a private room, a trusty friend or two, good wine and bold truths, are my happiness." Das sind alles Aeußerungen Beaugards und seines Freundes; Otway spricht hier frei vom Herzen. „I have conscience, Ned, conscience; tho' I must confess 'tis not altogether so gentleman-like a companion." Und Beaugard faßt seine Forderungen an das Leben, es sind diejenigen Otways, derart zusammen: „grant me while I live the easie being I am at present possest of: a kind, fair she, to cool my blood, and pamper my imagination withal; an honest friend or two, . . . that I dare trust my thoughts to; generous wine, health, liberty, and no dishonour; and when I ask more of Fortune, let her e'en make a beggar of me." Originelle komische Wendungen sind recht häufig. Da kommt zum Beispiel Beaugards Vater in geistlicher Tracht zu dem verwundeten Atheisten, „a minister of peace to wounded consciences. I come here by appointment with an olive branch in my mouth, to visit a mortal ark toss'd and floating in floods of its own tears, for its own frailties." Eine endlose Reihe boshafter Witzworte findet Otway namentlich auch, um das zu seiner Zeit modegemäße Entsetzen vor dem ehelichen Stand auszudrücken: [1] „. . . there's as it were a mark upon marry'd men, that makes 'em as distinguishable from one of us, as your Jews are from the rest of mankind." („Friendship in Fashion"; I. Akt). „The name of a wife to a man in love is worse than cold water in a fever" (III. Akt). [2] „. . . what have I done, that I deserve to be marry'd!" („Atheist"; I. Akt). „. . . the penal law call'd marriage . . ."; „Murder and marriage are the two dreadful things I seem to be threatned with" (II. Akt); und im dritten Akt desselben Stückes:
„A husband's, Lucrece, like his wedding-clothes;
Worn gay a week, but then he throws 'em off,
And with 'em too the lover." [3]

Sehr drollig ist Sir Davy in der naiven Aufrichtigkeit seiner Ansichten: Fourbin verlangt zweihundert Pfund von ihm für den

---

[1] Verheiratet sein und auf dem Lande leben, sind die zwei Schreckgespenster des höfischen Lebemanns; weshalb auch Rochester einem Hunde, der ihn gebissen, keinen ingrimmigeren Fluch anwünschen konnte als: „I wish you were married and living in the country." („Rochester and other Literary Rakes of the Court of Charles II."; London 1902. Verfasser ist Thomas Longueville.)

[2] In feinerer, schärferer Form kehren manche dieser Aussprüche bei Byron wieder, ohne daß an eine Abhängigkeit zu denken wäre; vgl. z. B. „Don Juan", III. 5: „Marriage from Love, like vinegar from wine".

[3] Auch hier drängt sich ein Bild aus dem „Don Juan" auf, wenn gleich die Pointe eine sehr verschiedene ist:
„And night is flung off like a mourning suit
Worn for a husband, — or some other brute." (II. 139).

gewünschten Mord; Sir Davy ist empört über die Forderung:
„I 'll have a physician kill a whole family for half the money!"
Und da der Totschlag angeblich vollbracht ist, sucht er die Harm-
losigkeit seiner Absicht zu demonstrieren: „As I hope to be sav' d,
. : . I only bargain' d with 'em to bastinado him in ,a way, or so,
as one friend might do to another . . .".

Die Form ist für die drei Komödien dieselbe: fünf Akte in
Prosa, mit kurzen Verspartien am Ende der einzelnen Aufzüge und
Gesangseinlagen, die teils Otways Eigentum, teils aus ältern Stücken
entlehnt sind.[1] Der „Atheist" nimmt insofern eine Sonderstellung
ein, als in ihm viel häufiger als in den andern beiden die Prosa
mit Blankversen durchsetzt ist, so in Theodorets Gespräch mit
Gratian (III. Akt), gleich nachher in der Szene zwischen Courtine
und seiner Frau, und im vierten Akt in Beaugards Unterhaltung
mit der maskierten Dame. Und ein letztes Mal wenigstens schauen
wir auch hier noch einen schwachen Widerglanz von den zarten,
schwermütigen Bildern, die Otways Tragödien verschönen:

> „. . . . . the course
> Of a long rolling, gay, and wanton life.
> Methinks the image of it is like a lawne
> In a rich flow'ry vale, its measure long,
> Beauteous its prospect, and at the end
> A shady peaceful glade, where, when the
> pleasant race is over,
> We glide away, and are at rest for ever."

Im gleichen Stück zitiert Otway einige Verse aus Butlers
„Hudibras" mit genauer Quellenangabe. Harmlose Travestie des
„Macbeth" (Akt III. Szene 4, v. 100 ff.) liegt in Sir Davys Worten:
„Hah! what art thou? Approach thou like the rugged Bankside
bear, the East- Cheap bull, or monster shewn in fair, take any
shape but that, and I 'll confront thee."

Den Prolog zu „The Soldier's Fortune" hat Lord Falkland
beigesteuert; die Gefälligkeit war zugleich Dank für die Zueignung
des „Caius Marius". Die unbedeutenden Verse enthalten Klage
über die Vernachlässigung des Theaters in Dorset- Garden zugunsten der Bühne in Drury- Lane, wo um eben die Zeit Settles
„Female Prelate" unter großem Zudrang gegeben wurde. Es berührt merkwürdig, wenn Falkland das Stück von Otways Feind
rühmt:
> „We own her more deserving far than we,
> A just excuse for your inconstancy."[2]

---

[1] So stammt das Lied „Go from the window, my love, my love, my love" im
letzten Akt von „The Soldier's Fortune" aus Beaumont und Fletcher (es findet sich z. B. im „Monsieur Thomas").

[2] Der „Prologue" findet im zweiten Band der „State Poems" nicht eben
schmeichelhafte Erwähnung; p. 156—165: „The Lover's Session, In Imitation
of Sir John Suckling's Session of Poets"; darin:
„She [Venus] perceiv' d little Falkland sneaking away,
And vow' d she admir' d how that frivolous chit

Aus dem Epilog, der aus Otways Feder stammt, spricht Verbitterung, Unmut und Verzicht. Es war jetzt schon entschieden, daß das gewaltige Zusammenraffen aller Kräfte, aus dem die Werke des verflossenen Jahres entsprungen waren, zu keinem Ziele führte. Der Weg ging unabwendbar tiefer und tiefer ins Elend. Einer der besten Freunde, der Earl of Plymouth, war am 17. Oktober in Tangier gestorben. Die übrigen vornehmen Gönner kümmerten sich wenig um den Dichter, so lange er nicht gerade mit einer kniefälligen Dedication sich ihnen nahte. In herbem Trotz richtet Otway die Zueignung des Lustspiels an seinen Verleger R. Bentley: „For, Mr. Bentley, you pay honestly for the copy; and an Epistle to you is a sort of an acquaintance [acquittance sc.], and may be probably welcome; when to a person of higher rank and order, it looks like an obligation for praises, which he knows he does not deserve, and therefore is very unwilling to part with ready money for." Der Dichter tut sich ordentlich etwas darauf zugut, daß er als erster auf diesen Gedanken kam; und in der Tat steht die Widmung des „Soldatenglücks" in der Zeit ganz vereinzelt da. Das Werk hatte auch Anfeindungen erfahren; doch, bemerkt Otway, „of all the apish qualities about me, I have not that of being fond of my own issue; nay, I must confess my self a very unnatural parent, for when it is once brought into the world, e'en let the brat shift for it self, I say." Den Prüden aber, denen manches zu keck und frei erscheinen möchte, gibt er die Worte einer Frau zu bedenken, „die mehr Sittsamkeit hat als jeder dieser weiblichen Kritikaster und zweifellos mehr Geist": „she wonder'd at the impudence of any of her sex, that would pretend to understand the thing call'd baudy." Es ist Aphra Behn, von der Otway hier spricht; sie, die vor Jahren ihn in die literarische Welt eingeführt hatte, war immer noch in ehrlicher Freundschaft mit ihm verbunden und hat bis zum Ende diese Treue gewahrt.

Ever came to pass on the town for a wit . . .
A mimick he is, tho' a bad one at best,
Still plagu'd with an impotent itch to a jest;
In appurtenant action he spares no expence,
He has all the ingredients of wit but the sense . . .
Or if French memoirs read from Broad-street to Bow,
Can make a man wise, then Falkland is so.
And for full confirmation of all she did say,
She produc'd his damn'd Prologue to Otway's last play."

ACHTES KAPITEL

„Venice Preserved"

Es wird seltsam still um Otway in der nächsten Zeit; für das ganze Jahr 1681 vernehmen wir kein Wort von seinem äußern Ergehen. Nur aus Andeutungen in der Zueignung von „Venice Preserved" können wir die Geschichte seines Lebens in flüchtigem Umriß weiter verfolgen. Die Not war mit aller häßlichen Härte über ihn gekommen: vergessen von den adligen Kumpanen heiterer Gelage, zu stolz und scheu, um die gutmeinenden Freunde, die er lange verkannt hatte, um Hilfe anzugehen, fristete er in kärglicher Vereinsamung sein Dasein. Vielleicht hat Betterton auch damals ihm die helfende Hand geboten; aber ihn allen Mangels zu entheben, ging über seine Macht. Die Sonne königlicher Huld, die Sehnsucht und Hoffnung seines Herzens, hatte sich dem Dichter verdunkelt: Neider und einflußreiche Feinde wußten seine Ergebenheit zu verdächtigen. Da seufzt er von der „schweren Bürde, die er mit sich schleppt", „hard fortune". Doch noch einmal erschien ihm Rettung, und zwar aus der unmittelbaren Nähe des Königs selber: die Herzogin von Portsmouth, Louise de Keroualle, gedachte seiner und enthob ihn der äußersten Dürftigkeit.[1]) Unter

---

[1]) Louise Renée de Keroualle, geb. 1649, war im Jahr 1670 als Hofdame mit der Herzogin Henrietta von Orléans nach England gekommen. Als Mätresse des Königs wurde sie 1673 zur Herzogin von Portsmouth ernannt. Sie vertrat die Interessen Ludwigs XIV. am englischen Hof und stand bei Karl II. in ungeschmälerter Gunst bis zu seinem Tod. Der Sohn, von welchem Otway in seiner „Dedication" spricht, ist Charles Lennox, am 29. Juli 1672 geboren, seit 1675 Duke of Richmond. Von den Geliebten Karls II. war keine so grenzenlos verhaßt wie die Keroualle, oder Carwell, wie der Name meist anglisiert wird. Zahllose Satiren geben davon Zeugnis; vgl. z. B. in den „Poems on Affairs of State", I. 154 ff.: „Rochester's Farewel"; 164: „Portsmouth's Looking-Glass. By the L. Roch — — r"; I. zweiter Teil, p. 51: „On the Duchess of Portsmouth's Picture. September, 1682." So verächtlich ihr Charakter gewesen sein mag, um die englische Dichtung hat sie einiges Verdienst, indem sie Lee und Otway wenigstens zeitweilig unterstützte: Lee hat ihr seine Tragödien „Sophonisba" und „Gloriana" zugeeignet; „for my own part", schreibt er in der erstern, „I am resolved to look up to you daily, . . . to spend all the store of my yet unexhausted fancy in your unbounded fame . . .". Ganz vereinzelt steht das überschwängliche Lob, das ihr in einem anonymen Gedicht „On the Dut-

ihrem Schutz, in der durch sie neu gefestigten Gunst König Karls war ihm noch einmal ein großes Schaffen gegönnt; er sah sein herrlichstes Werk vollendet, „Venice Preserved", und in demütiger, überquellender Dankbarkeit hat er es der Wohltäterin zugeeignet: „Forgive me, . . . if (as a poor peasant once made a present of an apple to an emperor) I bring this small tribute, the humble growth of my little garden, and lay it at your feet. Believe it is paid you with the utmost gratitude: believe that so long as I have thought to remember how very much I owe your generous nature, I will ever have a heart that shall be grateful for it too: your Grace, next Heav'n, deserves it amply from me; that gave me life, but on a hard condition, 'till your extended favour taught me to prize the gift . . .". Es muß eine qualvolle Lage gewesen sein, aus der ihre Freigebigkeit ihn errettete; nie sonst hat Otway in diesem Ton unbegrenzter Ergebung einen Gönner angeredet. Dem Thronfolger gegenüber begnügt er sich, als „Your Royal Highness's most humble, most faithful and most obedient servant" sich zu unterzeichnen; die Dedication an dessen Gemahlin schließt er: „your most obedient and devoted servant." Zu der Mätresse Karls II. aber spricht er als „Your Grace's entirely devoted creature, Tho. Otway." Schön ist jedoch, wie selbst jetzt der lautere, edle Kern seines Wesens sich nicht verleugnet: „you have in that restor' d me to my native right; for a steady faith and loyalty to my prince, was all the inheritance my father left me: and however hardly my ill fortune deal with me, 'tis what I prize so well, that I ne'er pawn' d it yet, and hope I ne'er shall part with it."

Keines der Stücke Otways, selbst „Caius Marius" nicht, hat so viel von politischer Tendenzdichtung an sich wie „Venice Preserved". Es gibt einen imponierenden Begriff von dem poetischen Genie dieses Mannes, daß dem zum Trotz sein Werk das einzige Trauerspiel der ganzen Epoche darstellt, das bis auf den heutigen Tag in mehr als bloß literarhistorischem Sinn fortlebt. Die Kritik ist einig darin, daß von Shakespeare bis zu Shelley und Byron keine Tragödie von ähnlicher Größe über die englische Bühne gegangen ist. Die Zahl der Würdigungen und Urteile ist Legion. Unter den ältern hat sich Derrick am eingehendsten, wenn auch nicht eben

chess of Portsmouth's Picture" zuteil wird. Es steht im dritten Teil der von Dryden in J. Tonsons Verlag herausgegebenen „Miscellany Poems" 1693 („Examen Poeticum" ist der Sondertitel des Bandes) p. 386, und mag der Seltenheit halber hier Platz finden:

> „Had she but liv' d in Cleopatra's age,
> When beauty did the earth's great lords engage,
> Brittain, not Egypt, had been glorious made;
> Augustus then, like Julius had obey' d:
> A nobler theam had been the poet's boast,
> That all the world for love had well been lost."

Es ist erheiternd, diesen Erguss etwa mit den perfiden Anzüglichkeiten in jenem Gedicht „On the Duchess of Portsmouth's Picture" („State Poems") zu vergleichen.

sehr glücklich, mit dem Stück auseinandergesetzt.[1]) In neuerer Zeit sind namentlich zwei sehr ausführliche Monographien dem Gegenstand gewidmet worden; doch ist für beide charakteristisch, daß das Hauptinteresse sich nicht auf Otway konzentriert, und daß entsprechend für das Bild des Dichters wenig Fruchtbares zustande kommt. Die bei weitem wertvollere dieser Arbeiten ist Alfred Johnsons Buch über Lafosse, Otway, St. Réal.[2]) Bei übergroßer Breite und manchem Irrtum im einzelnen, ist das Werk doch auf solidem und reichem Quellenmaterial aufgebaut und behandelt das vorgesetzte Thema, Ursprung und Wandlung des Stoffes zu verfolgen, in erschöpfender und abschließender Weise. Sehr unzulänglich nimmt sich daneben die mit modernen Standpunkten kokettierende psychologisch-ästhetische Studie von Fritz Winther aus.[3]) Für die Erkenntnis von Otways komplizierter, eigenwilliger Persönlichkeit ist sie wertlos. Was wir zu erwarten haben, sagt uns gleich die erste Seite: „Da nun Otway und de la Fosse nicht bedeutend genug sind, als daß es sich lohnen würde, ihre Persönlichkeit eingehend zu besprechen . . .". Die eigentliche Absicht ist eine Würdigung von Hofmannsthals Anpassung der Tragödie Otways.[4])

In „Venice Preserved" hat Otway noch einmal die zwei großen Sehnsuchtsträume seines Lebens wachgerufen: Frauenliebe und Freundestreue. Und wieder hat er den Mann gezeichnet, der mit beiden in überreicher Fülle begnadet ist, und sie verliert, weil er willenlos hindämmert in krankhaft überreiztem Gefühl, nicht erstarken kann zu selbstgewissem Handeln. Die Eingangssituation erinnert flüchtig an „Othello": Jaffeir hat sich mit Belvidera, der Tochter des strengen, stolzen Senators Priuli, gegen dessen Willen vermählt. Der Vater bleibt unerbittlich; Schmach und Elend stehen bevor. Da entdeckt der einzige Freund, Pierre, einen verwegenen Plan zur Rettung: die ganze korrupte Patrizierherrschaft soll fallen,

---

[1]) „The Dramatic Censor" (1751); Nr. 1: „Remarks upon the Tragedy of Venice Preserv'd". Ein abgeänderter und etwas ergänzter Auszug daraus steht im „Dramatic Censor" von 1770; vol. I. p. 313—340: „Venice Preserved. A Tragedy by Mr. Otway."

[2]) „Etude sur la Littérature comparée de la France et de l'Angleterre à la fin du XVIIe siècle. Lafosse, Otway, Saint-Réal. Origines et Transformations d'un Thème Tragique. Par Alfred Johnson. A. B. Thèse présentée pour le Doctorat de l'Université de Paris . . . 1901."

[3]) „University of California Publications in Modern Philology." vol. 3, No. 2, p. 87—246. (Februar 1914): „Das gerettete Venedig. Eine vergleichende Studie von Fritz Winther."

[4]) Eine kleine Kostprobe; Winther zitiert aus Hofmannsthal:
    „Ich denke nach, wie die verdammte
    Gewohnheit, die wir Ehrlichkeit benennen,
    sich in d e r Welt festsetzen konnte . . .",
und fährt fort: „Die Stelle steht fast wörtlich bei Otway, aber während sie dort leere Phrase ist, die allerdings den eitlen Schwätzer [Jaffeir] recht gut charakterisiert, ist sie bei Hofmannsthal vermutlich kein Geschwätz, sondern eine Aussage über einen innern Vorgang." Mr. Winther hält „vermutlich" auch sein Geschwätz für eine „Aussage über einen innern Vorgang".

140

Freiheit und Recht an Stelle despotischer Willkür treten. Schon ist die Verschwörung im Werke; Jaffeir braucht sich ihr nur anzuschließen. Er ergreift die Gelegenheit zur Rache mit der wilden Heftigkeit seiner impulsiven Natur; er übergibt sein Höchstes, die Gattin, als Pfand seiner Treue in die Hand der Führer. Sein Vertrauen wird schändlich betrogen: Renault, ein Haupt der Verschwörung, wagt einen feigen nächtlichen Anschlag gegen ihre Ehre. Die Tränen Belvideras, die Wut über die erlittene Beschimpfung, bringen Jaffeir dahin, daß er die Verschwörung dem Rate angibt. Er hat sich das Leben seiner Freunde als Preis ausbedungen. Aber der Meineid kostet die Senatoren wenig Ueberwindung, und die Empörer enden auf dem Schaffot. Pierre verzeiht dem treulosen Freund: er wünscht als letztes, daß Jaffeir ihn töte, damit er nicht von der Hand des Henkers ende. Jaffeir erdolcht ihn, dann tötet er sich selbst. Belvidera stirbt im Wahnsinn.

Die charakteristischen Züge der Tragödie Otways treten in „Venice Preserved" in ihrer höchsten Durchbildung uns entgegen. Wieder ist es die Frau, welche die Handlung beherrscht, und, bezeichnend genug, gerade Belvidera ist die einzige unter den Hauptgestalten, die Otway ganz aus Eigenem schuf. Sie vollendet die Reihe seiner edlen Frauen, um deren Leid, nach Walter Scotts Worten, mehr Tränen geflossen sind als über dem Schicksal Juliets und Desdemonas. In ihnen lebt sein Ruhm am reinsten und unverkümmert. Was Zartes und Schönstes seine Seele bewegte, hat er ihnen mitgeteilt; vor der Gefahr, abstrakte Inbegriffe von Schönheit und Tugend hinzustellen, wahrte ihn die tiefe Trauer eigenen Erlebens. Er hat diese Frauen mit wachen Augen geschaut, in der Person seiner Geliebten; und wenn sie alle Geschwisterzüge tragen, ist es nicht, weil sie aus der nämlichen wirklichkeitsfremden Idee entsprungen, sondern weil Otway in der einen und einzigen Frau seiner Liebe jedes Edelste leibhaft sah. Auch Belvidera lebt und stirbt in der einen, allbeherrschenden Leidenschaft:

„Oh I will love thee, even in madness love thee!
Tho' my distracted senses should forsake me,
I 'd find some intervals, when my poor heart
Should 'swage itself, and be let loose to thine.
Tho' the bare earth be all our resting place,
Its roots our food, some clift our habitation,
I 'll make this arm a pillow for thy head;
And as thou sighing ly'st, and swell'd with sorrow,
Creep to thy bosom, pour the balm of love
Into thy soul, and kiss thee to thy rest;
Then praise our God, and watch thee till the morning."[1])

---

[1]) William Guthrie bemerkt zu dieser Stelle („Essay upon English Tragedy", p. 23): „Were a modern poet to express that simple, yet fine sentiment of Otway,

„O I could love thee, ev'n in madness love thee!",

Mit wunderbarer Kunst ist alles und jedes in ihrem Wesen nach einem Ziel hin entwickelt; wir sehen den Wahnsinn, der zuletzt sie umfängt, von Anbeginn drohen, unabwendbar und doch nicht schreckhaft bei so viel Lieblichkeit. Ihre Liebe zu Jaffeir ist selbstvergessene Anbetung; aber, ungleich den Schwestern, Monimia und der Königin, treibt diese Liebe Belvidera zu entschlossenem und entscheidendem Handeln. Es sind unübertroffene Szenen, in welchen sie Jaffeir mählich zum letzten Schritte bewegt, wie unmerklich sich sein schwacher Wille ihrer Ueberzeugung anbequemt, und wenn das Grauen vor dem Verrat an den Freunden sich anschleicht, wie eine heiße Flamme der Gedanke an Renaults versuchtes Schurkenstück aufschießt. Die Erkenntnis von den furchtbaren Folgen ihres Schrittes bricht Belvideras Mut. Sie ist ganz ängstliche, weinende Zärtlichkeit; mehr und mehr entgleitet ihr die Herrschaft über die Sinne; mit dem letzten Abschied stürzt alles zusammen. Jaffeirs und seines Freundes blutende Gestalten steigen vor ihren verstörten Blicken empor. Die Vision tötet sie:

„Hoa, Jaffeir, Jaffeir.
Peep up and give me but a look. I have him!
I 've got him, father: Oh! now how I 'll smuggle him!
My love! my dear! my blessing! help me! help me!
They have hold on me, and drag me to the bottom.
Nay — now they pull so hard — farewel —".

Das Freundespaar Jaffeir und Pierre setzt in gerader Richtung die Linie fort, die von Don Carlos und Don Juan zu Castalio und Polydore geführt hat. Die neuere Kritik neigt dahin, Jaffeir allzu sehr von der negativen Seite zu betrachten. Er ist nicht schlechthin der haltlose Schwächling: das müßte allerdings ihn zum tragischen Helden unmöglich machen. Aber die Unsicherheit, das Mißtrauen gegen sich selbst, ist weniger seinem Charakter als seinen Nerven zur Last zu legen; es ist eine überverfeinte und darum nicht mehr gesunde Empfänglichkeit für jede Regung von außen. Otways Heldentypus ist in manchem der von Hauptmanns „Einsamen Menschen". Jaffeirs Verrat ist die Frucht von zerrüttenden seelischen Konflikten, Widersprüchen von qualvoller Härte, in denen sein Geist keine Lösung findet und sein Wille zu zart ist, um auf eigene Verantwortung, ohne Ueberzeugung von Recht oder Unrecht, sich zu entscheiden: er folgt dem Ueberreden Belvideras, weil er ein überlegenes Wollen fühlt, aber ohne Entschluß:

„Come, lead me forward now like a tame lamb
To sacrifice. Thus in his fatal garlands
Deck' d fine, and pleas' d, the wanton skips and plays,
Trots by th' enticing, flattering priestess' side,

how would he disdain the baldness of the expression! how would he dissect and define, first, the lady's worthiness to the object of love, then love itself! and ten to one but he would even step into Bedlam, that he might entertain us with a more lively picture of madness and its symptoms."

142

And much transported with its little pride,
Forgets his dear companions of the plain;
'Till by her bound, he 's on the altar lain,
Yet then too hardly bleats, such pleasure 's in the pain.'

Jaffeir ist eine unfreie, unglücklich veranlagte Natur; aber gänzlich unbedeutend, ein eitler Schwätzer, wie Winther meint, kann der Mann nicht sein, den ein Weib wie Belvidera hingebend liebt, dem ein Charakter wie Pierre in fast zärtlicher Freundschaft zugetan ist. Sein Feind Priuli sagt von den großen Hoffnungen, die seine frühen Jahre erregt:

„. . . When you first came home
From travel, with such hopes, as made you look' d on
By all men's eyes, a youth of expectation;
Pleas' d with your growing virtue, I receiv' d you;
Courted, and sought to raise you to your merits . . .".

Er hat mit Gefahr des eigenen Lebens Belvidera aus den Fluten gerettet. In seinem Wesen liegt etwas, das edlere Naturen unwiderstehlich anzieht. Als Bedamar die ersten Worte aus seinem Munde vernommen, da ruft er aus:

„Pierre! I must embrace him;
My heart beats to this man, as if it knew him."

Und diesem eigenartig komplizierten Charakter steht die frische, heldenkräftige Gestalt Pierres zur Seite, der Mann nach Otways Herzen. Addison macht es der Tragödie zum Vorwurf, daß die Hauptpersonen fast ohne Ausnahme Verbrecher und als solche der Teilnahme unwürdig seien.[1]) Die Einwendung ist haltlos: es handelt sich nicht darum, ob uns die Verschwörung an sich moralisch berechtigt erscheint oder nicht, sondern aus welcher Gesinnung heraus sie der Dichter ins Werk setzen läßt. Da ist allerdings eines gleich zu bemerken: Otway kommt in eine bedenkliche Zwangslage zwischen der künstlerischen und der politisch-tendenziösen Absicht seiner Dichtung. Er darf die Verschworenen unmöglich als eine Bande Verworfener charakterisieren, wenn das Werk nicht rettungslos geschädigt werden soll; er will aber anderseits politisches Verschwörertum mit möglichst unzweideutigem Hinweis auf Zeitereignisse brandmarken. Da sucht er sich durch eine Scheidung der beiden Tendenzen zu helfen: in Renault entwirft er das Zerrbild des blutdürstigen Revolutionsmenschen und feigen Wüstlings. Damit rettet er Pierre ganz für seine höheren Zwecke. Auch ihn treibt zwar das Motiv persönlicher Rache: seine Geliebte, die Kurtisane Aquilina, ist durch den alten Senator Antonio ihm widerrechtlich entfremdet worden. Aber Pierre betrachtet seinen eigenen

---

[1]) „Spectator", No. 39, vom 14. April 1711: „It has been observed by others, that this poet [Otway] has founded his tragedy of Venice Preserved on so wrong a plot, that the greatest characters in it are those of rebels and traitors . . .".

Fall nur als eines der zahllosen Symptome der unerhörten Fäulnis, worin die Stadt unter dem Regiment der Vornehmen versunken ist; ihn jammert das Schicksal Venedigs,

"Where brothers, friends, and fathers, all are false;
Where there 's no trust, no truth; where innocence
Stoops under vile oppression, and vice lords it."

Pierre ist Soldat; er gehört dem Stande an, den Otway vor andern liebte. Dieser männliche, unbeugsame Charakter hat nur eine weich empfindende Seite: die Liebe zum Freund. Er, der Harte, Rauhe, schaut mit Bewunderung zu Jaffeir auf, dem Feinen, Zartfühlenden. Und hier ist die Stelle, wo er verwundbar ist. Alles wirft er hin, dem Freund zu willen; wilder als Jaffeir selbst empört ihn der Schimpf, den Renault seinem Weibe antun wollte; er könnte selber zum Verräter an der Sache werden, Jaffeir zuliebe: und dieser Freund ist es, der ihn verrät. Die Szene zwischen den Beiden nach der begangenen Tat ist vielleicht das Größte, was Otway geschaffen: Pierres furchtbare Verachtung, Jaffeirs verzweifelnde Reue; er fleht, schreit:

"The safety of thy life was all I aim' d at,
In recompence for faith and trust so broken!"

Und Pierres eisige Antwort:

"I scorn it more, because preserv' d by thee —". [1]

Nicht der Gedanke an seine Tat, der Haß des Freundes nur macht Jaffeir rasend. Nichts mehr bedeutet ihm die Verschwörung, nichts das Leben der andern Schuldigen: ihm brennen die Worte Pierres, der Schlag, mit dem er ihn von sich stieß, in der Seele. Jetzt hat die Liebe selbst, um die er alles verschuldet, nicht Gewalt mehr über ihn; daß er mit dem Freund sterben dürfe, ist das Höchste, das sein Ehrgeiz noch ersehnt. Auch Pierre „kann nicht vergessen, daß er ihn geliebt"; jetzt, im Angesicht des Todes, verzeiht er. Und wieder ist es jener Triumph des Sterbens, der Otways Helden auszeichnet:

"Now thou hast indeed been faithful.
This was done nobly — We have deceiv' d the Senate",

sind Pierres letzte Worte. „Bravely", bestätigt Jaffeir. „Fluchwürdige Tat", ruft zwar der Geistliche, der die Szene mitangeschaut hat; aber der Offizier, welcher die Hinrichtung hätte befehlen sollen, wünscht: „Gebe der Himmel mir, so edel zu sterben —."

---

[1] Otway hat den Gedanken schon im „Alcibiades" zum Ausdruck zu bringen gesucht; aber er ist der Wucht und Prägnanz dieser endgültigen Formulierung noch fern. Theramnes sagt im 3. Akt: „. . . I hate that life your hand did give"; und Timandra im 5. Aufzug:
„. . . Live! what have I to do
With life, when giv'n by one so base as you?"
Möglicherweise haben wir eine Reminiszenz an Aphra Behns „Forc' d Marriage", wo wir im letzten Akt die Stelle finden:
„But I refuse a life that comes from you."

Otway hat die Geschichte von der Verschwörung gegen Venedig und dem Verrat des Jaffeir in Saint-Réals „Conjuration des Espagnols contre la République de Venise" gefunden.[1]) Daß diese Darstellung den historischen Tatsachen nicht entspricht,[2]) ist für Otways Werk ganz und gar belanglos; es hätte ihn selber wohl am allerwenigsten interessiert, über die wahren Beziehungen aufgeklärt zu werden. Ihn fesselte das tragische Motiv, das er bei Saint-Réal erkannte; ob Wahrheit oder Dichtung zugrunde lag, war ihm gleichgültig.[3]) Für keines seiner Dramen hat die Frage des Verhältnisses zur Quelle so eingehende Berücksichtigung schon erfahren; sie ist zuletzt und mit fast absoluter Vollständigkeit von Johnson in·dem genannten Werk behandelt worden.[4]) Wir können uns entsprechend kurz fassen. Als unmittelbare Vorlage benutzte Otway nicht das französische Werk, sondern eine englische Uebersetzung, die 1675 in London erschienen war.[5]) In ihr finden wir zum Beispiel die Namen in der Form, wie Otway sie verwendet: Bedamar (der Marquis de Bedmar St. Réals), Brabe (bei St. Réal und auch an spätern Stellen der Uebersetzung Bribe), und Eliot (in der Uebersetzung Elliot, bei St. Réal Haillot).[6])

In keinem seiner Trauerspiele hat Otway sich der Quelle gegenüber so unbedingte Freiheit gewahrt wie in „Venice Preserved".

---

[1]) Deutsch überarbeitet in der von Schiller herausgegebenen „Geschichte der merkwürdigsten Rebellionen und Verschwörungen aus den mittlern und neuern Zeiten" (Erster und einziger Band 1788, Leipzig).

[2]) Ranke stellt fest: St. Réals Erzählung weicht „von dem Verlaufe der Tatsache auf eine abenteuerliche Weise ab, und verdient in keinem ihrer Teile den mindesten Glauben."

[3]) Für das Geschichtliche ist vor allem auf Rankes Abhandlung hinzuweisen: „Die Verschwörung gegen Venedig im Jahre 1618 (Mit Urkunden aus dem venezianischen Archiv)." Berlin 1831. In den „Sämmtlichen Werken" Band 42, 1878, p. 135—275. Die englische Kritik macht viel Aufhebens von Horatio F. Browns Studie „The Spanish Conspiracy: an Episode in the Decline of Venice" in seinen „Venetian Studies". Brown kommt in keiner Weise über Ranke hinaus; die Anerkennung, welche seine Arbeit findet, ist nur aus Unkenntnis derjenigen Rankes zu erklären.

[4]) Im Vorbeigehen sei auf die Abhandlung von Karl Luick: „Ueber Otway's Venice Preserved" aufmerksam gemacht, in den „Beiträgen zur neueren Philologie. Jakob Schipper zum 19. Juli 1902 dargebracht." Die an sich verdienstliche Arbeit hatte das Unglück, bei ihrem Erscheinen schon überholt zu sein durch das Buch Johnsons, das auf Grund eines unvergleichlich reicheren Materials zu verwandten Resultaten kommt.

[5]) „A / Conspiracy / Of The / Spaniards / Against the / State of Venice. / — / Out of French. / — / [Vignette] / — / London, / Printed by J. D. for Richard Chiswel, at the Rose and / Crown in St. Pauls Church-yard, 1675. / " 111 Seiten, 12. (Brit. Mus. 9150. a. 3.)

[6]) Der Name des Verräters ist bei St. Réal sowohl wie in der Uebersetzung Jaffier geschrieben; wenn dagegen der erste Quarto und nach ihm alle alten Ausgaben Otways Jaffeir setzen, so haben wir es mit einer bloß orthographischen Eigentümlichkeit zu tun, für welche der Quarto von 1682 weitere Parallelen bietet. (So haben wir in der ersten Szene des 1. Aktes „Theif" für „Thief".)

Auf flüchtigen Andeutungen baut er hier eine Tragödie auf, die in Exposition, Entwicklung und Katastrophe eigenste Schöpfung seiner Phantasie ist. Wenn wir die „Orphan" zum Vergleich heranziehen, so sahen wir dort, wie der Dichter bis in den vierten Akt hinein in allem Tatsächlichen genau mit der Novelle Schritt hielt. Bei „Venice Preserved" ist davon nicht die Rede. Die Verschwörung, die bei St. Réal den Inhalt ausmacht, bildet hier nur den düstern Hintergrund, von welchem drei Einzelschicksale sich gewaltig abheben. Ein Beispiel macht den Unterschied deutlich: die beherrschende Rolle des Stückes, die Person Belvideras, hat in der Novelle nicht die leiseste Entsprechung; mit keinem Wort ist von einer Frau die Rede, welche zu Jaffier in Beziehung stände. Zwei wichtige Momente übernimmt Otway aus St. Réals Novelle: den Gewissenskampf, aus dem heraus Jaffeir zum Verräter wird, und die Freundschaft, die ihn mit Pierre verbindet; aber auch diese beiden nur in grobem Umriß. Der Jaffier der historischen Erzählung entsetzt sich ob der Vorstellung des unsäglichen Elends, das die Empörung über Unschuldige bringen muß, und dessen Gräßlichkeit ihm erst bei Renaults fanatischer Schilderung vor Augen springt. Darum zeigt er die Verschwörung an, aber, wie Otways Held, nur gegen das feierliche Versprechen, daß den Freunden Gnade gewährt werde: „mais qu'on ne crût point arracher son secret par les tourments, sans la lui accorder, parcequ'il n'y en avoit point d'assez horribles pour tirer une seule parole de sa bouche." Otway hat diese Stelle in einer Szene von mächtiger Wirkung verwertet: Jaffeir steht vor dem Senat; er hat seine Forderungen zu stellen und kommt nicht als Bittender. Der Doge will den Kecken einschüchtern: „Give him the tortures", gebietet er. Da schnellt Jaffeir auf:

> „Give him the tortures! Name but such a thing
> Again, by Heav'n I 'll shut these lips for ever;
> Not all your racks, your engines, or your wheels,
> Shall force a groan away — that you may guess at."

Aber in beiden Fällen bricht der Senat das gegebene Gelübde. St. Réal nennt Jaffier „l'un des meilleurs amis du capitaine", und Pierre ist bei ihm ungern gezwungen, den Verdächtigungen Renaults Gehör zu geben. Doch die ganze Innigkeit dieses Freundschaftsverhältnisses, die hundert Einzelheiten, in denen sie sich äußert, das ist alles einzig Otway, das stammt aus den reinsten Tiefen des eigenen Erlebens.

Am engsten schließt Otway sich dem historischen Werk in den Partien an, für die er selber am wenigsten Interesse aufbringt. Die Verschwörung an sich, ihre Entwicklung und ihr Scheitern ist ihm im Grunde herzlich gleichgültig; er streicht St. Réals feine Analyse zu ein paar breiten, kräftigen Zügen zusammen. Die Hauptvertreter, welche die Quelle mit Namen nannte, dienen so ziemlich als Statisten, um der Verschwörung Hintergrund zu geben, die sich sonst nur aus den Personen Jaffeir, Pierre, Renault und Bedamar

146

zusammensetzte. Von den im Rollenverzeichnis gegebenen Personen sprechen Mezzana, Ternon und Brabe kein Wort. Durand und Brainveil[1]) nicht viel mehr; Retrosi, der im dritten Akt als anwesend gedacht ist, steht nicht unter den Dramatis Personae. Etwas mehr Aufmerksamkeit schenkt Otway der Gestalt Bedamars; und den Engländer Eliot benutzt er für einen satirischen Hieb auf seine Landsleute:

> „You are an Englishman: when treason 's hatching
> One might have thought you 'd not have been behind hand." [2])

Als typischen Vertreter der Verschwörung wählt er Renault, der zugleich Werkzeug ist, um Jaffeirs Verrat zum tragischen Konflikt zu gestalten, und Träger politischer Satire.[3]) Seine Brandrede an die Verschwörer im dritten Akt ist das umfangreichste und bestbekannte Anleihen, das Otway bei St. Réal machte. Die Grundsätze, die ihn dabei leiten, sind dieselben, die wir des öftern zu verfolgen Gelegenheit hatten; es mag genügen, für genaue Einzelheiten auf Johnsons Zusammenstellung zu verweisen. Für Priuli hat Otway den Namen des neugewählten Dogen bei St. Réal genommen; der Charakter des unerbittlichen und durch seine Härte selbst gerichteten Vaters ist ganz und gar Eigentum des Dichters. Umgekehrt hat er der Kurtisane Aquilina den Namen gegeben, während er

---

[1]) Die Schreibung Bramveil, in welcher A. Johnson die von Otway gewollte Form zu finden meint, ist bloß Druckfehler in den Dramatis Personae des ersten Quarto, den spätere Ausgaben kritiklos wiederholen; im Text selber hat Ql stets Brainveil. Die Uebersetzung von 1675 setzt regellos Brainville, Brainvill und Brainvil.

[2]) Gerade hier haben wir ein Beispiel dafür, wie Otway, um der satirischen Absicht willen, seine Personen unbedenklich aus der Rolle fallen läßt. Daß Renault, die Seele des ganzen Komplotts, in so verächtlichem Ton von der Angelegenheit spricht, wäre anders nicht begreiflich. Gleich nachher folgt eine noch bekanntere derartige Stelle:
„Give but an Englishman his whore and ease,
Beef and a sea-coal-fire, he 's yours for ever."
(vgl. die Anspielung darauf in Byrons Brief an Francis Hodgson, vol. I. p. 339 der Ausgabe von Coleridge und Prothero.)

[3]) Wenn an eine bestimmte Person zu denken ist, so scheint mir die Annahme von Davies (Dram. Miscell. III. 216) am wahrscheinlichsten, daß Otway auch hier Shaftesbury im Auge hat; vgl. den Prolog:
„Here is a traitor too, that 's very old,
Turbulent, subtle, mischievous, and bold,
Bloody, revengeful, and to crown his part,
Loves fumbling with a wench, with all his heart;
And after having many changes past,
Thanks Heav'n, for all his age, he 's hang'd at last."
Höchst ungereimt ist die Behauptung A. Johnsons, daß Otway in der Charakteristik Renaults sich noch einmal an Rochester gerächt habe. Die Hypothese ist so absurd aus der Luft gegriffen, daß eine Diskussion sich nicht lohnt. Sie sei hier ein für allemal zurückgewiesen, weil in ihr eine Verunglimpfung von Otways Charakter enthalten ist: sich an einem Gegner, der nun bald zwei Jahre im Grabe lag, zu rächen, war nicht seine Art. Unbegreiflich ist mir nur, wie Gosse, dem Johnson diese Entdeckung unterbreitet, sie glaubwürdig finden kann. (vgl. p. 225 bei Johnson.)

die Person in der Novelle schon vorgezeichnet fand: „une fameuse Grecque, femme d'un mérite extraordinaire pour une courtisane". Diese Rolle aber dient bei ihm besonderem Zwecke: zwischen ihr und dem alten Senator Antonio spielen jene furchtbar grotesken Szenen, in denen seine satirische Kraft sich in sonst nie gekannter Grausamkeit entlädt. Die ästhetische Berechtigung ist diesem Satyrspiel fast einstimmig abgesprochen worden; aber ein gewichtiges Urteil zu seinen Gunsten finden wir doch, seltsamerweise gerade bei der französischen Kritik, die sonst für Otway ein so armseliges Verständnis aufbringt. In Taines „Histoire de la Littérature Anglaise" (III. 197 ff.) lesen wir: „Comme Shakespeare . . . il [Otway] a retrouvé au moins une fois la grande bouffonnerie amère, le sentiment cru de la bassesse humaine, et il a planté au milieu de sa tragédie la plus douloureuse, un grotesque immonde, un vieux sénateur qui se délasse de sa gravité officielle en faisant le soir chez sa courtisane le farceur et le valet. Comme cela est amer! comme il a vu vrai en montrant l'homme empressé de quitter son costume et sa parade! comme l'homme est prompt à s'avilir quand, échappé à son rôle, il revient à lui-même! comme le singe et le chien reparaissent en lui! . . ." Und wenn wir nach diesem tiefschauenden Urteil Taines sehen, wie auch Hofmannsthal in seiner Nachdichtung sich gerade diese Szenen wohl zunutze macht, werden wir uns doch hüten, sie als unvereinbar mit gebildetem Empfinden abzulehnen. In der Rolle Aquilinas ist, wenn auch unentwickelt, so doch fühlbar, etwas dämonisch Großes; wir begegnen Zügen, die uns seltsam modern anmuten, etwa an Wedekinds Bestes gemahnen. Daß besonders die Kritik des achtzehnten Jahrhunderts kein gutes Wort für diese Episode übrig hat, kann kaum verwundern; es stammt aus dem gleichen Geiste, wenn etwa der Verfasser des „Dramatic Censor" allen Ernstes vorschlägt, den Schluß der Tragödie versöhnend zu gestalten, in der Art, daß Priuli im entscheidenden Augenblick die Begnadigung für Pierre brächte, und damit alle Hauptbeteiligten am Leben blieben.

Was indessen auch unser Standpunkt zu der barocken Genialität der Aquilina-Antonio-Szenen sein mag, betonen müssen wir, daß dem Dichter eine künstlerische Absicht vollkommen fern stand: es ist unverhüllte und unmittelbare politische Satire, die hier sich ausspricht. Antonio, der alte, kindisch verliebte Senator, der unter dem Tisch Aquilinas den Hund spielt, der mit der Peitsche zur Tür hinaus gejagt wird und um Einlaß heulend die Rolle weitertragiert, er heißt mit seinem vollen Namen Anthony Ashley Cooper, Earl of Shaftesbury. Wir dürfen uns nicht wundern, daß Otway den größten Staatsmann des damaligen England mit solchem Hasse anfiel: von seiner Bedeutung ahnte er nichts, wollte er nichts wissen. Was er wußte, war, daß alle Besorgnis und Unruhe des Königs und seines Bruders in diesem Manne gipfelte. Ein weiteres brauchte es für ihn nicht: so kleinbürgerlich beschränkt und von Herzen aufrichtig, wie die vaterländischen Gefühle waren, die der Knabe im Pfarrhaus zu Woolbeding in sich aufnahm, so hat er sein Leben durch sie gewahrt. Politische Klugheit kannte er nicht: er stand zu seinem Fürstenhaus mit der ganzen feurigen Hingebung, der seine Seele fähig war. Und bei aller Enge liegt nichts Gewöhnliches in dieser Stellungnahme: ob im Genuß fürstlicher Huld, ob in schmachvoller Vergessenheit, Otway hat nie einen Augenblick in der Treue gewankt. Wenn wir Derrick glauben wollen, so hätte die Satire auf Shaftesbury dem ausdrücklichen Wunsch Karls II. ihre Entstehung zu danken, ähnlich also wie von Drydens ziemlich gleichzeitig geschriebener „Medal" berichtet wird. Die Politik der Whigs hatte am 24. November 1681 einen großen Triumph errungen, indem die gegen Shaftesbury erhobene Anklage auf Hochverrat abgewiesen wurde. Das Ereignis ward mit der Prägung einer eigenen Medaille gefeiert: „Laetamur" lautete die Inschrift. Es war ein empfindlicher Schlag für die Hofpartei; und die Enttäuschung machte in erbitterten Pamphleten sich Luft. Zwei dieser Invektiven sind in den bleibenden Bestand der Literatur übergegangen: Drydens „Medal" und die Antonio-Szenen von „Venice Preserved". Schon nach dem Prolog konnte niemand im Zweifel sein, was diese Rolle bezwecke:

„Next there 's a Senator that keeps a whore;
In Venice none a greater office bore . . ."

und mit pathetischem Spott wird gleich darnach auf Shaftesburys phantastischen Ehrgeiz nach der polnischen Krone angespielt. [1] Aber noch augenfälliger werden die Beziehungen eingeprägt; unter den Dramatis Personae hat einzig Antonio eine charakterisierende Bemerkung erhalten: „a fine speaker in the Senate"; und eine Probe dieser Beredsamkeit gibt er im fünften Akt: „Reverend Senators, that there is a plot, surely, by this time, no man that hath eyes or understanding in his head will presume to doubt; 'tis as plain as the light in the cowcumber..." Daß Shaftesburys rhetorische Begabung [2] hier parodiert war, konnte niemand verkennen, um so weniger, wenn Antonio unmittelbar vorher erklärte: „. . . here 's a tickling speech about the plot, I 'll prove there 's a plot, with a vengeance —". Das rief unfehlbar Shaftesburys Verhalten anläßlich des Popish Plot in Erinnerung; war doch das Gerücht gegangen, daß er selber mit beteiligt gewesen sei, den Schwindel von einer vorgeblichen Verschwörung ins Werk zu setzen. Wie Otway hat auch Dryden dieses Moment herangezogen:

---

[1] Das war seit 1675 steter Gegenstand satirischen Witzes; so spricht auch Dryden von der „Polish Medal" (v. 3); vgl. z. B. ein fliegendes Blatt von 1682: „The Last Will and Testament of Anthony King of Poland."

[2] Vgl. auch „Nostradamus's Prophecy. By A. Marvel, Esq.", „State Poems" I. p. 92 ff.:
„When the seat 's given to a talking fool,
Whom wise men laugh at, and whom women rule;
A min'ster able only in his tongue,
To make harsh empty speeches two hours long . . .".

> „The wish'd occasion of the plot he takes;
> Some circumstances finds, but more he makes . . .".

Nach den ersten Worten gleich nennt Antonio uns sein Alter: er ist einundsechzig. Das stimmt genau zu Shaftesbury, der, am 22. Juli 1621 geboren, sich damals im einundsechzigsten Altersjahre befand. Wenn die Tendenz auch nur in diesen Antonio-Szenen ganz unverhüllt zutage tritt, als Unterströmung läßt sie durch die ganze Tragödie, vom Titel weg schon, sich verfolgen. „Venice Preserv' d, or t h e Plot Discover' d" scheint die ursprüngliche Benennung des Dramas gewesen zu sein.[1]) Die Satire schlug ein und half zum großen Erfolg des Stückes mit. Für ihre Wirkung sprechen am besten Stimmen aus dem gegnerischen Lager; so steht in Band III. der „State Poems" ein Gedicht, vom Standpunkt der Whigs aus geschrieben, das davon Zeugnis gibt. Es ist kurzweg „Satyr" überschrieben:

> „At ev'ry shop, while Shakespear's lofty stile
> Neglected lies, to mice and worms a spoil;
> Gilt on the back, just smoaking from the press,
> Th' apprentice shows you Durfey's Hudibras,
> Crown's Mask, bound up with Settle's choicest labors,
> And promises some new Essay of Babors.
> If you go off, as who the devil would stay,
> He cries, Sir, Mr. Otway's last new play,
> With th' Epilogue, which for the Duke he writ,
> So lik' d at court by all the men of wit.
> I heard an ensign of the guards declare,
> That with him Shadwell was not to compare;
> He lik' d that scene of Nicky Nacky more,
> Than all what Shadwell ever writ before.
> Was 't not enough, that at this tedious play,
> I lavish' d half a crown, and half a day;
> But must I find, patch' d up at ev'ry wall,
> Such stuff that none can bear, who starves not at
> Whitehall?"[2])

Die Aufführung des „Geretteten Venedig" zu Anfang 1682 (am 9. Februar) war der letzte Triumph, den der Dichter erlebte. Wieder schufen Mrs. Barry als Belvidera und Betterton als Jaffeir Rollen von einziger Größe. Ein volles Jahrhundert nun bleibt „Venice Preserved" die herrschende Tragödie der englischen Bühne; allein zwischen 1703 und 1735 verzeichnet Genest achtunddreißig verschiedene Aufführungen. Auch in privaten Zirkeln wird das Stück gegeben: das „Gentleman's Magazine" vom Januar 1738 bringt einen zu solchem Anlaß geschriebenen Prolog und Epilog; der erstere beginnt:

---

[1]) So ist es in dem noch 1681 datierten Einzeldruck von Prolog und Epilog betitelt; ebenso im zweiten Separatdruck von 1682.

[2]) Mit unbedeutenden Abweichungen auch in MS. Harl. 7317. fol. 6 b.

„Once more we boldly venture on the stage,
Once more to melt your hearts with Otway's page . . ."

Als Verfasser nennt sich „a person of quality". Ein sehr
schlechter Gelegenheitsepilog, im Charakter Renaults gesprochen,
ist zu finden in MS. Harl. 7318 des Brit. Mus. Begreiflich ist, daß
das achtzehnte Jahrhundert die groteske Wildheit der Antonio-
Szenen nicht mehr ertrug; wir vernehmen, daß sie ein einziges
Mal auf besonderes Verlangen Georgs II. in die Darstellung aufgenommen wurden. Dagegen hatte das Publikum an kleinen ex
tempore-Späßchen sein Herzvergnügen, wovon Davies uns ein
krasses Beispiel überliefert: „In this scene [III. Akt, gegen Ende]
I should recollect, that, formerly, Pierre, after challenging the other
conspirators, addressed himself to one of them in the following
terms: Or thou! with that lean, wither' d, wretched, face! And
that an actor of a most unfortunate figure, with a pale countenance,
stood up, with a half- drawn sword, and raised a general laugh in
the audience. The famous Tony Aston, the itinerant comedian, was
the last performer of this ridiculous part."

Die Geschichte des Dramas ist an Reichtum und Entfaltung
nur der von Shakespeares bewundertsten Werken vergleichbar.
Uebersetzungen und Nachdichtungen erschienen in fast allen
europäischen Sprachen; bis nach Rußland trugen sie den Namen
Otways. [1] Goethe und Grillparzer interessierten sich für die Tragödie. Hofmannsthal hat sie auf seine Art erneut.

Die genauen Daten dieser ganzen Entwicklung finden sich in
Johnsons Monographie sehr reichlich zusammengestellt. Zu ver-
gleichen ist die Rostocker Dissertation von J. Falke: „Die deutschen
Bearbeitungen des „geretteten Venedig" von Otway" (1906).

---

[1] Antoine de la Fosse: „Manlius Capitolinus" (1698). De la Place:
„Venise Sauvée" (1747; Bearbeitung in Alexandrinern; eine Prosa-Ueber-
setzung desselben Verfassers in Tome V. des „Théâtre Anglois" 1747).
P.-B. de Barante: „Venise Sauvée" in Tome II. der „Chefs-d'Oeuvre du
Théâtre Anglais" 1822; vgl. Raynouard im „Journal des Savans", Déc. 1824,
p. 729 f. Gerard Muyser: „Het Gered Venetie. Naar't Fransch [de la Place]
gevolgt." (1755; auch in der „Nagelaate Poëzy" des gleichen Autors, 1760).
Für die deutschen Bearbeitungen vgl. Goedekes „Grundriß", 2. Aufl. Band 7,
p. 713; und W. Engelmanns „Bibliothek der schönen Wissenschaften",
2. Aufl. 1837, Band I. p. 294. Eine russische Uebersetzung, nach dem Deutschen, erschien 1764. Italienisch von Michele Leoni: „Venezia Salvata, ossia
Una Congiura Scoperta", Florenz 1817.

NEUNTES KAPITEL

Das Ende

Der Epilog zu „Venice Preserved" klang mit einer Verherrlichung des Herzogs von York aus, der zur Zeit sich noch in Schottland in halber Verbannung aufhielt:

> „With indignation then let each brave heart
> Rouze, and unite, to take his injur' d part;
> 'Till Royal love and goodness call him home,
> And songs of triumph meet him as he come;
> 'Till Heav'n his honour, and our peace restore;
> And villains never wrong his virtue more."

Sehr bald schon ging der hier ausgesprochene Wunsch in Erfüllung: James kehrte anfangs März 1682 zu bleibendem Aufenthalt nach England zurück, zum großen Jubel seiner Getreuen. Die pathetischen Willkommspoesien, mit denen er empfangen ward, kündeten geradezu die Wiederkunft eines goldenen Alters an. Es ist fast selbstverständlich, daß in diesem Chor auch Otways Stimme hörbar wird. Am Freitag, den 21. April, wohnte James einer Aufführung des „Geretteten Venedig" bei; der Anlaß wurde mit eigens dafür gedichtetem Prolog und Epilog gefeiert. Dryden steuerte den ersteren bei: „In those cold regions which no summers cheer . . .". Nach giftigen Ausfällen gegen die Whigs wird in beinahe blasphemischen Ausdrücken die Ankunft des Friedebringers gefeiert:

> „Thus angels on glad messages appear;
> Their first salute commands us not to fear."

Otway selbst schreibt einen neuen Epilog:

> „When too much plenty, luxury, and ease,
> Had surfeited this isle to a disease . . .".

Es sind hohe Töne, die er hier anstimmt; das Heil der Nation sieht er verkörpert Einkehr halten in der Person des Herzogs, der Held und Märtyrer zugleich ist. Und gegen Ende hebt sich die Huldigung zu prophetischem Schwung, wenn er von dem Sohn und Erben spricht, dessen Geburt man erwartete:

„Be the majestick babe then smiling born,
And all good signs of fate his birth adorn,
So live and grow, a constant pledge to stand
Of Caesar's love to an obedient land."

Wir werden unmittelbar erinnert an das Vergilische:

„Iam redit et virgo: redeunt Saturnia regna:
Iam nova progenies caelo demittitur alto . . .
Pacatumque reget patriis virtutibus orbem."

Prolog und Epilog erschienen sogleich als Separatdrucke und wurden in L'Estrange's „Observator" allen Leuten von „Geist und Loyalität" zur Lektüre empfohlen (27. April; vgl. oben: „Don Carlos"). [1] Die Herzogin befand sich noch in Schottland; aber man wußte, daß James die Gemahlin in nächster Zeit heimholen werde:

„He goes to fetch the mighty blessing home." [2]

In der Tat reiste der Herzog schon am dritten Mai wieder ab und brachte einen Monat später die Gattin mit sich zurück. [3] Das entfesselte einen neuen Schwall von Huldigungsgedichten vonseiten der loyalen Poeten. Wieder finden wir Dryden und Otway an der Spitze: es war die Zeit, wo sie sich am nächsten standen, die beiden anerkannten Vorkämpfer der toryistischen Dichtergruppe. Auch die Fürstin wird von Dryden bei ihrem ersten Erscheinen im Theater mit einem Prolog begrüßt:

„When factious rage to cruel exile drove
The Queen of beauty, and the Court of love . . ."

Otways Gedicht trägt keine besondere Bezeichnung: es dürfte jedenfalls als Epilog gedient haben. Die Feier begab sich wohl noch im Juni, und auch diesmal gab eine Aufführung von „Venice Preserved" den Anlaß. Das Gedicht Otways ist erheblich kürzer als der Gruß an den Herzog, aber wenn möglich noch schwülstiger:

„Thus falling on your knees with me implore,
May this poor land ne'er lose that presence more . . .".

Wenn uns etwas diese bombastischen Lobhudeleien genießbar macht, so ist es das Wissen, daß Otway all dies in ehrlichster Ueberzeugung schrieb. Er wünscht dem noch ungeborenen Knaben Heil und Kraft, daß er das Werk des Vaters glorreich vollende.

---

[1] Unter ungezählten andern hat Lee dasselbe Ereignis besungen, nicht minder überschwänglich als Otway, aber mehr noch mit klassischen Floskeln gespickt. In Gedanken und Ausdruck berühren sich die beiden Dichtungen gelegentlich. Lee hebt an:

„Come then at last, while anxious nations weep,
Three kingdoms stak'd! too precious for the deep . . ."

[2] Aehnlich Lee:

„Heaven eccho's: Come, but come not, Sir, alone,
Bring the bright pregnant blessing of the throne."

[3] Auf der Hinreise geriet er bei einem Schiffbruch in ernstliche Gefahr; der obenstehende Anfang von Lees Gedicht spielt darauf an.

Die pompösen Erwartungen wurden schon dadurch zunichte, daß das im August geborene Kind eine Prinzessin, Charlotte Margaret, war. Am Hofe ward besonders der Epilog an den Herzog mit großer Befriedigung aufgenommen, und er hat dem Dichter gewiß mehr als bloßes Lob eingetragen.

Für die Widmung des Trauerspiels, das auf Ostern 1682 im Druck erschien, machte die Herzogin von Portsmouth ihm ein Geschenk von zwanzig Guineas, eine ansehnliche Summe, die das übliche Honorar für ein derartiges Kompliment erheblich überstieg. Hingegen soll Jacob Tonson das Verlagsrecht für den Betrag von nur fünfzehn Pfund erworben haben. So wenigstens berichtet Davies; es fällt allerdings auf, daß der erste Quarto als Verleger Jos. Hindmarsh nennt.[1]) Es ist das letzte Mal, daß wir Otway in freundlichen Verhältnissen leben sehen. Erschreckend schnell führt der Weg nun ins Dunkle, und Schritt für Schritt sind die Nachrichten spärlicher. Wir können nur ahnen, was den grausamen Wechsel herbeiführte: eigene Schuld zum Teil, zum schwereren Teil die Gleichgültigkeit der Mitwelt. Otway lernte es nie, im Wohlleben für andere Zeiten vorzusorgen: er genoß die frohe Stunde mit ganzer Hingabe; lieber einen Tag in reicher Verschwendung und Monate voll Dürftigkeit, als ein stetes bescheidenes Genügen. Und schon drängten ihn ungeduldige Gläubiger; er konnte die unbequemsten abfertigen, aber es kostete ihn den größern Teil dessen, was „Venice Preserved" ihm eingebracht. Der König war nicht der Mann, ihn dauernd zu schützen; er hatte ein kurzes Gedächtnis für Verpflichtungen solcher Natur. Der Herzog, der vielleicht bessern Willen trug, war von den eigenen Schwierigkeiten zu vielseitig in Anspruch genommen, um des Dichters sich mit Interesse anzunehmen. Aber in schamloser Bettelei aus dem eigenen Elend Kapital zu schlagen, das litt Otways Stolz nicht; lieber verhüllte er seine Not, als daß er sie genutzt hätte, das Mitleid Fremder auszubeuten. Er wollte den Lohn seiner Treue; doch nicht ein willkürliches Almosen. So lockerten sich mehr und mehr die Beziehungen, die ihn mit dem Hof verbanden. Große Anlässe, seine Gesinnung zu beweisen, boten die nächsten Jahre nicht mehr: als wieder ein solches Ereignis eintrat, mit dem Tod König Karls, da war es zu spät für den Dichter.

So stand er vereinsamt, doppelt einsam: denn um diese Zeit war auch der Roman seines Lebens zu Ende gegangen. In den Tagen, da seine Dichtung ihren lautesten Triumph feierte, raffte er sich zu dem Mute auf, alles auf einen Wurf zu setzen, eine Entscheidung, die letzte, endgültige, zu wagen. Er schrieb die Briefe an Elizabeth Barry, die uns erhalten sind. Sie schließen vor der Katastrophe ab, aber mit finsterer Ahnung: „. . . let me see you some time to-morrow, . . . either to acquit or condemn me; that I may, hereafter, for your sake, either bless all your bewitching sex;

---

[1]) Liegt vielleicht eine Verwechslung mit dem „Atheist" vor?

or, as often as I henceforth think of you, curse womankind for ever."
Die Antwort zerriß auch die letzte fromme Täuschung. Es war
mehr als der Traum seines Daseins, was hier erlosch: es starb
mit ihm der Genius seiner Poesie. Nun waren Belvidera und
Monimia tot; sie wandelten nicht mehr in leiblicher Gestalt vor
seinen Augen. Aus verzückter Vision war er aufgeschreckt zum
Schauen einer unerträglich eklen Wirklichkeit. Ziel und Sinn ist
aus seinem Leben verloren; der Glaube an sein Schaffen ist geschwunden. Er kann die große Kraft zwar nicht ertöten, die gerade
jetzt der Höhe so nahe flog. Aber ihm wird zur Qual, was bisher
der Triumph seines Lebens war: der Mut zu einem vollendeten
Werk ist gebrochen. Und wie ganz zuletzt der Dichter doch sich
durchringt zum Trost im eigenen Schaffen, da tritt, ein mäch-
tigerer Tröster, der Tod ihn an und nimmt gelassen sein letztes,
vielleicht tiefstes Gedicht ihm aus der Hand.

Poetische Kleinigkeiten, Gelegenheitsverse, die ein mageres
Honorar einbrachten, sind die gesamte Ausbeute der nächsten Zeit.
Noch aus dem Jahr 1682 stammt ein Prolog zu Aphra Behns Lustspiel „The City Heiress, or, Sir Timothy Treatall." Zusammen mit
dem Epilog, „written by a Person of Quality", erschien er als Ein-
zelblatt in Tonsons Verlag. Gesprochen wurde er von Mrs. Barry.
Jene verbitterte Resignation, die Otways letzte Dichtungen kennzeichnet, kommt hier zum Ausdruck:

„How vain have prov' d the labours of the stage,
In striving to reclaim a vitious Age!
Poets may write the mischief to impeach,
You care as little what the poets teach,
As you regard at church what parsons preach."

Er kommt zu dem Schluß:

„It must be so, some daemon has possest
Our land, and we have never since been blest."

Im wesentlichen ist der Prolog ein schwacher Nachklang seiner
Satire gegen Shaftesbury; ohne viel Witz wird das vereitelte Fest-
mahl der liberalen Partei, vom 21. April, zum Angriffspunkt genommen:

„Sham- plots you may have paid for o'er and o'er;
But who e'er paid for a sham- treat before?"

Ansprechender ist eine poetische Zuschrift, die Otway am
10. Januar 1683 von London aus an Thomas Creech in Oxford
sandte, anläßlich seiner Uebersetzung des Lucrez, die im Sommer
zuvor erschienen war. Mit zahlreichen andern wurde das Gedicht
Otways der zweiten Auflage vom Februar 1683 beigegeben.[1] Es

---

[1] „T. Lucretius Carus. / The / Epicurean Philosopher, / . . . Done into
English Verse, / With Notes. / — / The Second Edition, . . . Oxford, . . . 1683."
Außer einigen lateinischen Versen von E. Bernardus sind der Ueber-
setzung englische Gedichte von J. Evelyn; N. Tate; Otway; Aphra Behn;
J. A.; R. Duke; E. W.; und zwei Ungenannten vorangestellt.

berührt uns sonderbar, wenn wir diese ausschweifenden Lobes-
erhebungen lesen (Otway ist verhältnismäßig noch recht nüchtern),
und darnach Creechs recht gewöhnliche Leistung uns ansehen: wir
erkennen so recht, wie diese Epoche jedes Maß in Lob und Tadel
verloren hatte. Nicht des wenig verdienten Ruhms halber,[1]) den
Otway dem Uebersetzer spendet, sind seine Verse uns wertvoll. Es
ist wieder der reiche Persönlichkeitsgehalt, der sich ausspricht. Eine
tiefe Andacht vor der Größe reiner Kunst, und ein schmerzliches
Verzichten zugleich auf dieses Höchste lesen wir heraus. Mit harten,
überstrengen Worten spricht Otway der Dichtung seiner Zeit das
Vernichtungsurteil, und sein eigenes Lebenswerk nimmt er davon
nicht aus:

„. . . this wretched isle,
Which ignorant poetasters do defile
With lousie madrigals for lyrick verse;
Instead of comedy with nasty farce.
Would Plautus, Terence e'er have been so lewd,
T' have drest Jack-pudding up to catch the crowd?
Or Sophocles five tedious acts have made,
To shew a whining fool in love betray'd
By some false friend or slippery chambermaid . . ."

Ist es nicht, als hätte er seine „Orphan" dabei ganz eigens im
Sinne? Eine grausame Lust, sich selbst zu zermartern, ist über ihn
gekommen; er schreibt von Toren, die sich zum Dichten berufen
meinen, weil sie am Verhungern sind. Dann wieder höhnt er:

„For of all Nature's works we most should scorn
The thing who thinks himself a poet born;
Unbred, untaught he rhymes, yet hardly spells,
And senselessly, as squirrels jangle bells."

Und doch glaubt er mit heißer Sehnsucht daran, daß einst
die „Majestät der Poesie" neu ihren Einzug halten werde. Er ruft
Creech zu:

„Be ever to your friends, the Muses, true:
May our defects be by your powers supply'd,
'Till as our envy now, you grow our pride.
'Till by your pen restor'd, in triumph born
The Majesty of Poetry return."

Ein einziges Werk von größerem Umfang haben die nächsten
Jahre gezeitigt: die Fortsetzung des Soldatenstückes von 1680, den
„Atheist". Von allen Dramen Otways ist es das unerquicklichste,
bemühend, nicht weil es ein entschiedenes Nachlassen der Kräfte
zeigte, vielmehr weil es eine müde Gleichgültigkeit verrät, ein be-
wußtes Verzichten auf jedes künstlerische Ziel. Die gezwungen-
scherzhafte Drohung am Schluß des Prologs ist Ausdruck dafür:

„He 'll find out ways to your applause more easie;
That is, write worse and worse, 'till he can please ye."

---

[1]) Wobei ich der Arbeit Creechs ihre historische Bedeutung nicht ab-
sprechen will.

Die Handlung ist nachlässig entwickelt, der Witz unfrei und die Satire gehässig; nur für die Person Beaugards scheint der Dichter selbst Interesse zu hegen. Der „Atheist" bedeutet das charakteristische Produkt von Otways trübster Zeit. Der erste Druck der Komödie trägt die Jahreszahl 1684; doch ist sie erheblich früher zur Aufführung gelangt, wahrscheinlich sehr bald nach der Vereinigung der beiden Theater, die gegen Ende 1682 erfolgte. [1] Der „Observator" kündet die Buchausgabe am 8. August 1683 an. Die Zueignung richtet sich an Henry, Lord Elande, den ältesten Sohn des bekannten Staatsmanns George Savile, Marquis of Halifax. [2] Wir wissen nicht, welches Otways Beziehungen zu ihm waren; er mochte zu jenen Kreisen der vornehmen Lebewelt gehören, in denen der Dichter zu Zeiten ein gern gesehener Gast war. Otway bewegt sich in dieser Dedication durchaus im Fahrwasser der Dutzendpoeten seiner Zeit und weiß es selber ganz genau: „. . . tho' Epistles dedicatory be lately grown so epidemical, that either sooner or later, no man of quality (whom the least author has the least pretence to be troublesome to) can escape them . . .". Das Lob, das er mit vollen Händen streut, fällt übrigens zum gewichtigeren Teil zu Rechnung des berühmten Vaters; es war an dem Sohn offenbar nichts Ungemeines zu verherrlichen. Nebenbei vernehmen wir, daß der „Atheist" bei seinem ersten Erscheinen lebhaftem Widerstand begegnete. Schon die gallige Stimmung des Prologs macht das begreiflich. Aehnlich wie in der Epistel an Creech gibt Otway die Merkmale des unfähigen Dichterlings zum Besten:

> „These marks describe him:
> Writing by rote; small wit, or none to spare;
> Jangle and chime 's his study, toil and care:
> He always in one line upbraids the age;
> And a good reason why: it rhymes to stage.
> With „wit" and „pit" he keeps a hideous pother;
> Sure to be damn' d by one, for want of t' other . . ."

Und auch diesmal trifft er sich selber mit: „age — stage" ist gleich der erste Reim im Prolog der „Orphan", und ebenso in demjenigen zu „Friendship in Fashion"; „wit" und „pit" reimt sich mindestens ein halb dutzendmal in seinen Prologen und Epilogen, und, erheiternd genug, beginnt gleich der Epilog zum „Atheist" selbst mit dem verhöhnten Reim. Er stammt nicht aus Otways Feder,

---

[1] Es fällt auf, daß in der Anzeige im „Observator" sowohl wie im Quarto selbst die Bemerkung steht: „Acted at the Duke's Theatre". Das würde die Erstaufführung noch vor die Zeit der Verschmelzung der beiden Bühnen hinaufrücken. Anderseits spielt aber Otways Prolog ausdrücklich auf dieses Ereignis an. In den Hauptrollen treffen wir die nämlichen Künstler wieder wie in allen Dramen Otways: Beaugard — Betterton; Courtine — Smith; Daredevil — Underhill und Porcia — Mrs. Barry.

[2] Lord Elande war im Februar 1660 geboren; er verheiratete sich 1684 mit Esther, der Tochter des hugenottischen Charles de la Tour, Marquis de Gouvernet, und starb noch vor seinem Vater, 1688.

sondern ist von seinem Freunde Richard Duke in Cambridge verfaßt. Die Verse sind ohne viel Gehalt oder Eigenart, einige Ausfälle gegen die Whigs, ein Kompliment für Otways unerschrockene Loyalität.

Wir lernen Duke von einer liebenswürdigeren Seite kennen in dem hübschen Antwortschreiben auf eine poetische Epistel Otways. Miteinander gedruckt erscheinen diese zwei Gedichte erst 1717 in der Sammlung von Roscommons und Dukes Dichtungen. Dagegen findet sich Otways Brief zuerst in Tonsons „Miscellany Poems" von 1684. Es ist das ansprechendste seiner kleinern Gedichte, ein Denkmal seines enthusiastischen Freundschaftskultes. Die Stimmung ist diejenige des „Beatus ille qui procul negotiis". Ein Traum bringt ihm Bilder froher Tage, die er mit Duke und andern Freunden (sie sind mit Namen genannt) in Cambridge genossen. Aus allem zu schließen, liegen sie nicht sehr fern zurück: vielleicht hat Otway nach dem Erscheinen von „Venice Preserved" zu längerem Besuche dort geweilt. Nun sieht er im Traum sich mit dem Freund, aller Sorgen und Kümmernisse ledig, durch grünverschattete Haine wandeln, glücklich im Gefühl innigen Verstehens und frei in der freien Schönheit der Natur. Und wenn wir glauben möchten, daß Otway, dessen Seele so ganz von tieferem Erleben voll war, darum den Sinn für landschaftlichen Reiz nicht besessen hätte, finden wir hier den Gegenbeweis in anmutigen Bildern:

> „In cool delight and innocence we stray,
> And midst a thousand pleasures waste the day;
> Sometimes upon a river's bank we lye,
> Where skimming swallows o'er the surface fly;
> Just as the sun declining, with his beams,
> Kisses, and gently warms the gliding streams,
> Amidst whose current rising fishes play,
> And rowl in wanton liberty away."

Dann widmen sie Stunden der Muße den großen Dichtern des Altertums; sie lesen in Vergils „heiligen Blättern" von der edlen Freundschaft des Nisus und Euryalus, und von Aeneas, der Didos Liebe entschlossen preisgab: bezeichnend genug für Otway, daß diese zwei Episoden ihn besonders fesseln. Und dann Horaz, der von Liebe und Wein singt,

> „Two things in sweet retirement much desir'd,
> A generous bottle and a lovesome she,
> Are th' only joys in nature next to thee."

Des Abends kehren sie zur bescheidenen Hütte zurück, wo treue Freunde ihrer Ankunft harren.[1] Frohe Geselligkeit, Wein

---

[1] Otway nennt: Beverly, Adderly, Wilson, Short, Finch. Sie lassen sich kaum mehr mit Sicherheit nachweisen. Finch, der in Dukes Antwort als abwesend gedacht ist, könnte vielleicht der Komponist Edward Finch (1664—1738) sein; er wurde 1679 M. A., dann fellow of Christ's College,

und Liebe, machen die Nacht zum Fest; und so knüpft sich Tag an Tag in ungetrübter Harmonie. Da wacht der Dichter auf, und nichts ist ihm geblieben als der „alte Tyrann Sorge", der ihm am Herzen sitzt: und er sendet aus tiefer Not ein inbrünstiges Gebet empor zu den Göttern:

> „Gods! Life 's your gift, then season 't with such fate,
> That what ye meant a blessing prove no weight.
> Let me to the remotest part be whirl' d,
> Of this your play- thing made in haste, the world;
> But grant me quiet, liberty and peace,
> By day what 's needful, and at night soft ease;
> The friend I trust in, and the she I love,
> Then fix me: and if e'er I wish remove,
> Make me as great (that 's wretched) as ye can,
> Set me in power, the woful'st state of man;
> To be by fools mis- led, to knaves a prey:
> But make life what I ask, or take 't away."

Dukes Antwortverse haben nicht die dichterischen Vorzüge, welche Otways Epistel zieren; das Beste in ihnen ist die gutmeinende, aufrichtige Freundschaft und Verehrung für den größern Dichter. Er erinnert ihn an sein Versprechen eines zweiten Besuchs, und daß er ihm bald nachkommen möge. Am Schluß steht das Datum: Cambridge, 26. Oktober. Das Jahr ist nicht genannt; innere Gründe lassen mit ziemlicher Sicherheit 1682 oder 1683 ansetzen. [1]) Geschickter und herzlicher noch als das englische Gedicht sind die lateinischen Distichen, die Duke beigibt; der Dichterruhm Otways ist ihr Gegenstand, aber auch seine menschlich edlen Züge:

> „Pectoris is candore nives, constantibus Arcti
> Stellam animis, certa Fata vel ipse fide,
> Ille et amore columbas, ille et Marte leones
> Vincit, Pierias ingenioque deas . . ."

Zwischen seine Distichen fügt Duke die Hexameter-Uebertragung einer Stelle aus Otways Zuschrift ein.

Um dieselbe Zeit wohl hat Otway aus seinem geliebten Horaz ein Gedicht ins Englische übersetzt, das in der gleichen Sammlung

---

Cambridge, und vertrat die Universität 1689—90 im Parlament (vgl. Dict. of Nat. Biogr.). Short wäre nach Thornton der Arzt Thomas Short (1635—1685).

[1]) Darauf führen zahlreiche Anspielungen auf aktuelle Ereignisse; so ist unter anderm von den mechanischen Erfindungen des Diplomaten und Mathematikers Sir Samuel Morland die Rede. Er wurde 1681 zum Magister mechanicorum ernannt und vom König mit einem Ehrenmedaillon beschenkt. Der Vers: „For once a squirt was rais' d by Windsor Wall", weist auf eine Erfindung, mittelst der Morland Wasser von Blackmore Park bei Winkfield auf die Höhe des Windsor-Schlosses brachte. (vgl. Dict. of Nat. Biogr.)

mit der Epistel an Duke erschien. Es ist die sechszehnte Ode des zweiten Buches:

> „Otium divos rogat in patenti
> Prensus Aegaeo . . ."

Otway schließt sich dabei nicht ängstlich dem Wortlaut an; er hat mit beachtenswertem Takt und Können alles gelehrte Beiwerk ausgeschieden, und seine anspruchslose Leistung macht durchaus den Eindruck eines Originalgedichtes. Ganz kann der Dichter das Persönliche auch hier nicht verleugnen; er bringt einen herben Gedanken hinein, den Horaz nicht hat:

> „Et mihi forsan, tibi quod negarit,
> porriget hora",

gibt er wieder:

> „And what of life they take from thee,
> The Gods may give to punish me."

Und wie trostloser nun und bleierner stets düsteres Verzagen ihn befiel, sagt das einzige Gedicht, dessen Entstehung mit Sicherheit in das Jahr 1684 zu setzen ist, der Prolog zu Lees „Constantine the Great".[1] Es klingt wie eine traurige Vorahnung des eigenen Loses, das binnen Jahresfrist sich erfüllen sollte, wenn er davon redet,

> „How Spenser starv'd, how Cowley mourn'd,
> How Butler's faith and service was return'd."

Qualvolle Selbstverachtung spricht aus dem blutigen Hohn, mit dem er dem eigenen Dasein spottet:

> „What think ye meant wise providence, when first
> Poets were made? I'd tell you, if I durst,
> That 'twas in contradiction to Heav'n's word,
> That when its spirit o'er the waters stirr'd,
> When it saw all, and said, that all was good,
> The creature poet was not understood."

Wie Ratten auf dem Schiff, aus nichts entstanden, sind sie zum Ekel und zum Hungern da; die Natur verleugnet sie, wie sie selbst die Natur verleugnet haben.

Wir fühlen deutlich, wie es zu Ende geht: der Wille zum Leben ist gebrochen, wenn auch die dichterische Kraft noch ungemindert drängt und wirkt. Unerträglicher stets lastet die Abhängigkeit seiner Lage: er hat keine Hoffnung mehr, seinen Verpflichtungen jemals nachzukommen. Die Schulden wachsen ins Erschreckende: ein Captain Symonds scheint unter den Gläubigern des Dichters

---

[1] Dryden lieferte den Epilog; es ist zu beachten, daß der Quarto von 1684 weder für den Prolog noch den Epilog einen Verfasser nennt, und so durchaus den Eindruck erweckt, als stammten sie von Lee selber. An der Verfasserschaft Otways kann trotzdem kein Zweifel sein; alle Quellen stimmen darin überein, und das Gedicht fehlt in keiner Ausgabe der Werke. Es ist der gleiche Fall mit Drydens Epilog. Der Prolog wurde von Goodman gesprochen; die Hauptrollen im Drama spielten Betterton und Mrs. Barry.

der langmütigste gewesen zu sein; bei seinem Tode schuldet ihm Otway vierhundert Pfund. [1]) Mit kleineren Beträgen halfen ihm seine Verleger zuweilen aus; so bekennt er sich am 30. Juni 1683 zu einer Schuld von elf Pfund an Jacob Tonson: vielleicht war es ein Vorschuß auf das Honorar für den „Atheist". [2]) Die Gesundheit des Dichters war dem Zusammenbruch nahe; körperliches Leiden ersparte ihm die Schande des Schuldgefängnisses: das wenigstens scheinen mir zwei Verse einer Satire „A Consolatory Epistle to Julian in his Confinement" („State Poems" II. 132) sagen zu wollen:

> „Otway can hardly guts from gaol preserve,
> For tho' he 's very fat he 's like to starve." [3])

Wir besitzen eine einzige Darstellung, welche über die letzten Tage Otways Genaueres zu melden weiß. Sie ist merkwürdigerweise von keinem bisherigen Biographen beachtet worden; und doch erscheint es mir in hohem Grade wahrscheinlich, daß wir in ihr den authentischen Bericht über das Lebensende des Dichters vor uns haben. Sie findet sich in der Schrift „A General View of the Stage. By Mr. Wilkes . . . London: . . . MDCCLIX.", p. 245—247. Das ist allerdings eine verhältnismäßig späte Autorität, aber wenn wir sie einer eingehenden Prüfung unterziehen, wird der Schluß unabweisbar, daß sie auf zuverlässiges Quellenmaterial sich stützen muß. Im Gegensatz zu den romanhaft aufgestutzten Sensationsberichten von Otways unmittelbarer Todesursache, begegnet uns hier eine rein sachliche, schlichte Darstellung, die aber von genauen Einzelheiten weiß, welche nirgends sonst Erwähnung finden. Die Tatsachen, welche sie uns erzählt, fügen sich überraschend getreu dem Bilde ein, das wir von der Persönlichkeit Otways, von seinem Verhalten zur Umwelt bisher haben gewinnen können. Es ist zu beachten, daß die frühesten Nachrichten, die in ganz allgemeinen Ausdrücken von einer letzten Krankheit des Dichters reden, damit im Einklang stehen. [4]) Die zwei novellenhaften Ueberlieferungen von

---

[1]) „Les Soupirs de la Grand Britaigne: Or, The Groans of Great Britain", London 1713; p. 67: „Otway was more beholding to Capt. Symonds the Vintner, in whose Debt he dy'd 400 L. than to all his Patrons of Quality." Als Verfasser der klaren und scharfen Streitschrift wird Daniel Defoe vermutet.

[2]) „Second Report of the Royal Commission on Historical Manuscripts", London 1871. Appendix, p. 69 ff.: „The Manuscripts of W. R. Baker, Esq., of Bayfordbury, in the County of Herts." Eine Sammlung von Briefen aus dem 17. und Anfang des 18. Jahrhunderts, zum größten Teil an J. Tonson gerichtet. Otways Schuldschein steht p. 71 als Nr. 61 (a). Auch Aphra Behn ersucht Tonson gelegentlich um Vorschuss.

[3]) In den „Miscellaneous Works . . ." (1704) unter den Gedichten des Duke of Buckingham (im zweiten Vers „And" statt „For").

[4]) Für die Vermutung, daß Wilkes Quellen aus erster Hand zur Verfügung hatte, spricht es auch, wenn er über Lees Ende präzise Einzelheiten gibt, die in andern Darstellungen sich nicht finden. Er spricht von seinem „Alexander the Great": „Yet this play is spoiled in the altering, so miserably mangled, that were Nat Lee to rise from the church-yard of St. Cle-

dem tragischen Tode Otways dürften endgültig ins Gebiet literarischer Fabel zu verweisen sein. Das Ende ist auch so ergreifend genug. Nach Wilkes waren die Tatsachen folgende:

Betterton und einige andere klarsehende Freunde erkannten die Gefahr, in der Otway stand: sie sahen, wie er an sich selbst zugrunde ging, wenn nicht ein Wechsel in seinen äußern Verhältnissen ihm neue Interessen zeigte. Die einzige Rettung war, London zu verlassen, der Versuchung, die ihn stets neu in den Taumel des wilden Lebens hineinriß, den Boden zu entziehen. Die Freunde schossen eine Summe zusammen, und Betterton riet dem Dichter recht eindringlich, sich damit in einfache Verhältnisse aufs Land zurückzuziehen, und dort einem großen Werk zu leben, das er nachher dann auf die Bühne bringen werde. Das war wohl im Jahr vor Otways Tod. [1]) Der Dichter erklärte sich einverstanden; er verließ seine Wohnung, und für geraume Zeit hörten sie nichts mehr von ihm. Und dann, etwa ein Vierteljahr später, vernahmen sie zu ihrer großen Bestürzung, er sei in den Vororten Londons in armseliger Verfassung gesehen worden. Das Gerücht bestätigte sich, als bittende Briefe von ihm eintrafen, in denen er um weitere Unterstützung flehte. Betterton war tief empört über den grenzenlosen Leichtsinn, mit dem Otway seinen Freundesrat mißachtet hatte; er gab keine Antwort. Wir können nur vermuten, wie alles sich zugetragen: Otway verließ London mit dem besten Willen, dem Vertrauen seiner Freunde Ehre zu machen; er begann noch einmal ein Werk mit dem Aufraffen seines ganzen Könnens, er förderte es mit raschen, großen Zügen. Aber leise, und heftiger stets, regte das Verlangen sich nach dem Leben, das er verlassen hatte. Er ertrug die Einförmigkeit seines Zustandes nicht: mit jeder Faser zog es ihn zurück nach London. Er mußte das große, freie Leben um sich spüren, wenn er leicht atmen wollte. Und eines Tages nahm er sein Werk und reiste nach der Stadt zurück. Er mied es so lange als möglich, sich den Freunden zu zeigen; er fühlte, daß er sich schwach bewiesen, und er spürte auch deutlicher immer, daß ihm im Leben nicht mehr zu helfen war. Als die Not aufs höchste gestiegen, schrieb er an Betterton; aus dessen Schweigen wußte er, daß der Freund ihm zürne. Nur einen Menschen kannte er, an den er auch jetzt noch sich wenden durfte: es war Aphra Behn; von ihr

---

ment's, where he lies buried (next to the tomb of William Pattison) he would run mad again; for poor Nat was as mad as his own Alexander. Misfortunes and drink were the occasion: he was under the regimen of milk-diet for the last week of his life; but getting one evening out of his physician's reach, he drank so hard, that he dropped down in the street, and was run over by a coach. His body was laid in a bulk near Trunkit's, the perfumer's at Temple-bar, till it was owned."

[1]) In diesem Punkt scheint Wilkes nicht ganz zuverlässig; er rückt Ereignisse, die einige Zeit auseinander liegen müssen, unmittelbar zusammen: in seiner Darstellung hat es den Anschein, als erfolgten all diese Begebenheiten bald nach der Aufführung von „Venice Preserved".

konnte er auch für seine Schwäche ein freundliches Verstehen hoffen. [1]) Er bat sie um ein Darlehen von fünf Pfund, damit er seine Tragödie vollenden könne; sie gab ihm bereitwillig die gewünschte Summe. Aber mit freudigem Staunen und tiefer Bewunderung lernte sie seine neue Dichtung kennen. Es war ein Iphigenien-Drama, vier Akte davon so gut wie beendet, und in Stil und Pathos das Herrlichste, was sie von ihm gesehen. Sie drang in ihn, das Werk Betterton vorzulegen; das müsse alle Mißstimmigkeiten zwischen ihnen beseitigen. Aber der alte, männliche Stolz war in Otway noch nicht erstorben; er weigerte sich, anders als mit dem vollendeten Trauerspiel vor den beleidigten Freund zu treten. Es war damals wohl, daß er das ärmliche Logierhaus auf dem Tower-Hill, „the Bull" genannt, zur Herberge wählte: er hoffte vor dem Drängen seiner Gläubiger sich hier zu bergen und seine Dichtung zum Abschluß zu bringen. Es war ihm nicht vergönnt. Gram und Entbehrung hatten lange an seiner Lebenskraft gezehrt, nun warfen sie ihn vollends nieder. Am 14. April 1685, einem Dienstag, ist er gestorben, mehr wohl an den Folgen allgemeiner Entkräftung als an einer eigentlichen Krankheit. Sein Leib wurde in dem Gewölbe der Kirche St. Clement Danes im Strand beigesetzt. [2])

Aphra Behn hatte unverzüglich Betterton von ihrer Unterredung mit dem Dichter Kenntnis gegeben. Dieser setzte alle Mittel in Bewegung, den Aufenthaltsort Otways zu erkunden; doch blieben seine Nachforschungen ergebnislos, bis einen Monat später die Nachricht von seinem Tode eintraf. Betterton suchte seine letzte Wohnung in dem engen Gäßchen auf Tower-Hill auf; die arme Frau, in deren Hause Otway seine letzten Tage verlebt, erzählte ihm, wie am selben Abend, da er gestorben, ein Unbekannter, der zuweilen ihn besucht hatte, in sein Zimmer gekommen sei und alle Papiere, sowie die wenigen Bücher, die der Dichter hinterlassen, mit sich genommen habe. Betterton stellte energische Erkundigungen nach der Person dieses Mannes und dem Verbleib von Otways literarischem Nachlaß an: sie ergaben kein Resultat. Es war wohl ein letzter Versuch, als er anderthalb Jahre später im „Observator" nachstehende Aufforderung erließ: „Whereas Mr. Thomas Otway sometime before his Death made Four Acts of a Play, whoever can give Notice in whose Hands the Copy lies, either to Mr. Thomas Betterton, or Mr. William Smith at the Theatre Royal, shall be well Rewarded for his pains." Diese Anzeige stand in der

---

[1]) Die kluge und sympathische Frau ist viel verkannt worden, und selbst Macaulay tut ihren Fähigkeiten Unrecht, wenn er wiederholt ihre Leistungen mit den sehr minderwertigen Poemen Sir Richard Blackmores als abschreckende Beispiele literarischer Fossilien nennt. (vgl. „Madame D'Arblay" und „Mr. Robert Montgomery".)

[2]) Es ist die nämliche Kirche, in der noch heute dem Besucher feierlich der Platz gezeigt wird, auf welchem Samuel Johnson zu sitzen pflegte. Daß hier Englands größter Tragiker seit Shakespeare begraben liegt, weiß unter Tausenden nicht einer: kein Denkmal und keine Inschrift nennt ihn.

Nummer vom 27. November 1686; sie wurde am 4. Dezember wiederholt und ist jedenfalls unbeantwortet geblieben.[1]

Das frühe, so unvermutet jähe Sterben des Dichters hat in späteren Jahren zur Bildung ausschmückender Berichte Anlaß gegeben, die um so williger Gehör fanden, als über seiner letzten Lebenszeit ein geheimnisvolles Dunkel lag. Zwei dieser Erzählungen haben sich in der Otway-Biographie festgewurzelt und kehren traditionell immer wieder: beiden liegen wirkliche Verhältnisse zugrunde, und beide bauen darauf phantasiereiche Hypothesen. Theophilus Cibber hat die eine in Kurs gebracht; er erzählt in seinen „Lives of the Poets of Great Britain and Ireland" (1753, vol. II. p. 333 f): „After suffering many eclipses of fortune, and being exposed to the most cruel necessities, poor Otway died of want, in a public house on Tower-hill, in the 33rd year of his age, 1685. He had, no doubt, been driven to that part of the town, to avoid the persecution of his creditors, and as he durst not appear much abroad to sollicit assistance, and having no means of getting money in his obscure retreat, he perished. It has been reported, that Mr. Otway, whom delicacy had long deterred from borrowing small sums, driven at last to the most grievous necessity ventured out of his lurking place, almost naked and shivering, and went into a coffee-house on Tower-hill, where he saw a gentleman, of whom he had some knowledge, and of whom he sollicited the loan of a shilling. The gentleman was quite shocked, to see the author of Venice Preserved begging bread, and compassionately put into his hand a guinea. Mr. Otway having thanked his benefactor, retired, and changed the guinea to purchase a roll; as his stomach was full of wind by excess of fasting, the first mouthful choaked him, and instantaneously put a period to his days." Diese Darstellung findet sich, mit kleinen Varianten, als die allgemein anerkannte in den meisten Biographien vor Thornton; neuerdings noch hat Gosse sich zu ihr bekannt.

Die andere Version gibt ein gutes Beispiel dafür, wie ein Bericht durch nachlässige Ueberlieferung bis zur Unkenntlichkeit entstellt werden kann. Sie geht auf eine Bemerkung von Dennis zurück, die in Joseph Spences „Anecdotes" aufgezeichnet ist: „Otway had an intimate friend (one Blackstone [oder Blakistone]), who was shot; the murderer fled toward Dover; and Otway pursued him. In his return, he drank water when violently heated, and so got a fever, which was the death of him."[2] Samuel Johnson ist geneigt,

---

[1] Mit gleichem Wortlaut steht sie auch in der „London Gazette", Numb. 2194. Thursday, Nov. 25 th to Monday, Nov. 29 th 1686.

[2] „Anecdotes, Observations, and Characters, of Books and Men. Collected from the Conversation of Mr. Pope, and other Eminent Persons of his Time. By the Rev. Joseph Spence. Now first published . . . by Samuel Weller Singer. London 1820." Aehnlich ist die Darstellung in Joseph Wartons „Essay on the Writings and Genius of Pope"; vol II. (1782), p. 109, Anmerkung: „Otway had an intimate friend who was murdered in the street.

diese Fassung für die authentische zu betrachten; aber er macht folgendes daraus: „Pope, who lived near enough to be well informed, relates in Spence's Memorials, that he died of a fever caught by violent pursuit of a thief that had robbed one of his friends." Und das Unglaublichste leistet de Barante, der Johnsons Worte derart wiedergibt: „Pope, qui était presque contemporain, . . . dit qu'ayant été de nuit poursuivi par un voleur, la frayeur dont il fut ému lui causa une fièvre qui devint mortelle." („Mélanges Historiques et Littéraires", Tome III. Paris 1835, p. 281.) Thornton und Noel geben der zweiten Version den Vorzug.

Die ältesten Biographen wissen von keiner außergewöhnlichen Todesursache zu melden. Bei à Wood lesen wir (1692): „At length after he had lived about 33 years in this vain and transitory world, made his last exit in an house on Tower- hill (called the Bull as I have heard) on the 14. of Apr. in sixteen hundred eighty and five: whereupon his body was conveyed to the Church of S. Clement Danes within the liberty of Westminster, and was buried in a vault there. In his sickness he was composing a congratulatory Poem on the inauguration of K. Jam. 2." Daß Otway bis zur letzten Frist schaffend tätig war, bestätigt auch Gildon.

Das große Ereignis, das seinen spätesten Dichtungen den Gegenstand gab, war der Tod Karls II. (Freitag, den 6. Februar 1685). Ein letzter Hoffnungsblick für den sterbenden Dichter: die Thronfolge Jakobs war unbestritten; es erschien selbstverständlich, daß er den treuesten seiner Anhänger nicht vergessen werde. Aber Otway hatte die Zeit nicht mehr, die Gnade seines Fürsten zu erharren. Es mag wohl sein, daß James nach der allseitigen Inanspruchnahme des Regierungsantrittes seiner wohlwollend gedachte: damals hatte Otway bereits den Frieden gefunden. Kurz zuvor war sein letztes Gedicht von größerem Umfang erschienen, ein Quarto von dreißig Seiten, betitelt: „Windsor Castle, in a Monument to our Late Sovereign K. Charles II. of ever Blessed Memory."[1] Aus der unabsehbaren Flut poetischer Jammerklagen auf den Tod des Königs ragt „Windsor Castle" neben Drydens „Threnodia Augustalis" hervor. Den historischen Charakter Karls II. wird niemand in diesen Paradestücken suchen; der unverdiente Weihrauch widert minder an, da er einem Toten dargebracht wird. Aber genau besehen, dient Otway die Leichenklage hauptsächlich zum Vorwand, seinen Tribut dem Erben der Krone darzubringen; und daß ihm vornehmlich die Huldigung gilt, läßt schon die Dedication erkennen: „To the immortal fame of our late dread sovereign K. Charles II. of ever blessed memory. And to the sacred

---

One may guess at his sorrow, who has so feelingly described true affection in his Venice Preserved. He pursued the murderer on foot who fled to France, as far as Dover, where he was seized with a fever, occasioned by the fatigue, which afterwards carried him to his grave in London."

[1] Angezeigt im „Observator" vom 30. März 1685, zwei Wochen also vor Otways Tod.

majesty of the most august and mighty prince James II., now by the grace of God King of England, Scotland, France and Ireland, Defender of the Faith, &c. This following poem is in all humility dedicated by his ever devoted and obedient subject and servant, Tho. Otway." Die Anlage des Gedichtes ist äußerst glücklich gelungen; der Dichter weiß die fast unvermeidliche Monotonie zu umgehen, indem er, wenn nicht Handlung, so doch lebendige Anschaulichkeit hineinbringt durch die Schilderung des Lieblingssitzes Karls, des königlichen Palastes zu Windsor. Er hebt damit sein Werk über den Rahmen bloßer Gelegenheitsdichtung hinaus zu einem betrachtenden, stark persönlich gefärbten Gedicht von allgemeinem Interesse.[1]) Der Tod des Königs, der am Eingang betrauert wird, gibt natürlich den Grundton zu der ganzen nachfolgenden Darstellung; und diese Einheit der Stimmung wird unaufdringlich gewahrt durch die refrain-artig wiederkehrenden Verse:

„Though now (alas!) in the sad grave he lies,
Yet shall his praise for ever live, and laurels from it rise."

Die vergötternde Erinnerung an den Verstorbenen führt die Gedanken des Dichters an jene Stätte, welche ihm vor allen wert war:

„. . . that majestick pile, where oft, his care
A while forgot, he might for ease repair."

Otway hat selber einmal das Schloß aufgesucht, an einem festlichen Tage, dem Geburtstag des Königs:

„E'en I, the meanest of those humble swains,
Who sang his praises through the fertile plains,
Once in a happy hour was thither led,
Curious to see what fame so far had spread."

Und nun läßt er all die reichen, frohen und ernsten Bilder, deren tiefer Eindruck ihm geblieben, aufleben; er sagt uns von den Gefühlen und Gedanken, die 'damals ihn bewegt. Ein neuer Refrain kennzeichnet diesen Abschnitt:

„Tell then, my Muse, what wonders thou didst find
Worthy thy song and his celestial mind."

Ein eigener stiller Glanz liegt auf den Versen, die von der Ahnung, ja Gewißheit, des eigenen nahen Todes eingegeben sind. Der wilde Haß und Groll ist geschwunden, und eine ernste, ruhige Ergebung tritt an seine Stelle:

„And happy that man's chance who falls in time,
E'er yet his vertue be become his crime;
E'er his abus'd desert be call'd his pride,
Or fools and villains on his ruine ride.
But truly blest is he whose soul can bear

---

[1]) Thornton weist darauf hin, daß Denhams berühmte Dichtung „Cooper's Hill" von Einfluß sein konnte. Von einer Abhängigkeit Otways ist nicht zu sprechen, aber daß er von diesem Gedicht Anregung empfangen hat, ist recht wohl denkbar.

The wrongs of fate, nor think them worth his care;
Whose mind no disappointment here can shake,
Who a true estimate of life does make,
Knows 'tis uncertain, frail, and will have end,
So to that prospect still his thoughts does bend;
Who, though his right a stronger power invade,
Though fate oppress, and no man give him aid,
Cheer' d with th' assurance that he there shall' find
Rest from all toils, and no remorse of mind:
Can fortune's smiles despise, her frowns out-brave;
For who 's a prince or beggar in the grave?"

Es ist das letzte Bekenntnis, das wir aus Otways Munde hören; die Tragödie seines Lebens kommt zu derselben Lösung wie die Tragik seiner Dichtung: Trost, Versöhnung und Ruhe im Tod. Der Schluß des Gedichts fällt sichtlich ab gegenüber diesen Partien. In Nachahmung und zugleich Opposition der für politische Satire beliebten Einkleidung in „Ratschläge für den Maler"[1]), gibt Otway einem Künstler Anweisung, wie die Sterbeszene auszumalen sei, wie die Trauer der Zurückgelassenen; dann aber, wie er den neuen Herrscher und die herrlichen Versprechungen seiner Regierung im Bilde andeutend feiern müsse. Dieser Hymnus auf James II. beschließt die Dichtung.

Ein zweites Mal noch unternahm es Otway, den Tod des Königs zu besingen; doch vollendete er diesen Versuch nicht mehr. Es war ein Hirtengedicht, von dem zwei ungleich lange Strophen nur überliefert sind, die ebenfalls mit einem Refrain enden:

„The royal Pan, the shepherd of the sheep,
He, who to leave his flock did dying weep,
Is gone, ah gone! ne'er to return from death's eternal sleep."

Vielleicht ist es dieses Werk, von dem à Wood sagt, daß der Dichter es in seiner letzten Krankheit begonnen. Nach Gildon allerdings waren es Verse ganz anderer Art: „He was a jovial companion, and a great lover of the bottle, and particularly of punch; the last thing he made before his death, being an excellent song on that liquor." Dieses „Punschlied" dürfen wir mit ziemlicher Wahrscheinlichkeit wiedererkennen in einem Gedicht, das Edward F. Rimbault im fünften Band der „Notes and Queries" nach einer Handschrift veröffentlicht hat, und das in der Tat Gildons Epitheton „excellent" vollauf verdient. Ich setze es hier ein, da es noch in keine Ausgabe der Werke übergegangen ist:

„Health breeds care; love, hope and fear;
What does love or bus'ness here?
While Bacchus merry does appear,

---

[1]) Denham, Marvel, etc. vgl. den ersten Band der „State Poems"; p. 24 ff.: „Directions to a Painter concerning the Dutch War" (Denham); p. 34 ff: „Directions to a Painter"; ebenso p. 46 ff., 50 ff., 54 ff.: „The last Instructions to a Painter"; p. 89 ff., 115 ff.: „Farther Instructions", etc.

Fight on and fear no sinking:
Charge it briskly to the brim,
Till the flying topsails swim:
We owe the great discovery to him
    Of this new world of drinking.

Grave cabals that states refine,
Mingle their debates with wine;
Ceres and the god o' th' vine
    Makes ev'ry great commander,
Let sober sots small- beer subdue,
The wise and valiant wine does woe;
The Stagyrite had the honour to
    Be drunk with Alexander.

Stand to your arms, and now advance,
A health to the English King of France;
On to the next, a bon speranze,
    By Bacchus and Apollo.
Thus in state I lead the van,
Fall in your place by your right- hand man;
Beat drum! now march! dub a dub, ran dan;
    He 's a Whigg that will not follow.   T. Otway." [1])

In der Zeit ihrer Entstehung nicht sicher anzusetzen sind drei kleinere lyrische Gedichte Otways, zwei davon erst nach seinem Tod im Druck erschienen. Es sind unbedeutende Kleinigkeiten: „The Enjoyment", „The Enchantment" und „The Complaint" sind sie überschrieben. Das letztgenannte, die Liebesklage eines verschmähten Schäfers, bietet einiges Interesse, weil das persönliche Moment deutlich spürbar ist.[2])

Im Jahre 1686 dann trat eine umfangreiche Arbeit unter Otways Namen ans Licht, keine Dichtung, sondern die Ueber-setzung eines französischen Prosawerkes. Sie trägt den Titel: „The History of the Triumvirates. The First that of Julius Caesar, Pom-pey and Crassus. The Second that of Augustus, Anthony and Lepidus . . . Written originally in French, and made English by Tho. Otway, lately deceased." Besonders interessant ist, daß sich das Buch zu Otways Lebzeiten bereits angekündigt findet, aber

---

[1]) Rimbault bemerkt: „. . . The MS. does not appear to be an original, although the handwriting is of the author's period." (p. 337.)

[2]) Zum Beispiel lautet die dritte Strophe:
    „When like some panting, hov'ring dove,
        I for my bliss contend,
    And plead the cause of eager love,
        She coldly calls me friend . . ."
Daß dies erlebt ist, verraten uns die Briefe: „My sufferings, my diligence, my sighs, complaints, and tears are of no power with your haughty nature; yet sure you might at least vouchsafe to pity them, not shift me off with gross, thick, home- spun friendship . . .". (vgl. auch Strophe 4 mit dem ersten Brief.)

bezeichnenderweise ohne den Namen des Uebersetzers: „. . . now translated into English. By a judicious hand.[1]) Es ist augenscheinlich, daß der Dichter sich nicht zu diesem Werk bekennen wollte, zu dem einzig bittere Not ihn gezwungen. Aber da er während der Drucklegung starb, glaubte der Verleger ihm diese Rücksicht nicht mehr zu schulden; und der berühmte Name scheint der Uebersetzung guten Absatz verschafft zu haben, denn wir hören, daß sie mehrere Auflagen erlebte. Für uns ist sie nur darum von Wert, weil sie die einzige umfangreiche Probe von Otways Prosastil bietet, auch das freilich nur mangelhaft, da er fast wortgetreu dem Original folgt. Vielleicht läßt sich am ehesten ein Eindruck von dem Buch gewinnen, wenn ich ein längeres Stück Seite an Seite mit dem französischen Text hersetze; ich wähle dafür das Vorwort. Der ursprüngliche Titel des Werkes lautet: „Histoire des deux Triumvirats, depuis la mort de Catilina, jusqu'à celle de Cesar. Depuis celle de Cesar, jusqu'à celle de Brutus. Depuis celle de Brutus, jusqu'à celle d'Antoine." Verfasser des anonymen Werkes ist Samuel de Broé, Seigneur de Citri de la Guette.[2])

PREFACE.

Chacun a ses goûts differens, autant sur ce qui regarde la lecture, que sur toutes les autres inclinations. Quelques-uns ne lisent que pour s'instruire, d'autres que pour se divertir. Ils ont tous leurs raisons, et il seroit inutile de les combattre. Ce qu'on peut dire avec verité, est que l'Histoire seule a de quoi accorder toutes ces diversitez, puis qu'il n'y a qu'elle qui sçache joindre naturellement le plaisir à l'instruction.

Les livres de Philosophie, et des autres sciences, n'ont que des préceptes sans agrément. Ceux des Poëtes au contraire n'ont rien que l'agrément qui leur soit naturel. Les traits de morale qu'on y rencontre ne sont pas tirez de leur propre fonds: ils les doivent à la Philosophie, et on en peut dire autant des Romans, et même de ces nouvelles Historiques, que la pureté du stile et la délicatesse des sentimens, ont fait recevoir depuis peu avec tant d'aprobation. Bien que quelques-unes l'ayent merité avec beaucoup de justice, cependant on voit bien

THE FRENCH PREFACE.

Every one has a different tast as well in reading as in other things; some read for instruction, others onely to divert themselves, and each have their reasons, for what they doe. This however we may truly affirm, that History alone is able to satisfie both, since in that onely pleasure is so naturally joined to instruction.

Treatises of philosophy and other sciences contain onely precepts and axiomes without delight. On the other side, the poets have onely pleasure that is natural to them, for what moral notions we find in them they are not properly theirs, but are borrowed from philosophy. The like may be said of romances, and even of those historical novels which of late are so much in vogue for the purity of their style and the delicacy of thoughts; and though some of them have justly deserved approbation, yet it is plain, they were not made for instruction, since

[1]) „Observator", 5. Februar 1685: „There is now in the press, a History . . .".

[2]) Da mir eine ältere Ausgabe nicht zur Hand ist, zitiere ich den französischen Text nach einem Amsterdamer Druck von 1719.

qu'elles ne sont pas faites pour instruire, outre qu'elles pourroient
nous rejetter dans l'embarras des
premieres Histoires des Grecs où
la verité et la Fable sont tellement
confonduës, qu'il est presque impossible de les démêler.

Il est vrai que c'est dans ce genre
d'écrire, qu'on peut employer tous
les ornemens du discours; mais
aussi l'Histoire a ses graces natu-
relles qu'elle tire de la verité même.
Elle en peut encore emprunter de
l'art; et il ne lui est pas défendu
de se parer quelquefois, lors que
la fable prétend l'emporter sur elle
par la force de ses charmes.

On trouve dans l'Histoire mille
beaux endroits où la verité peut
recevoir tous les ornemens, sans
sortir de son caractere, surtout lors
qu'on veut borner son sujet, et se
renfermer dans quelques limites.
C'est la maniere de Saluste, qui s'y
est rendu presque inimitable. Les
plus habiles Historiens des Grecs
lui en avoient donné l'exemple,
qu'Appien a suivi; et c'est de ce
dernier qu'on a pris le dessein de
cet essai de l'Histoire Romaine, qui
contient celle des deux Triumvirats.

they throw us into the same con-
fusion and perplexity of the first
Greek Historians, where truth and
fables are so mixed and entangled,
that it is almost impossible to di-
stinguish them.

It is true indeed, that in this
kind of writing there is an opportunity of employing all the ornaments of eloquence; but it is certain too, that History has her natural graces which she takes from
truth it self: she may besides borrow beauty of art; nor is it im-
proper sometimes for her to adorn
her self, especially when fiction
pretends to outshine her in charms.

In History we find a thousand
pleasant passages where truth is
capable of all kind of embellish-
ments, and yet keep its character;
but more particularly when the subject is limited. This is Salust's
manner, who has by it made himself inimitable. The best Greek
historians gave him that example,
which Appian also has followed;
and it is from this last authour that
this design of an Essay of the Roman history is taken, which con-
tains the story of the two Triumvirates.

Die Anmerkungen des französischen Originals hat Otway zum
Teil weggelassen, zum Teil auch in den Text hineinverwoben.

Ganz unbeachtet ist Thomas Otway aus dem Leben ge-
schieden: keine Zeitung brachte die Kunde von seinem Tod, kein
Vers zu seinem Gedächtnis ist erschienen. Am 25. Januar 1686, wo
im „Observator" die „History of Triumvirates" des „unlängst verstorbenen" Thomas Otway angekündigt ist, wird es uns zum
erstenmal ausdrücklich gesagt, daß er nicht mehr unter den Lebenden weilt. All seine Werke aber zeugten noch auf Jahrzehnte
hinaus in ungeminderter Wirkung von ihm: selbst der „Alcibiades"
erfreute sich immer noch voller Beliebtheit. Und gerade im Todes-
jahr des Dichters schrieb Evelyn die preisenden Verse:

„When the aspiring Grecian in the East,
And haughty Philip is forgot i' th' West,
Then Lee and Otway's works shall be supprest."

Das Bewußtsein, daß in ihm einer der Größten dahin-
gegangen, war unter den Bessern seiner Zeitgenossen ganz allgemein; nicht lange, und man gedachte mit sehnlicher Bewunderung
der Zeit, da er seine Meisterwerke auf die Bühne gebracht:

„There was a time, when Otway charm'd the stage,
Otway, the hope, the sorrow of our age . . ." [1])

Bald kam die Zeit, wo Otways Name am liebsten mit dem
Shakespeares zusammen genannt wurde. Als 1700 „Measure for
Measure" in einer anonymen Bearbeitung aufgeführt wurde, trat
Shakespeares Geist als Epilog auf:

„. . . Let me no more endure such mighty wrongs,
By scriblers folly, or by actors lungs.
So, late may Betterton forsake the stage,
And long may Barry live to charm the age.
May a new Otway rise, and learn to move,
The men with terror, and the fair with love!" [2])

1698 erfolgte Jeremy Colliers zelotischer, aber aus innerster
Ueberzeugung mit satirischer Kraft geführter Angriff auf die englische Schaubühne: „A short View of the Immorality, and Profaneness of the English Stage, together with the Sense of Antiquity
upon this Argument." Schärfe und Temperament zeichnen die
Schrift aus, trotz des engherzig pfäffischen Standpunktes. Dryden,
Vanbrugh und Congreve werden hart in die Enge getrieben. Otway
kommt verhältnismäßig glimpflich davon: nur die „Orphan" erregt
Colliers Galle, begreiflicherweise ganz besonders die Behandlung,
welche dem Chaplain im dritten Akt vonseiten Chamonts zuteil
wird. Trotz ihrer weiten und tiefen Wirkung konnte die Streitschrift Otways Ansehen nicht erschüttern. Das achtzehnte Jahrhundert übernahm seine Dramen als den vollkommensten Ausdruck
der künstlerischen Bestrebungen des Restorationsalters, wobei es
nun freilich in seiner Weise Kritik an sie legte. Lautes Zeugnis von
ihrer andauernden Volkstümlichkeit geben Parodien und Tra-
vestien. Da schrieb um 1715 Gay seine tragi-komische Farce „The
What D' Ye Call It", eine derbe, harmlos gemeinte Verspottung der
gefühlsschwelgenden Situationen in „Venice Preserved". Belvideras
Wahnsinn wird parodiert:

„Murmuring streams, soft shades, and springing flowers,
Lutes, laurels, seas of milk, and ships of amber . . ."

Gay macht daraus:

„Bagpipes in butter, flocks in fleecy fountains,
Churns, sheep- hooks, seas of milk, and honey mountains." [3])

Aehnliches trifft man auch in der Burleske „Three Hours after
Marriage" (1717), von Gay, Pope und Arbuthnot.

---

[1]) Nach einer handschriftlichen Anmerkung Popes wäre Prior der Verfasser dieses Gedichtes.

[2]) Der Epilog ist von Oldmixon verfaßt.

[3]) Die Entsprechungen sind alle nachgewiesen in dem „Complete Key
to the last new Farce the What D' Ye Call It" (1715). „If these are proper lines
for ridicule, — Dii talia facta rependant!", ruft der Verfasser an einer Stelle
empört aus.

Die Geschichte des weiteren Nachlebens Otways müßte ein eigenes, weitumfassendes Kapitel bilden. Sie würde in ihrer vollkommenen Form eine Geschichte der dramatischen Kritik in England seit der Restoration darstellen. Wir haben uns auf das Persönliche zu beschränken.

Zweimal noch nach Otways Tode sind Veröffentlichungen unter seinem Namen erschienen. Unbestritten ist die Echtheit der sechs Briefe vom Jahr 1697. Ich verweise darüber auf das dritte Kapitel. Eine Stelle aus der Vorrede des Herausgebers mag hier zur Ergänzung noch Platz finden: „I cou'd wish we had more pieces of the same hand, for I profess an intire veneration to his memory, and always looked upon him as the only person, almost, that knew the secret springs and sources of Nature, and made a true use of them. Love, as it is generally managed by other hands, is either raving and enthusiastical, or else dull and languishing: In him alone 'tis true nature, and at the same time inspires us with compassion and delight." [1])

Von jenem Drama, dem Otway die Arbeit seiner letzten Tage gewidmet, hörte man seit Bettertons öffentlicher Nachfrage nichts mehr. Dann aber, neun Jahre nach dessen Tod, gaben zwei Londoner Verleger einen Quarto heraus unter dem Titel: „Heroick Friendship. A Tragedy. By the late Mr. Otway. London: Printed for W. Mears at the Lamb without Temple- bar, and R. King at the Queen's- head in Pater- noster- row 1719." Dies sollte der lang vermißte Schatz sein. Freilich, irgend eine verläßliche Gewähr bot der Herausgeber, der sich J. C. unterzeichnet, nicht. Seine „Preface" lautet: „The publisher informs the reader he has had this play several years in his hand, and that the person whom he procur'd it from esteem'd it very much, and assur'd him it was Mr. Otway's; and any one of taste, may perceive his genious through the whole. 'Tis well known among the dramatick writers, that he left a play behind him, equal, if not exceeding any of his former; and Mr. Gildon in his Account of the Dramatick Poets, mentions this of him, and the play left unpublish'd; which though some part is foreign to my purpose, I thought convenient to transcribe the whole. [folgt das Kapitel „Otway" aus Gildons „Lives and Characters of the English Dramatick Poets." London 1699; p. 107. Die hier in Betracht fallende Stelle heißt: „We have in print of his, ten plays; another more excellent than all of them, is, by some malicious or designing person suppress'd, either hereafter to set up a reputation to themselves, by owning it, or to procure a profit by

---

[1]) Die „Familiar Letters" scheinen Anklang gefunden zu haben: 1699 erschien bereits die dritte Auflage, eine vierte 1705. Doch kam anderseits auch im Jahre ihres Erscheinens schon eine Gegenpublikation heraus unter dem Titel: „Letters of Religion and Virtue, to several Gentlemen and Ladies: in opposition to the prophaneness and obscenity of those newly published under the Names of the late Earl of Rochester, Mr. Otway, Mr. Brown, etc. . . .".

selling it for their own." Dann schließt die „Preface" von „Heroick
Friendship":] Whither he design'd to make any alteration, I leave
the reader to judge." Die äußere Beglaubigung ist also höchst vag
und bedenklich; wir sind für die Frage der Echtheit durchaus auf
innere Argumente angewiesen. Die Zeitgenossen lehnten das Werk
einstimmig und mit Entschiedenheit als Fälschung ab; es hat entsprechend weder eine Darstellung auf der Bühne noch eine fernere
Auflage erfahren. Die spätere Kritik ist der nämlichen Meinung.
Der kluge und scharfsichtige William Oldys merkt in seinem Exemplar von Langbaines „Dramatick Poets" an: „Heroick Friendship
a spurious piece of stuff fatherd upon Otway . . .". Thomas Wilkes
äußert sich (1759): „That Otway did leave a play is very certain;
and it is as certain, that the piece called Heroic Friendship, which
was laid to his charge by a certain publisher, had no mark of his
genius." Davies (1784) und die „Biographia Dramatica" (1812)
kommen zum gleichen Ergebnis. Thornton (1813) gibt sein Urteil
folgendermaßen: „An attempt was made in 1719, to pass off a
contemptible tragedy, called „Heroic Friendship", as the long-
sought production of Otway. The MS. was not in his hand-writing;
but the internal evidence of the play was, alone, sufficient to
induce the public to reject it as an impudent imposture . . .". Erst
Gosse hat die Frage einer sorgfältigen Erwägung wert gefunden,
und sieht das negative Resultat der früheren Kritik nicht bestätigt.
Er äußert sich vorsichtig: „I lay myself open, I fear, to the charge
of credulity if I confess that I am not quite ready to accept this universal verdict." Anlage und Grundgedanke des Dramas scheinen
ihm stark für Otways Autorschaft zu sprechen. Daß die Ausführung in großen Stücken von fremder Hand stammt, ist auch ihm
unzweifelhaft. Den ersten Akt möchte er in der Hauptsache ganz
Otway zuweisen. Seit ein gediegener Kenner wie Gosse sich zu dieser Ansicht bekannt hat, wird jeder, der Otway ernstlich zu verstehen bemüht ist, neu zu der Frage Stellung nehmen müssen. Eine
beweiskräftige Lösung ist kaum möglich. Mir hat sich nach langer
und reiflicher Beschäftigung mit dem Stück der denkbare Anteil
Otways mehr und mehr verflüchtigt, so daß ich allerdings, trotz
Gosse, dem herkömmlichen Urteil wieder nahe gelangt bin, ohne
daß ich indes mich entschieden zu ihm stellen dürfte. Ich versuche, im folgenden ein unbefangenes Bild des Dramas zu geben.

Die Fabel ist von Interesse als eine dramatische Fassung des
Vorwurfs zu Schillers „Bürgschaft". Die Szene liegt im alten Bri-
tannien. König Arbelline haßt und verdächtigt seinen jüngern Bruder Guiderius, der von seinem Freund, dem Römer Decimus, sich
endlich zur Empörung überreden läßt. Der Plan wird verraten,
Guiderius gefangen und zum Tode verurteilt. Decimus erwirkt ihm
für einen Tag die Freiheit, daß er Abschied nehme von seiner
Geliebten Aurosia. Der Römer bleibt als Bürge im Gefängnis. Die
flehentlichen Bitten Aurosias stellen die Freundestreue des Guiderius auf eine harte Probe; er ermannt sich und kehrt in den Ker-

ker zurück. Der König, überwunden von der starken Freundschaft der Beiden, bittet um seine Aufnahme als Dritten in den Bund:

> „To be into the sacred bond admitted
> Of your immortal friendship . . ."

So löst sich der Konflikt in großes Wohlgefallen. Breiten Raum nehmen die Liebesepisoden ein, indem der König ohne Erfolg um Aurosia wirbt, während seine Mätresse Claudia, die Schwester des Römers, Guiderius zu erobern sucht. Wenn wir endlich noch Madoc, das Haupt der Druiden, in der Rolle des Intriganten tätig sehen, so haben wir das Schema des heroischen Dramas greifbar vor uns. Wäre der Dichter der „Orphan" und des „Geretteten Venedig" dorthin zurückgekehrt, wo er einst mit dem „Alcibiades" eingesetzt hatte? Dies ist anderseits zu betonen: wir treffen die typischen Merkmale der Otwayschen Tragödie in „Heroick Friendship" wieder. Liebe und Freundschaft sind die mächtigen Impulse; die beiden Helden, durch enge Freundschaft verbunden, ihnen gegenüber die Heldin, um die das Drama sich entwickelt. Aber R. Noel bedeutet mit Recht, daß es das erste Bestreben eines Fälschers hätte sein müssen, seinem Werk die charakteristischen Züge von Otways Drama zu geben; und das war gerade bei der Entschiedenheit, womit dieser die Grundlinien zieht, kein schweres Stück. Daß ein in der ganzen Anlage so unwirksames und mattes Schauspiel wie „Heroick Friendship" auch nur im Plan auf Otway zurückgehe, will mir nicht einleuchten. Auch lege ich einiges Gewicht darauf, daß Wilkes mit großer Bestimmtheit von einem Iphigenien-Drama spricht, das der Dichter Aphra Behn gezeigt habe. Freilich, die andere Möglichkeit möchte ich nicht rundweg abweisen, daß der Verfasser von „Heroick Friendship" aus Otways fragmentarischem Stück, das zu vollenden er sich nicht getraute, vereinzelte Paradestellen in ein Drama eigener Mache übernommen hätte, um diesem Glanz zu geben. Denn allerdings fallen gewisse Partien durch überraschende Energie des Ausdrucks auf: ich finde solche im zweiten und zu Anfang des fünften Aktes. So könnte ich nachfolgende Worte des Guiderius (p. 21) mir wohl in einem Werke Otways denken:

> „So — my doom 's sign' d — and I am force[d] to pass
> Into that gloomy scene, that silent somewhere,
> That startles all mankind! —
> If it be like the life I 've gone thro' here,
> 'Tis bad indeed; but that is yet to try:
> Farewel ye wretches of this giddy world,
> Where only fools and madmen can be happy.
> False hope, base fear, ye constant springs of life,
> Eternally farewel: and thou, oh Love!
> Must I bid thee farewell? thou only gemm,
> Upon the thread-bare robe of proud mortality,
> Must I leave thee behind? — — —"

Ich erwähne noch, daß das Stück sehr sorglos gedruckt, die Interpunktion namentlich ganz regellos ist. Unfertige Verse finden sich besonders zahlreich im ersten Akt, auch einige offenkundige Lücken. Im Epilog wird mit verdächtiger Eindringlichkeit der große Name als Schild gegen allfällige Kritik hochgehalten:

> „Who dares to damn a 'play which Otway writ?"

Eine liebevolle, wenn auch strenge Würdigung hat dem Dichter Otway ein Mitarbeiter des „Gentleman's Magazine" im achten Band desselben (1738) gewidmet. Die eigenartige Arbeit betitelt sich: „The Apotheosis of Milton. A Vision." [1]) Der Verfasser wird von einem Genius in die Versammlung der toten Dichter Englands eingeführt:

> „. . . That person, so unlike the other awful form, said my guide, is Shadwell; he has a seat here by the indulgence of a tasteless Court, who bestowed on him the laurel in prejudice of the great Dryden. I had scarce time to testify my surprize, when a young man of a divine aspect appeared; and to my great amazement, went up to Shadwell in a familiar manner. My amazement was changed to the utmost concern, when I saw him affect the same airs and motions with him: But there was a remarkable difference betwixt them, for that abandoned deportment seemed as unnatural in him, as the airs of wit and politeness appeared in the other. I observed the whole assembly behold this extraordinary young man with a paternal affection and pity. At last he seemed to recover himself, and turning towards the president, gave me an opportunity of taking a full view of his person and dress. His upper garment resembled in its fashion that of Shadwell; but as it was loose, it discovered a vest as fine as that which was wrought by Helen for her inglorious lover, and his sword hung in a belt, which seemed to have the same virtue with the cestus ascribed to the goddess of beauty. Upon his legs he wore buskins, and this part of dress was peculiar to himself, and different from that of the rest of the company. That divine young man, said my conductor, is the incomparable Otway . . ."

---

[1]) Dieser Essay soll Guthrie zum Verfasser haben; vgl. Boswells „Johnson", chap V.